LA PASSION DE JEANNE

MICHELLE TISSEYRE

LA PASSION DE JEANNE

ROMAN

ÉDITION DU CLUB QUÉBEC LOISIRS INC.

Dépôt légal — Bibliothèque nationale du Québec, 1997
ISBN 2-89430-301-7
(publié précédemment sous ISBN 2-221-08580-9)

Imprimé au Canada

À la mémoire de mon père,
Pierre Tisseyre.
Croix de guerre, prix Cazes,
chevalier de la Légion d'honneur,
officier de l'Ordre du Canada.
(Paris, 1909 - Montréal, 1995)

Remerciements

Je tiens à remercier ici ma mère, dont les souvenirs d'enfance forment la toile de fond de ce récit, et dont les réactions et les conseils m'ont guidée tout au long de sa rédaction.

J'en profite pour témoigner ma gratitude à André Maltais, qui m'a suggéré de sortir le manuscrit du tiroir où il s'empoussiérait depuis dix ans, et qui n'a cessé de m'encourager à le terminer, à coups de déjeuners et de randonnées à pied dans le vieux Québec ; à Charles Tisseyre, Magda Tadros, Jacques About, Rose de Angelis, Marc et Michelle Ouin, Maurice Dumoncel et Peter Robinson, mon comité de lecture, dont les réactions et les suggestions m'ont apporté une aide inestimable ; à Albina Lantier, pour ses souvenirs des campagnes politiques de sa jeunesse, et pour notre mémorable virée à Québec, nonobstant ses 90 ans ; aux Ursulines de Québec pour leur chaleureux accueil, et en particulier à leur archiviste sœur Marie Marchand, pour les recherches qu'elle a eu la bonté de faire pour moi ; à Ronald Duhamel, député de Saint-Boniface à la Chambre des communes, qui s'est chargé de me faire visiter les lieux où ma grand-mère fut brièvement carmélite ; à Carole Boily, archiviste au couvent des Sœurs Grises de Saint-Boniface, qui m'a fourni une documentation précieuse sur le Carmel de Saint-Boniface ; à Lucien Chaput, qui m'a gracieusement offert d'excellents plans et cartes de la ville de Saint-Boniface à l'époque où ma grand-mère y séjourna ; à Nicole Lafond pour les innombrables photocopies ; à mon fils, Merlin Robinson, pour ses recherches et ses suggestions concernant tout ce qui touche, de près ou de loin, à l'histoire militaire ; à feu mon grand-père John Ahern, qui a laissé tous ces beaux livres sur l'Irlande et en particulier sur son héros, Michael Collins ; à Robert Laffont, pour avoir cru en ce livre ; à Pauline Normand, et à la maison Robert Laffont, pour m'avoir donné ma chance ; à mon mari, Peter Robinson, qui s'est occupé de tout pendant les longs mois où j'ai carrément disparu dans mon cabinet de travail ; à mes autres enfants, Liam, Leif, Angus, Brigitte et Francesca, pour leur patience et leur compréhension ; sans oublier, à l'origine de tout cela, Madeleine Marmin, professeur de français, de latin et de grec au collège Marie de France ; et à toi, papa, qui lorsque j'étais enfant as nourri dans mon âme le beau rêve d'écrire...

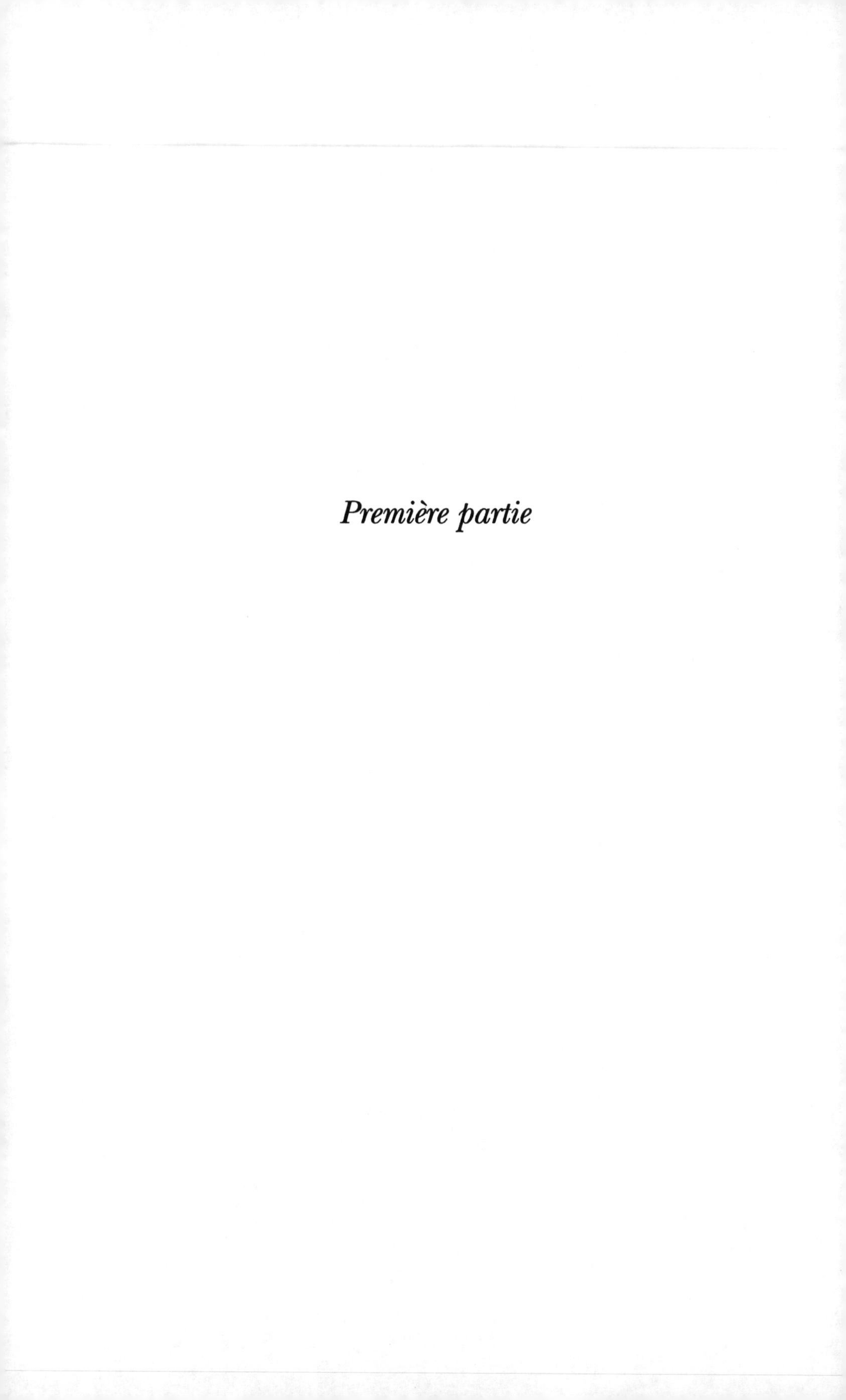

Première partie

Le Dieu parlant

1.

Saint-Boniface, province du Manitoba, décembre 1915

La nuit tombe sur Saint-Boniface, petite ville canadienne-française tapie dans les méandres de la rivière Rouge, au bord de la grande plaine de l'Ouest. De la petite gare du chemin de fer, le trajet n'est pas long jusqu'à l'avenue Taché. Celle-ci longe la rivière, figée en cette saison dans sa blancheur hivernale. Dans le jour déclinant l'avenue enneigée est déserte, désolée. À l'angle de l'avenue Taché et de la rue Masson se dresse une vilaine clôture en planches, haute de six mètres, dont dépassent quelques cimes d'arbres dépouillés. Derrière cette palissade, bien à l'abri des regards du profane, se cache une bâtisse en bois de deux étages que les extrêmes de climat et les intempéries ont, malgré un entretien assidu, progressivement délabrée. Sa vétuste façade se renfle en son milieu d'une espèce de tour semi-octogonale, chapeautée d'une galerie en forme de pergola, ouverte à tous les vents, qui lui donne l'air lugubre d'une résidence d'été désaffectée. Le rez-de-chaussée de cette tour abritait jadis la porte d'entrée de l'édifice, ancien collège devenu un temps hôtel de ville, puis petit séminaire. Cependant, lors des réaménagements nécessités, il y a trois ans, par le changement de vocation du vieux bâtiment, cette entrée centrale a été condamnée, et une nouvelle porte, plus modeste, pratiquée à même la façade, qui en gâte à présent la morne symétrie. C'est vers cette porte, à l'heure crépusculaire, que, par un froid à pierre fendre et à geler les os, deux femmes se dirigent à pas pressés.

La sœur tourière qui leur ouvre est une personne boulotte, au visage bon enfant et sans âge, dont les dents proéminentes, les petits yeux myopes derrière leurs lunettes rondes, et le menton fuyant hérissé çà et là de poils gris rappellent une marmotte que l'on aurait tirée de son sommeil hibernal. « C'est la seule qui n'est pas cloîtrée », chuchote Mme Langlois à sa fille tandis qu'elles patientent au parloir, petite pièce pauvrement meublée, au plancher usé qui geint sous les pieds, où l'on peut s'entretenir avec une religieuse au travers d'une grille recouverte d'un voile noir. Au bout d'un moment la tourière reparaît. Elle regrette de leur dire qu'il est impossible de voir la Mère prieure avant le lendemain, le grand silence du soir étant déjà commencé.

— Nous ne vous encourageons pas à prolonger les adieux, suggère la religieuse en plissant ses yeux myopes.

— Ne m'oublie pas dans tes prières, dit Mme Langlois en déposant un baiser frugal sur le front de sa fille.

Puis, dans un dernier regard où pointe une sorte d'envie, elle disparaît dans le froid de la nuit.

— Il est déjà tard, poursuit la nonne à l'intention de Jeanne, que ce départ bouleverse intimement. Il vaut mieux vous coucher afin d'être fraîche et dispose pour la journée de demain, qui sera importante.

Elle fait signe de la suivre dans un escalier étroit qui mène à l'étage au-dessus du parloir, au minuscule appartement du tour [1] qui ne fait pas partie du cloître proprement dit. La chambre qu'elle lui indique, à l'angle de l'édifice, est à peine plus large que le couloir.

— Ce soir seulement vous aurez pour voisine Mme Dragon, explique la tourière, un peu essoufflée, en remettant à Jeanne son habit pour le lendemain. C'est la mère de notre sous-prieure. Quand son mari est mort, elle a quitté le Québec pour être près de sa fille. Elle vit ici à l'année.

Jeanne se retire, en proie au désarroi d'une orpheline

1. Le tour : partie du monastère qui communique avec le monde extérieur, comprenant le parloir et habité par un(e) religieux(se) non cloîtré(e), appelé(e) tourier, tourière.

de bonne famille que l'on vient de présenter à la vieille tante indigente et excentrique dont elle sera désormais la pupille. Elle a peine à croire qu'elle est ici dans un couvent, mot depuis toujours associé dans son esprit à ces vastes demeures en pierre aux dimensions seigneuriales fréquentées par sa mère, et dans l'une desquelles elle-même a longtemps vécu pensionnaire. Au moment de se coucher, fidèle aux habitudes inculquées dans l'enfance, elle tente de faire son examen de conscience, mais à l'intérieur la houle est forte et menace de verser le frêle esquif de sa détermination. Elle s'accroche pourtant, tout engagée qu'elle est sur le sentier des braves — même sa mère le soulignait, lors d'une brève halte dans une petite ville quelque part en Ontario, quand de la fenêtre du wagon elles ont aperçu, sur le quai d'une gare, un groupe de soldats dissipés et rieurs, des volontaires, à peine plus âgés qu'elle. En route vers l'Est, vers la France, vers le front. « Tu vois ces jeunes militaires, lui a-t-elle dit en la regardant dans les yeux. Songe que le pouvoir d'intercession d'une carmélite est décuplé par ses sacrifices et ses privations. Ces jeunes-là vont avoir grand besoin de tes prières. Peut-être même que, sans le savoir, quelqu'un d'entre eux aura la vie sauve grâce à toi. » Son cœur s'est serré d'effroi, mais aussi de sympathie. Eux vers l'Est, moi vers l'Ouest, se répétait-elle, raisonnant son angoisse tandis que le train quittait la plate-forme.

Peu après, la neige s'est mise à tomber. Pendant des centaines de kilomètres elle a déferlé, tourbillonné, badigeonnant de blanc les champs noircis de gel, balayant de rafales sinueuses les coteaux dénudés. Puis le train a quitté les régions habitées pour s'enfoncer dans une contrée sauvage, bordée de lacs austères. Sa mère, tout à la récitation muette de son rosaire, s'est tue, laissant Jeanne sur une soif sans remède ni répit, comme une eau déjà rare finalement se tarit. Ce soir au crépuscule, le train est entré dans Saint-Boniface sous un ciel de sang. À peine descendue sur le quai de la petite gare, le vent glacé l'a saisie à bras-le-corps, comme pour la secouer et la rappeler à la raison. Mais le regard de sa mère au moment de la quitter, ce regard de toujours qui jaugeait, qui jugeait, décapant sa volonté, exposant sa faiblesse, lui refusant en privé l'accolade qu'elle lui accordait parfois sous les effusions admiratives des religieuses du pensionnat, cet adieu retenu et dubitatif a pénétré jusqu'au bas-fond, obscur et vaseux, de sa peur.

Vers les onze heures, ne pouvant dormir, elle entend du mouvement dans la pièce contiguë à la sienne. Dans l'épuisement qu'elle ressent au terme du voyage, le souvenir du nom étrange de sa voisine la glace encore plus que le vent sournois qui secoue le bois des vieux murs. Dame Dragon, répète une voix de marmotte tout au fond des ténèbres, Femme Dragon...

2.

Avant le lever du jour, la tourière la fait lever. Dans le noir elle enfile en grelottant la lourde robe de bure. Elle a mal dormi, elle a faim, et le froid, omniprésent dans ce bâtiment mal chauffé, mine un peu plus son courage. Dehors, dans le couloir, la petite dame à cheveux gris qui parle à la religieuse n'est pas du tout à la hauteur de son nom. Petite et menue, tirée à quatre épingles dans une longue robe violette datant de l'avant-guerre, coiffée d'un chapeau d'une élégance surannée qui détonne curieusement avec la pauvreté du décor, elle lève vers Jeanne de petits yeux d'oiseau et lui sourit d'un air doux et aimant qui ne fait que lui souligner son propre abandon. On descend à la chapelle attenante au parloir, où une aube pâlotte filtre faiblement à travers le double vitrage d'une haute fenêtre à battants. L'incroyable dénuement de ce lieu aux murs lézardés maintes fois replâtrés, au plancher raboteux, au plafond bas qui vous comprime l'âme, ravive d'un seul coup ses tourments de la veille. Dehors une neige grise tombe à contre-jour, en tournoyant au gré du vent sous le ciel souillé. La partie du chœur ouverte au public est déserte, sa trentaine de chaises inoccupées. À travers la grille opaque qui sépare la chapelle en deux dans le sens de la longueur, on devine des silhouettes en filigrane, à la lueur croissante du jour.

Les trois femmes se lèvent en voyant l'officiant s'approcher de l'autel. Jeanne en l'apercevant est soudain assaillie par le souvenir de son père, de ses cheveux blancs ébouriffés par le vent, du visage abattu qu'il avait quand elle l'a quitté à Montréal. Elle se rappelle le chagrin qui lui étreignait la gorge quand, du fond du traîneau qui l'emportait vers la gare, elle a vu s'éloigner sa haute silhouette immobile au bord de la chaussée enneigée. Elle s'est tapie comme une bête sous les fourrures, pour se protéger de la bise qui lui cinglait les yeux, en refoulant ses larmes pour que sa mère ne la voie pas flancher, des larmes qui maintenant lui embrouillent les yeux, qui débordent et coulent sur ses joues, qui s'insinuent entre ses lèvres. Elle s'affole de sentir son menton qui tremblote, les sanglots qui montent, la garrottent, l'étranglent, et qui, si elle ne parvient pas à les contenir, vont éclater comme des cris dans le silence funèbre. La respiration coupée, elle refoule son chagrin, désespérément, elle le boit, elle l'avale, à grandes gorgées amères. Devant elle le vieux prêtre continue sa messe basse. À côté d'elle, ses deux compagnes se recueillent et prient. Autour d'elle, rien ne surnage, aucune trace, de l'ouragan qui vient d'emporter son courage.

3.

Jeanne à six ans était une enfant secrète, dont la réserve endiguait une sensibilité tumultueuse. Les sentiments chez elle étaient des crues subites, qui débordaient du lit de son extrême pudeur, et se répandaient au grand jour en élans qui faisaient ricaner ses camarades de pensionnat. Exilée depuis peu par une mère dévote à qui elle vouait un amour désespéré, elle avait d'abord cherché à pallier le chagrin de ne voir ses parents qu'à Noël et aux grandes vacances par des attachements intempestifs qui, en révélant l'indigence de son cœur, l'exposaient malgré elle aux petites cruautés qui sont le pain quotidien des écoles pour jeunes filles. Si, dans le morne ordinaire de sa vie de couventine, les efforts qu'elle faisait pour camoufler sa nature la rendaient gauche et peu communicative, en revanche elle trouva dans le merveilleux des images de missel, dans la légende dorée des martyrs et des saints du calendrier, dans le mystère et le faste des fêtes liturgiques, et jusque dans la monotonie du rituel catholique, un lénitif pour sa solitude. Ayant pris son parti des dédains essuyés, elle hanta la chapelle et le confessionnal, et par des excès de piété dûment relatés par les nonnes, trouva le moyen de briguer à distance la faveur de sa mère.

À l'approche de sa première communion, celle-ci lui fit faire une robe en organdi blanc brodée de fleurs de soie et assortie d'un voile en mousseline transparent, en tout point semblable à une robe de mariée et de loin la plus exquise que Jeanne eût jamais étrennée. Le jour de la cérémonie cette robe, en sus de lui valoir la jalousie de sa principale tortionnaire parmi les autres communiantes, lui révéla sur sa propre mère une vérité fondamentale. Car cette femme, qui menait à Ottawa une vie austère et retirée, qui ne se déplaçait jamais pour venir voir sa fille à Montréal, qui était pour Jeanne une déité distante et terrible, lui refusant même en vacances les plaisirs les plus simples, cette mère belle et sévère, qui ne se montrait jamais satisfaite et qu'elle désespérait d'émouvoir jamais, pleura comme une Madeleine après la cérémonie. « C'était si beau », avait-elle murmuré, d'une voix tremblante d'émotion, le visage baigné de larmes, en comblant de baisers sa fille stupéfaite. « Quand tu t'es approchée de l'autel. On aurait dit une sainte ! »

Le jour de la distribution des prix, l'année de ses douze ans, les religieuses rapportèrent qu'elles voyaient poindre en Jeanne une grande vocation. Il n'en fallait pas plus pour que cet été-là, dans le village côtier de Carleton, en Gaspésie, où les Langlois avaient leur résidence d'été, la nouvelle de cette destination précoce se répandît comme une traînée de poudre. Alors que dans le salon familial défilait le cortège habituel des électeurs de son père, qui apportant un jambon, qui un saumon, tel autre un grief ou une réclamation, Jeanne accompagnait sa mère dans sa ronde quotidienne auprès des bonnes âmes de la paroisse.

— Comme ça, elle s'en va faire une sœur ! s'émerveillait-on au grand bonheur de sa mère. Quel ordre avez-vous choisi ?

— Si elle en a la force, peut-être le Carmel, mais il faut tant de courage...

Chaque soir, voyant arriver chez elle toute une cohorte d'organisateurs politiques en cabale, Mme Langlois fuyait la boucane de cigare et de blasphème qui, le bon cognac de son mari aidant, accompagnait inévitablement leurs palabres, et conduisait sa fille aux vêpres. Après l'office, si la soirée était belle, on s'attardait sur le parvis avec M. le curé et les autres habitués du culte vespéral, qui s'agglutinaient autour de la jeune future comme les docteurs autour de l'enfant Jésus. Quant à la principale intéressée, prise au piège de son propre zèle, voyant tout l'orgueil que sa mère tirait de la conjoncture et qui rejaillissait sur elle en une pluie d'attentions sans précédent, elle se persuada qu'elle était enfin aimée. C'est ainsi que, par un artifice de la personnalité humaine qui incite certaines natures à se renier elles-mêmes dans l'espoir de plaire à un tyran adoré, Jeanne, dans le simple but de se rapprocher de sa mère, s'engagea, sans trop s'en rendre compte et sans vraiment le vouloir, dans une voie qui l'éloignerait d'elle pour toujours.

Dans les mois qui suivirent, elle appliqua à se confectionner une vocation authentique tout l'ingénieux éclectisme qu'apporte une pauvresse à réunir un trousseau. Son imagination mobilisa tout le panthéon de héros et d'héroïnes de ses lectures d'enfance, de sainte Jeanne d'Arc à sainte Thérèse d'Avila, de saint François d'Assise à Lancelot du lac, de la Chanson de Roland à la Quête du Graal. Ainsi parvint-elle à fabriquer, à même le triste écheveau qui lui était échu, toute une tapisserie où s'enchevêtraient tant de fils dorés d'honneur, de prouesse, et d'abnégation qu'elle finit par en oublier la pauvreté de la trame. De sorte qu'en étalant devant elle l'itinéraire de sa vie elle avait aussi peu idée de ce qui l'attendait que n'a, des périls du *fesh-fesh* et des sables mouvants, un écolier devant une carte du Sahara. N'ayant appris qu'à endiguer les pulsions véritables de sa conscience et de son cœur, elle accumula derrière cet amalgame factice de vœux pieux et de bonnes intentions tout un moi inavoué et latent, vaste réservoir de doute et de crainte, dont les eaux dormantes n'attendaient pour se déchaîner que les secousses telluriques de la réalité.

4.

Depuis trente ans qu'elle était prieure d'un monastère de carmélites, mère Raphaël de la Providence avait appris à se défier des premières impressions. Néanmoins, grâce à sa longue pratique de la personne humaine, elle savait reconnaître du premier coup d'œil les facteurs qui, dans certaines circonstances et à divers degrés, pouvaient favoriser ou décourager l'épanouissement d'une vocation. De la lointaine époque de son propre noviciat à Montréal, dans un édifice insalubre et non chauffé sur les bords du Saint-Laurent où, le premier hiver, quatre des fondatrices venues de Reims avaient succombé aux rigueurs du climat, elle avait conservé un sain respect des limites du corps humain. Aussi, dès le début de son premier priorat montréalais, dans le nouveau monastère de la rue du Carmel, construit loin du vent et des vapeurs humides du fleuve, elle avait adapté la rigueur absolue de la règle monastique aux dures réalités de l'hiver canadien, prévoyant le chauffage et un minimum de nourriture de façon à ménager les santés. Combien de fois néanmoins n'avait-elle pas assisté, impuissante et navrée, à la lente détérioration d'une candidate trop fragile ? Ici surtout, dans ce monastère provisoire, qui marquait un retour aux conditions primitives de ses débuts, les postulantes entraient et ressortaient, à peu près régulièrement, au bout de quelques mois...

Au fil des ans, elle avait donc observé que les carrures trapues, ramassées et charnues étaient parfois les plus fiables garantes d'une vocation durable. Il y avait des exceptions bien sûr, se disait-elle sans trop de conviction en regardant la grande et mince jeune fille qui venait d'entrer dans son minuscule bureau. Par exemple, la sous-prieure : grande, longiforme, de tempérament hépatique et nerveux, qui compensait par le fer d'une volonté ardente trempée dans une foi exaltée la désolante fragilité de sa constitution. Sans doute cela explique-t-il, soupira la nonne en son for intérieur, ce trait malheureux qu'elle a, pour une moniale, de manifester parfois à l'égard des autres l'impatience qu'elle n'éprouve en vérité qu'envers elle-même...

— Entrez, mon petit, dit la mère prieure à la nouvelle postulante.

Compacte et râblée dans son lourd habit brun sous sa chape de laine blanche, sa tête voilée de noir fermement tassée dans ses épaules épaisses, cette femme aux yeux gris et sagaces dégageait une force tranquille qui procura à Jeanne sa première impression rassurante depuis son arrivée.

— Venez vous asseoir. J'étais justement en train de relire ma correspondance vous concernant.

Marie Jeanne Églantine Langlois. Née le 2 novembre 1899. Pensionnaire au couvent des Sœurs adoratrices du Précieux Sang, à Montréal, de septembre 1905 à juillet 1915. Enfant unique. Élève studieuse. Tempérament dévoué et ardent. Se destine depuis l'enfance à la vie religieuse...

Il n'en demeurait pas moins que la jeune personne qui se trouvait devant elle ne pouvait de sa vie avoir connu de conditions aussi rudes que celles qui prévalaient ici. Grande, élancée, d'ossature délicate, avec des traits fins et une magnifique chevelure blonde et ondulée qui lui ruisselait sur les épaules et dans le dos — en la regardant la prieure était bien tentée de prédire qu'elle ne passerait pas l'hiver. C'est pourquoi d'ailleurs elle préférait en général qu'une postulante se présentât au printemps, si possible à temps pour la grande fête de Pâques qui marquait, en même temps que la fin du Carême, un certain assouplissement de la règle après les sept mois de jeûne très strict de l'hiver. Le mois de mai était le plus joyeux, celui des prises d'habit et des prises de voile. Durant l'été, les religieuses refaisaient leurs forces, aidées par le bon air sec et brûlant de la prairie, les fruits et légumes frais que leur apportaient les fermiers, le lait et les œufs des frères jésuites, le miel, la crème, le beurre et le fromage des pères trappistes. Une vocation qui était accueillie au sein de la communauté à cette époque de l'année s'épanouissait comme une graine en sol fertile, qui pousse et mûrit à la belle saison. Pour celles qui arrivaient à l'automne, une fois rétablie l'observance rigoureuse du jeûne, et à plus forte raison en hiver, quand la vie des moniales était à son point le plus exigeant, la période initiatique était beaucoup plus ardue.

... Fille de l'honorable Charles Langlois, député de Bonaventure au parlement d'Ottawa, bien connu à Saint-Boniface pour sa défense des droits scolaires des Canadiens français du Manitoba. Ami personnel de feu monseigneur Langevin...

Comme cet homme allait lui manquer ! pensa la prieure, que la mort de l'archevêque de Saint-Boniface, quelques mois plus tôt, avait durement touchée.

— Vous nous arrivez très hautement et, dois-je ajouter, très chaleureusement recommandée, dit-elle en croisant sur ses papiers ses gros doigts noueux déformés par l'arthrite.

Jeanne nota avec admiration le français que parlait la nonne, vestige sans doute de sa jeunesse sous l'égide des fondatrices françaises.

— Notre règle a un but, simple mais exigeant : celui de nous ouvrir à l'Amour divin. Nous croyons que le don de soi, sans réserve ni entrave, passe par le renoncement au monde, librement, joyeusement consenti : j'insiste là-dessus car vous êtes jeune...

Tout en parlant, la prieure observait attentivement la postulante, dont l'extrême jeunesse et la beauté naïve affleuraient tout entières dans l'extraordinaire limpidité des yeux. Ce regard transparent révélait malgré lui, à de grandes profondeurs, un désarroi dense, réprimé, contenu, que l'œil averti de la nonne tentait de pénétrer.

— ... Notre règle est le harnais que revêt notre âme afin de se soumettre à la volonté du Seigneur, reprit-elle avec la douceur d'une institutrice parlant à une nouvelle, le premier jour de la rentrée. Le silence, le jeûne, la pénitence ne sont que des moyens de nous rapprocher de Lui. Monseigneur Langevin, ajouta-t-elle, avec une imperceptible défaillance dans la voix, aimait dire de nous que nous servons de paratonnerre à la colère divine, que nous protégeons par nos prières tous ceux qui nous entourent.

Jeanne vibrait sous ce regard perspicace qui la sondait. Confusément, elle sentait poindre au fond d'elle-même, comme aux temps les plus noirs de son enfance, la terrible tentation de se livrer. Dans le grand bouillonnement qui depuis des mois l'emportait à la dérive, c'était comme si une branche, solide et basse, soudain se tendait à sa portée.

— Le silence nous place tout entière dans le regard de Dieu, poursuivait la prieure. Il nous dépêtre de nos ronces, il nous débroussaille le cœur, il nous débarrasse des débris de l'existence, il souffle dans notre âme comme le vent balaie la Grande Plaine que les Indiens appellent *Manitou-Ba,* le pays où Dieu parle...

— Le pays où Dieu parle... répéta Jeanne presque sans s'en rendre compte.

— Quant au jeûne, reprit la prieure, dans un murmure, il prépare le corps à accueillir le Seigneur, à recevoir Son amour. Le corps est lourd, la chair opaque. L'Esprit est lumière. Ce n'est qu'une fois épurée, clarifiée l'eau trouble que nous sommes, que l'Amour divin peut pénétrer en nous...

Jeanne demeura un instant subjuguée par la force incantatoire des propos de la vieille nonne. Grâce à elle, malgré l'incursion massive de la réalité depuis la veille, son esprit juvénile, féru d'images et de romanesque, retrouvait la mystérieuse poésie du monde de son enfance.

5.

Seule à la grande table du réfectoire, Jeanne dévora son premier repas depuis près de vingt-quatre heures. Puissamment absorbée dans l'acte de se nourrir, s'imprégnant de surcroît de la chaleur du fourneau où bouillonnait la soupe, elle avait presque oublié qu'un moment avant de s'attabler elle n'était qu'un corps affamé grelottant de froid. Lorsqu'elle eut nettoyé son assiette avec sa dernière bouchée de pain, la sœur cuisinière, qui portait un voile blanc, lui fit signe de se lever et lui indiqua une porte opposée à celle par laquelle elle était entrée. Cette porte menait à la salle dite de récréation, une pièce non chauffée dont les fenêtres donnaient sur une cour enneigée, entourée de toutes parts d'une clôture gigantesque qui bouchait toute vue possible de la rivière toute proche et du monde extérieur. L'air y était si froid qu'en respirant on voyait son haleine, et que Jeanne, marchant de long en large pour se réchauffer, fut prise de panique à l'idée qu'on pût l'oublier et la retrouver morte, frigorifiée. Lorsque enfin la prieure entra, suivie des huit autres occupantes du cloître, le bref réconfort que lui avait apporté son repas s'était irrévocablement dissipé.

6.

À cinq heures du matin dans la nuit glaciale, Jeanne pose ses pieds gourds sur le plancher rugueux. Un courant d'air arctique s'enroule autour de ses chevilles, retrousse la jupe de sa chemise de nuit, remonte ses jambes tremblantes et nues. Hébétée de fatigue, grelottante de froid, dans le noir elle s'escrime avec sa longue robe, qui la glace encore plus avant qu'elle n'arrive à s'y réchauffer. Elle se rassied sur son lit, résiste à l'envie impérieuse de se recoucher, enfile péniblement ses bas de laine, endosse sa chape. La tête qui tourne, le souffle court, vite à la chapelle en claquant des dents. Elle est la dernière encore ce matin. À la clarté des étoiles qui filtre par la fenêtre, les autres sont toutes là, à genoux dans l'obscurité. Jeanne les rejoint sur la pointe des pieds. Les lattes du plancher craquent sous ses pas. Ses genoux meurtris tressaillent au contact des planches. Notre Père qui êtes aux cieux, supplie-t-elle en silence, faites que je tienne encore cette fois. La douleur se propage, lancinante, irradiante, faites que je tienne, mon Dieu, comme des lames de couteau dans les cuisses par en dedans, mon Dieu, faites... Dehors le ciel est couleur d'encre, et elle, elle est dans ce corps, dans cet antre obscur, avec ce fauve qui lui laboure l'estomac de ses griffes — donnez-nous aujourd'hui notre pain... et pardonnez-nous... La douleur s'étire à l'infini, tellement qu'elle ne sent plus ses jambes, ni les planches, seulement la faim qui l'évide et la creuse, la faim qui l'éviscère.

Enfin un mouvement dans le noir autour d'elle, les autres qui s'assoient, elle aussi, sur le sol dur, tellement plus dur qu'au début, et le sang qui revient dans ses jambes, la chaleur d'abord, cuisante, puis le fourmillement, insupportable...

Onze heures quinze, après la messe, et l'examen de conscience, de plus en plus ardu — enfin le bonheur de la journée. La vapeur, les odeurs, la chaleur de bonne soupe qui descend jusqu'aux talons, et le pain qu'on mâchonne sans bruit, chacune pour soi, sans regarder les autres pour ne pas troubler leur concentration. Après on retourne à la chapelle pour les grâces, le ventre momentanément plein.

Midi. Depuis Noël, elle supporte de moins en moins bien la salle de récréation. Le chauffage n'y parvient pas, et il n'y a pas grande différence avec la température polaire du dehors. On y porte des moufles par-dessus ses mitaines, néanmoins plusieurs sœurs parviennent à tricoter. C'est l'heure où les postulantes et les malades peuvent monter se reposer, la seule où la faim vous laisse un bref répit. Depuis un mois elles sont plusieurs à passer les temps libres couchées dans leurs cellules, dans le dortoir frigide. Sœur Bernadette, que Jeanne surnomme la madone à cause de ses beaux yeux mélancoliques, dont la toux a empiré ; sœur Elizabeth qui est trop faible pour se lever. Jeanne souvent s'endort sur son lit, parfois jusqu'à la cloche de deux heures qui sonne pour les vêpres. Mais chaque fois qu'elle en a la force, elle se lève au bout d'une heure et se traîne derechef jusqu'à la chapelle.

C'est le moment de la journée où l'aumônier entend les confessions.

« Mon père, j'ai péché », les mots qui permettent tous les épanchements, même les plus brouillons. Je ne suis pas à la hauteur de vos attentes. Maman avait raison de douter de moi. Je me croyais forte, je suis une faible ; brave, je suis une lâche. J'en veux à mère Raphaël de ne pas me regarder en dehors des récréations. J'en veux à sœur Cécile d'être si gaie. J'ai honte de ne plus pouvoir prier. Mon père, j'ai péché. J'ai douté de moi-même. J'ai douté de vous. Elle dégorge ses fautes, honteuse, mais aussi, depuis quelque temps, amère, profondément. Et de l'autre côté de la cloison, la voix, riche et profonde, une voix d'homme comme son père qu'elle n'entendra plus, plus jamais. Mon Dieu, est-ce possible ? Le silence me tue...

« Le chemin sur lequel vous vous engagez est long et difficile », dit la voix du prêtre, qui ne la voit pas, qu'elle n'a jamais vu. « Il n'est pas inhabituel, au moment du grand départ, d'éprouver des sentiments pénibles. Offrez-les au Seigneur, faites-Lui-en l'offrande... » La voix qui pardonne tout.

Cinq heures. Une heure entière à la chapelle, sur les genoux, à peine plus supportable pour autant que le matin. Il fait déjà noir. Le déjeuner est loin. Le corps faiblit un peu davantage. *Père, pourquoi m'avez-vous abandonnée ?*

Six heures, la collation. Un morceau de pain qu'on mastique lentement, le plus longtemps possible, quelques raisins secs qu'on mange un à un, en suçant sa salive pour en extraire tout le sucre. Un verre d'eau bouillante qu'on serre entre ses mains transies pour les réchauffer, et qu'on avale ensuite avec un haut-le-cœur.

Récréation. Le fond de la misère. Les lèvres de la madone sont bleues de froid, les voix ratatinées tintent comme des grelots.

Retour à la chapelle pour l'office du soir. Par comparaison, il y fait presque chaud. Complies, matines et laudes. Les heures les plus longues. Le grand silence. La chaleur perdue ne se rattrape pas.

Onze heures du soir enfin dans la cellule. Nouveau constat d'échec.

Les premiers temps elle a circulé dans l'immense silence comme un poisson d'aquarium qu'on met à la mer. Maintenant, elle se parle constamment tout bas, s'oubliant parfois à marmonner dès qu'elle est seule. Le silence cependant est un tyran diurne. Plusieurs fois par nuit, à l'étage des cellules, le rythme syncopé des respirations, ponctué de soupirs, et du râle asthmatique de la pauvre madone, s'amplifie de ronflements, en tandem ou en relais, tantôt sournois, tantôt assourdissants. À bout de nerfs, torturée par la faim et la solitude, éperdue d'épuisement et de froid, elle tente rageusement de les identifier. Le bouledogue, peste-t-elle méchamment, imputant la faute à cette grognon de sœur Gertrude, et se bouchant les oreilles de ses doigts gelés. Parfois elle prie, et le ciel envoie le vent à la rescousse, il hurle aux fenêtres, fait trembler les murs, secoue la baraque jusque dans ses fondements. *Manitou-Ba...*

7.

La récréation de midi est commencée. L'heure du repos a enfin sonné. Un soleil éblouissant se déverse de la fenêtre tout en haut de l'escalier. Elle gravit les marches une à une de son pas chancelant. Elle n'a pas l'habitude de traîner à la fenêtre, mais au sommet des marches la fatigue l'oblige à reprendre son souffle. Dans le ciel sans nuage le soleil de février brille de tous ses feux. Dehors sur la neige il rayonne si fort qu'elle en est aveuglée. Au fond de la cour soudain, par la porte qui donne à l'extérieur sur la cour de l'archevêché, une silhouette surgit, noire contre le gris de la clôture. Bientôt en approchant la forme se précise, un prêtre marchant à vive allure dans l'allée enneigée, faisant voler sa soutane devant ses pas pressés. Le chapelain qui dit la messe est grand, il a les cheveux blancs. L'inconnu qui traverse devant elle sous la fenêtre est petit, avec des cheveux noirs et touffus, et tellement jeune qu'elle a peine à croire que c'est à lui qu'elle va se confesser tout à l'heure. La voix dans le confessionnal ressemble à s'y méprendre à celle de son père, véritable géant qui dépasse tout le monde d'une tête au moins. Dans sa poitrine son cœur ébahi s'emballe et dérape.

8.

— Vous souffrez, murmure la voix, derrière la grille.

— Oui, mon père, gémit-elle. Sa gorge n'émet plus qu'une sorte de grincement, à peine plus audible que la plainte du prie-Dieu qui lui entame les genoux.

— La vie d'une pénitente est faite d'amour et de souffrance, poursuit la voix, si proche maintenant qu'elle lui donne le vertige. Vous êtes courageuse, vous êtes forte, mais il faut aussi demander l'aide de Dieu...

— Mon père, aidez-moi, je vous en supplie.

Elle ferme les yeux. Ici, le temps d'une confession, le silence se tait, vaincu par la voix humaine qui lui dit, à elle, Jeanne, qu'elle existe. *Il faut apprivoiser le silence...* Manitou-Ba, la voix de Dieu. La voix du vent qui n'a cessé de sévir, la voix de l'hiver qui s'est emparée d'elle comme un desperado le jour où elle a laissé son père sur le trottoir gelé. *Père, pourquoi m'avez-vous abandonnée ?* Combien de fois, le ventre creux, n'a-t-elle pas cru mourir dans son étreinte glacée ? Dans la nuit du cloître, le silence hurle, secoue les fenêtres, malmène les vieux murs de planches... Contre le froid assassin et le silence qui tue, c'est ici que chaque jour elle vient se blottir. Ici l'ouragan du silence ne rugit plus. Ici enfin le silence se tait, apprivoisé par la voix de velours, douce comme une caresse sur un front d'enfant.

— Est-ce vous que j'ai vue, tout à l'heure, à la fenêtre...

L'aveu murmuré, si bas qu'ils ne partagent qu'une seule et même pensée. Tous les jours maintenant elle se traîne à l'étage et elle guette, pour le simple bonheur de le voir arriver. Tout à l'heure, enfin il a levé les yeux, et elle a fait un bond, s'est écartée de la fenêtre comme si une pierre venait d'y être lancée, s'est affaissée contre le mur du couloir, le cœur dans la gorge, le corps trempé d'une sueur glacée.

— Mon père, aidez-moi...

La digue enfin est en train de céder. Elle entend les eaux noires qui se précipitent, le tonnerre effarant de leur fuite déchaînée.

— Vous êtes si jeune, la vie ici...

La voix lui parvient déformée, aqueuse, de quelque part à l'intérieur de sa propre cervelle. Elle s'agrippe au prie-Dieu, qui tremble violemment. Les haut-le-cœur se succèdent, la submergent. Des larmes de feu lui dévorent les joues. Elle a si froid dans cette chapelle, elle délire de sommeil, tout son corps se regimbe, se rebiffe, se raidit.

— Mon père... gémit Jeanne d'une petite voix tremblée, je ne peux plus rester ici...

Elle croule sous le poids de l'échec, de la honte. Elle sent un heurt violent contre sa joue.

9.

Archevêché de Saint-Boniface, mars 1916

— Votre Grandeur, s'écria le père Jobin. (Il déposa sa fourchette et regarda le nouvel archevêque de Saint-Boniface dans les yeux.) Avec tout le respect que je vous dois, on ne peut quand même pas la laisser mourir !

— François, François, protesta monseigneur Béliveau en se calant davantage dans sa chaise, et scrutant attentivement le visage de son hôte.

Ce jeune aumônier avait été un proche de feu monseigneur Langevin, son illustre prédécesseur, qui avait présidé à la fondation du Carmel.

— Vous savez bien qu'une telle décision ne relève pas de moi, poursuivit le prélat. Je ne peux pas ordonner à la mère supérieure des carmélites de renvoyer cette enfant à Montréal !

— Ce n'est pas ce que je vous demande, insista le prêtre. Elle dépérit à vue d'œil. Je soupçonne depuis un certain temps qu'elle n'est pas ici de son plein gré.

— Comment le savez-vous ?

— Je n'ai pas dit que je le savais, seulement que je le soupçonne. Elle semble se faire une telle violence, être en proie à de tels doutes...

— Des doutes ? Quelle sorte de doutes ?

— Elle doute d'elle-même, de son courage...

— Si vous me permettez de hasarder une opinion, je trouve que vous êtes beaucoup trop près de ces religieuses. Je sais qu'Arthur fréquentait lui-même le Carmel, et je sais tout ce qu'il a fait pour en faciliter l'implantation à Saint-Boniface. Pour ma part je ne vous encourage pas à trop vous mêler de leurs affaires. Je suis de l'opinion qu'en ce qui regarde nos consœurs de tous ordres il est plus sage de garder une saine distance.

— Votre Grandeur, je n'exagère pas en vous disant que

cette jeune fille risque de mourir d'inanition. Elle n'est pas faite pour la vie monastique. Il ne faudrait pas oublier qu'elle est fille de député. Son père a été l'un des plus constants défenseurs de nos droits constitutionnels au parlement d'Ottawa. Nous avons cette année plus besoin de son aide que jamais. Imaginez si on doit la sortir d'ici les pieds devant !

L'invective du prêtre eut l'effet désiré. Monseigneur Béliveau lança un regard exaspéré à son bouillant subalterne. D'ailleurs il avait raison. L'Honorable Charles Langlois avait fait du droit à l'école française des Canadiens français du Manitoba son cheval de bataille personnel, et le nouvel assaut qui se préparait de la part de l'administration provinciale risquait d'ôter à ses ouailles le peu de garanties qu'il leur restait.

— Bon, vous m'avez convaincu, maugréa l'archevêque, mais cela ne promet pas d'être plaisant.

— À votre place, je prendrais l'initiative d'écrire à la famille pour les prévenir de l'état de santé de leur fille. Le temps que la lettre se rende, cela vous laissera le loisir d'aborder son cas avec mère Raphaël de la Providence.

— Ces pauvres carmélites, soupira le prélat. J'ai toujours pensé que Saint-Boniface n'avait pas les moyens de supporter un monastère de religieuses contemplatives. Arthur le savait, mais il voulait tellement leur faire plaisir... Nos paroissiens, dont elles dépendent, sont tellement pauvres qu'elles ont toutes sortes de problèmes d'approvisionnement. L'aumône est rare, surtout l'hiver quand la terre ne produit pas et que les familles n'ont pas de surplus à partager. Toutes les postulantes qu'elles ont eues jusqu'à présent les ont quittées au bout de quelques mois pour des raisons de santé. Je ne vois pas pendant combien de temps elles pensent pouvoir continuer...

10.

Jeanne sort lentement des ténèbres, appelée par le tintement de la cloche qui se confond avec les lourds battements de son cœur. Tout l'hiver elle a sonné, cette cloche, appelant les paroissiens au secours de la communauté affamée. Peu à peu son corps inerte reconnaît l'âpre contour d'un matelas sous elle. Elle tente d'ouvrir les paupières, mais la lumière lui écorche les yeux. Elle entend un bruissement à la porte de la chambre.

— Eh bien, sœur Jeanne, murmure la voix émue de la sœur Grise qui, depuis le début de sa maladie, l'entoure de soins. Vous n'avez presque plus de bleu sur votre pommette.

Jeanne veut porter la main à son visage, mais son bras reste de plomb.

— Là, restez tranquille, vous êtes encore bien faible, proteste doucement la religieuse. Vous allez mieux, mais maintenant il va falloir manger, pour reprendre des forces.

Jeanne devine une présence aux côtés de la sœur, et entrouvre de nouveau les yeux. Le jeune abbé Jobin est debout à son chevet, qui la considère gravement.

— Monseigneur Béliveau a écrit à votre père, dit-il tout bas. Pour l'informer de votre condition et lui recommander de venir vous chercher.

Le cœur de Jeanne fait un soubresaut dans sa poitrine. Un faible gémissement lui échappe.

— Chhh... fait la nonne, en mettant un doigt devant sa bouche. Maintenant, reposez-vous. Nous vous avons assez fatiguée pour aujourd'hui. Mme Dragon et moi nous relayons à votre chevet. Nous sommes tout à côté de vous si vous avez besoin de nous.

Jeanne referme les yeux. L'épuisement l'engloutit de nouveau.

11.

Mai 1916

Sa mère n'est pas venue. À sa place un Ange est apparu à la porte du couvent, si radieux que la sœur tourière en était tout éblouie.

— Je viens chercher ma nièce, Mlle Jeanne Langlois. Auriez-vous l'amabilité de la prévenir ?

L'Ange porte un long tailleur de voyage, bleu comme un ciel d'été, avec un petit chapeau à voilette de même couleur. Jeanne qui cherche sa mère des yeux ne reconnaît pas tout de suite la sœur cadette de son père, qu'elle a si peu vue en grandissant. Celle-ci étouffe un petit cri d'effroi en la voyant. Jeanne ne sait pas encore, n'a pas idée de l'effet que produisent, sur quelqu'un qui ne l'a connue qu'enfant, l'été, au bord de la mer, son teint cireux, son visage hâve, sa démarche hésitante, ses cheveux plats et ternes.

— Jeanne, c'est moi, Florence...

— Florence ? s'étonne Jeanne, faiblement. Maman n'est pas là ?

— Elle a dû rester à Ottawa, avec ton père. Elle m'a demandé de la remplacer.

Jeanne s'interroge confusément. Quelque chose dans cette explication qui ne correspond pas...

Elle était arrivée en plein hiver, avec la bourrasque pour escorte dans la nuit polaire. Elle repartait aux premières vraies chaleurs, qui dans la plaine infinie qui s'étend jusqu'aux contreforts des Rocheuses, succèdent aux grands froids sans s'embarrasser de printemps. Au sortir de l'enceinte du monastère, dans la rue Taché qui surplombe la rivière noyée de soleil, l'éblouissement subit de tant de clarté la fait presque défaillir. Elle sent le souffle chaud de la prairie, son impérieuse caresse sur son visage et sur son corps. De l'autre côté de la rue, surplombant la Rouge, un arbre explose en une volée d'oiseaux qui se dispersent lentement, en faisant pleuvoir de leurs cris, sur son ouïe ressuscitée, une cascade de notes cristallines. Un frisson d'indescriptible volupté lui parcourt l'échine.

Sa mère n'est pas venue. Déjà ce doute menace à l'horizon, mais l'horizon est loin. Elle agrippe la main qui se tend et, prenant place dans la voiture fournie par l'évêché, sombre dans une ivresse vertigineuse.

L'hermine du pauvre

1.

Québec, mai 1917

La rue Sous-le-Fort est l'une des plus anciennes du vieux Québec. À peine plus large qu'une ruelle, elle grimpe d'un trait jusqu'à la rue Petit Champlain, à l'ombre du château Frontenac dont les tours se dressent tout en haut de l'escarpement qui la surplombe. De part et d'autre de son étroit couloir datant du XVIIe siècle s'élèvent de vieilles façades en pierre, encrassées par les ans. À l'angle de la rue, un jeune homme aux cheveux blonds tirant sur le roux, au physique maigre et nerveux, lève vers l'une d'elles des yeux pâles et perçants. Ses vêtements sont usés mais propres et de bonne qualité, sa cravate de soie coquettement nouée, ses chaussures frais cirées. Ce raffinement dans la pauvreté, qui chez l'étudiant sans moyens est un des signes extérieurs de l'arrivisme, trahit, chez ce fils orphelin de l'ancien doyen de l'école de médecine, un tempérament nostalgique. Il y a de longs mois en effet que Michéal O'Neill (qui tient farouchement à l'orthographe gaélique de son prénom, bien que la plupart des gens en bâclent la prononciation), tout juste rentré en train de la métropole, n'est pas retourné dans sa ville natale. Comme chaque fois qu'il y revient depuis sa sortie du séminaire [1], ses pas le mènent ici, devant l'ancienne mercerie de ses grands-parents au-dessus de laquelle sa mère a grandi, et d'où, paraît-il, ayant obtenu

1. Séminaire : pour petit séminaire. Au Québec, jusqu'à une époque récente, collège (pensionnat) pour garçons, dirigé par des religieux. C'est au grand séminaire que l'on formait les futurs prêtres.

une dispense des autorités ecclésiastiques compétentes, elle est partie à l'âge de treize ans épouser celui à qui, avant de mourir, elle donna dix-huit enfants. C'est devant cette maison sise au pied de l'escalier du Quêteux, dans ce vieux quartier qui croupit derrière les entrepôts du port, que, tout jeunes, Mick et le petit Arthur, les deux derniers-nés, venaient parfois traîner, comme si ces vieilles pierres recelaient encore quelque invisible trace de l'inconnue qui leur avait donné le jour. Maintenant qu'Arthur, emporté à quinze ans par la typhoïde, n'est plus, ce vestige d'un passé qu'il n'a pas connu est une sorte de monument à sa propre solitude. Frondeur de nature, anticlérical depuis le collège, il n'y vient certes pas pour prier et d'ordinaire passe son chemin, le cœur pétri de cette tendresse sans objet, qui pousse dans son âme comme une fleur d'églantier dans un sol desséché.

Aujourd'hui cependant il s'attarde, fait les cent pas, consulte sa montre, allume une cigarette. Sacré Gonzague, grogne-t-il à part soi. Jamais à l'heure. Finira par manquer ses propres funérailles. Même au collège, il trouvait toujours moyen d'être en retard partout. Maudit farceur, à trop faire le pitre dans les toilettes... Il rigole tout bas en se rappelant les cochoncetés de son ancien camarade, les photos sépia de filles nues qu'il vous sortait à la pissotière devant cinq ou six gars ébaubis qui débandaient aussi sec quand Arthur, qu'on avait posté dans le couloir, signalait en toussant l'approche du frère surveillant ! Maudit fou de Gonzague, ricane-t-il en voyant apparaître son ami au bout de la rue Petit Champlain. Grand, baraqué, la tête rentrée dans les épaules, avec sa démarche de pachyderme en balade, le lascar déambule à son aise. En apercevant Mick, sa bonne bouille sympathique s'illumine, mais il n'en presse pas le pas pour autant. L'impatient trépigne, sort sa montre, la balance au bout de sa chaîne. L'autre hausse les épaules en souriant d'un air épaté.

— Eh, le grand ! T'exagères, bonhomme. Un peu plus et j'y allais sans toi...

— Prends pas l'mors aux dents, toi mon Irlandais ! répond ce grand dadais de sa voix de basse tonitruante.

— *Never mind*, chose ! T'as vu l'heure ?

2.

Retroussant leur col contre le vent qui se lève, les deux jeunes gens pressent le pas dans la côte de la Montagne tandis que de la haute-ville leur parvient un murmure grandissant.

— Pis, monsieur le grand citadin, dit Gonzague en posant sa patte d'ours sur l'épaule de son compagnon. Ça fait-tu du bien de revenir chez nous ?

Chaque fois qu'ils se revoient, le grand lui pose la question. Comment lui expliquer que depuis la mort de son père, et celle d'Arthur surtout, plus rien vraiment ne le retient ici ? Qu'il lui faut de l'air et du large à perte de vue ? Qu'on étouffe dans l'étreinte doucereuse du passé, surtout ici, dans cette ville où son père a passé toute sa vie entre sa maison de la rue Desjardins derrière le couvent des Ursulines, la faculté de médecine de Laval à deux pas de chez lui, et l'Hôtel-Dieu tout à côté ? Qu'on s'étiole dans la vieille capitale avec son atavisme de ville fortifiée et sa mentalité de bourgade assiégée ? Comment faire comprendre à ce farouche provincial, pour qui le centre de l'univers se situe quelque part entre l'archevêché et l'Assemblée nationale, entre la citadelle et l'hôtel de ville, dans ce quadrilatère sacré hors duquel point de salut possible, que sa vie désormais est dans la grande ville au sud, où l'avenir se construit, où les affaires se brassent, dans la métropole du pays, qui étale sa promesse au pied du Mont Royal ?

— Sûr que ça fait du bien ! Pour visiter, par exemple, pas pour rester, tu le sais !

— T'es fou, mon Mick, laisse-moi t'dire. Plus beau qu'Québec, mon gars, tu meurs...

— Le monde entier est beau, répond Mick avec un sourire indulgent. À mourir pour mourir, Gonzague, autant en voir le plus qu'on peut pendant qu'il est encore temps.

Déjà sous le ciel sombre annonciateur de pluie, la place qui s'étale en pente douce devant le marché Montcalm est noire de protestataires. Le temps qui fraîchit à l'approche de la nuit ne refroidit en rien l'ardeur de cette foule qui, pour se réchauffer en attendant l'arrivée des orateurs anticonscriptionnistes, s'époumone avec la dernière énergie.

Ô Canada ! Terre de nos aïeux,
Ton front est ceint de fleurons glorieux...

Le son conjugué de ces milliers de voix déferle des remparts qui bordent la place, vers la basse-ville et le fleuve en contrebas, et jusqu'aux lointains contreforts des Laurentides à demi noyés dans la brume.

Sous l'œil de Dieu, près du fleuve géant,
Le Canadien grandit en espérant...

Dominant l'assemblée du haut des fortifications, des groupes de jeunes gens s'agitent et s'égosillent. De l'autre côté des murs, les rues de la vieille ville se sont vidées, tandis que plus bas le fleuve majestueux s'embrume peu à peu. Les deux étudiants se faufilent lentement le long du faîte de la muraille, pour aller se jucher au sommet de la porte Saint-Jean.

Ennemi de la tyrannie
Mais plein de loyauté
Il veut garder dans l'harmonie
Sa fière liberté...

— Hier à Montréal, t'aurais vu ça, chose, on était quinze mille au parc Lafontaine. Après les discours ça a défilé dans les rues toute la journée. Même qu'hier soir la chicane a *poigné* rue Sainte-Catherine et qu'y a eu des vitres de cassées à *La Presse* et à *La Patrie.*

— Qu'est-ce'tu vas faire si la loi est votée ? dit doucement le grand, en sortant de sa poche de veston un *flask*[1] en argent, dont il dévisse le bouchon avant de l'offrir à son compagnon.

---

1. *Flask :* bouteille plate, en verre ou en métal, que l'on portait sur soi et qu'on remplissait d'alcool (whisky, rhum, etc.).

— Je l'sais pas, soupire ce dernier en embouchant le goulot.

Le whisky lui embrase la gorge de sa chaleur bienfaisante. Mick s'est transplanté, son ami s'enracine. Lui a choisi McGill[1], le grand préfère Laval. L'un se destine au droit, l'autre sera notaire. Qu'à cela ne tienne. À la vie à la mort. Et si la conscription est votée... à la mort peut-être, et plus tôt que prévu.

Soudain une clameur assourdissante s'élève de la place grouillante de monde à leurs pieds. Les jeunes orateurs viennent de monter sur le parvis du marché, et la foule se déchaîne en apercevant Armand Lavergne, le tribun nationaliste que tous attendent. Du haut des remparts, sous la pluie qui commence, la troupe de jeunes gens scande son nom. *La-vergne ! La-vergne !* tonne la foule à l'unisson. Pendant plus d'une heure, l'auditoire grelottant, frileusement abrité sous une forêt de parapluies, acclame l'un après l'autre ceux qui viennent dénoncer l'intention du gouvernement Borden[2], à Ottawa, d'imposer la conscription à la population canadienne qui, depuis le début de la guerre, a déjà envoyé en Europe plus de trois cent mille volontaires. Ponctuant de hourras les discours des orateurs, les « À bas la conscription ! À bas Borden ! » fusant de toutes parts, la foule patiente sous les trombes d'eau qui se déversent à présent sans relâche du ciel. Enfin Lavergne, l'enfant terrible dont la rumeur veut qu'il soit le fils naturel du chef de l'opposition et ancien Premier ministre du Canada, sir Wilfrid Laurier, s'avance pour parler, et la masse se soulève pour lui faire une longue et retentissante ovation.

Mince, élégamment vêtu, muni d'un porte-voix pour se faire entendre dans le crépitement continu de la pluie, le jeune politicien nationaliste dont le visage aux traits presque mièvres est à peine visible sous le grand parapluie noir qu'un acolyte tient pour lui, est un des plus redoutables orateurs de sa génération[3].

---

1. McGill : université anglophone, à Montréal.
2. Borden, Robert, Premier ministre du Canada de 1911 à 1920.
3. Pour le discours de Lavergne au marché Montcalm, voir *Le Devoir*, lundi 28 mai 1917.

— Canadiens ! lance-t-il enfin lorsque la clameur s'est un peu atténuée. Nous ne sommes pas contre la conscription pour la défense du Canada. Car il est du devoir de tout citoyen de donner son sang pour son pays !

— C'est vrai ! crient des voix dans la foule qui se déchaîne de nouveau.

— Mais j'aime assez les miens pour dire qu'ils ne doivent pas en donner une seule goutte pour l'Angleterre !

— Pas une goutte ! À bas la conscription ! lui répond-on.

— Si c'est pour la liberté que nous combattons, que l'Angleterre commence donc par la donner à l'Irlande !

— Vive l'Irlande ! hurle Mick, à qui son père a inculqué son amour farouche de la patrie de ses ancêtres.

— Ou bien le Canada est une colonie, ou bien il est une nation souveraine ! Je dis que nous sommes une nation ! martèle à nouveau le tribun.

À chaque nouvelle éruption de bravos, les premières mesures de l'*Ô Canada* se propagent sporadiquement à travers la foule.

— C'est si facile de consulter le peuple ! Si le peuple le veut, ils l'auront, leur conscription ! Et s'il ne veut pas, ce pays nous appartient ! Ce n'est pas uniquement à M. Borden ! Je veux que vous sachiez que j'ai reçu de citoyens des provinces anglaises de nombreuses lettres, notamment de Toronto ! s'exclame l'orateur en brandissant une liasse de lettres à la vue de tous.

— Hourra !

— Et d'aussi loin que Vancouver ! Disant que le peuple dans ces provinces est opposé à la conscription ! Et demandant à la province de Québec de les aider à répudier ce gouvernement qui ne nous représente plus ! Depuis deux ans son mandat est expiré !

— À bas Borden ! rugit la foule.

— Ce que nous demandons, c'est un référendum ! tonne Lavergne à son tour. Afin que le gouvernement reçoive du peuple un mandat impératif ! Et des élections fédérales ! Afin que le peuple choisisse un gouvernement !

— Des élections ! Des élections !

— Nous avons reçu de nos aïeux un patrimoine que nous allons transmettre intact à nos descendants ! Nous allons faire respecter l'autonomie canadienne ! Pour cela nous lutterons jusqu'à la fin !

La foule le couvre de vivats qui, maintenant que la pluie a enfin cessé, se répercutent, amplifiés par les fortifications et les bâtiments qui ceignent la place. L'*Ô Canada* reprend de plus belle, tandis que des cris de « À *L'Événement* ! Au *Chronicle* ! À bas la conscription ! » se mettent à fuser et qu'un puissant remous brasse une partie de la foule qui alors se met en branle. Au sommet de la porte Saint-Jean balayée par le vent, tandis que leurs congénères dévalent des remparts pour suivre la phalange qui lentement se détache, nos deux compères, ayant depuis longtemps vidé les deux flacons de whisky que Gonzague transportait dans ses poches, frissonnent dans leurs vêtements trempés.

— Viens-t'en, mon Mick. Qu'ils aillent casser des vitres, si i'veulent. Nous, c'est l'temps d'aller se réchauffer.

3.

S'ébrouant et s'esclaffant comme pour se soustraire à l'ombre sinistre qui désormais plane sur leurs vies, les deux étudiants descendent de leur perchoir et plongent dans le flot humain qui se déverse de la place dans les rues étroites qui la bordent. Tantôt poussés tantôt portés jusqu'au bout de la rue Saint-Jean, ils glissent et dérapent sur les pavés mouillés, et dégringolent en riant la côte du Palais. Tout en bas, entre la gare de chemin de fer et le port, s'étend un quartier de *maisons de chambres*[1] et de petits hôtels minables, de tavernes et d'entrepôts incrustés à la base du cap Diamant comme des bigorneaux le long de la ligne d'eau, sur la coque d'un navire. Là,

1. *Maison de chambres :* canadianisme de l'anglais *rooming house*, établissement où l'on peut louer des chambres à la semaine ou au mois.

parmi les odeurs d'usine et de rouille, de goudron et de friture, grouille tout un bas-monde de voyageurs en transit de tous acabits, de marins à l'escale et de soldats sur le départ, d'agents des douanes et de travailleurs du rail, de négociants, de défricheurs, de bûcherons et de draveurs en partance vers le Nord. Après une étape éclair dans le tapage et la fumée du bar de l'hôtel Saint-Roch pour faire provision de boisson, les voilà de nouveau dans l'air humide de la nuit.

— Ce soir, mon enfant de Marie, marmonne Gonzague avec un rire lubrique, tu vas connaître les délices du sérail. Des *p'lotes*[1] de premier choix, tu vas voir, *nothing but the best*, de quoi faire bander un mort...

— Tu changes pas, toi, hein, pire qu'un orignal en rut... s'écrie son compagnon avec un gloussement incrédule.

Quand même, l'animal a du front tout autour de la tête. Ce fils de magistrat, qu'on voit parmi les notables chaque dimanche à la basilique, pieusement recueilli aux côtés de sa mère, une femme fortunée qui lui passe tous ses caprices, ce noceur qui a les moyens d'épater les héritières les plus en vue de Québec ou de Montréal, préfère s'encanailler dans des bouges infâmes.

— Tiens, qu'est-ce que je te disais, nous y voilà.

Il y a un moment déjà qu'ils cheminent dans la pénombre glauque de l'étroite rue Saint-Paul détrempée par la pluie, quand brusquement, s'ouvrant comme une grotte entre deux façades minables, une porte cochère troue l'ombre à côté d'eux. Le grand s'y engouffre, Mick le suit. Leurs pas résonnent sous la voûte de l'entrée qui débouche sur une minuscule cour intérieure, faiblement éclairée par les fenêtres de l'étage supérieur, et de l'autre côté de laquelle on devine l'ancienne écurie, vide et désaffectée. À droite, une porte dérobée, avec une vitre voilée d'une dentelle qui remue à l'approche des deux visiteurs.

— Tu es attendu ?

— Moi pis toi, mon Mick...

---

1. *Pelotes* : filles.

La voix de basse de Gonzague roucoule d'aise et d'anticipation. La porte s'ouvre. Un visage de femme émerge de la noirceur.

— Le fils du juge ! Tu nous amènes de la visite !

Une voix féminine, maniérée, enjôleuse.

— Tel que promis, Eulalie. Et j't'amène une de ces soifs...

— On va tout t'organiser ça, mon pitou.

Ils pénètrent dans un couloir obscur au fond duquel une petite pièce baignée d'ambre luit comme une promesse. De plus près, c'est une sorte de fumoir aux murs jaunissants, à l'ameublement vétuste, au tapis râpé, dont l'unique fenêtre est couverte d'un rideau de dentelle défraîchie, et qui sert d'antichambre à un escalier.

— Eulalie Larivière, dit Gonzague en ramassant d'un bras l'ample tour de taille de la patronne et l'attirant à lui d'un geste enlevé. J'ai avec moi le meilleur des hommes, sauf qu'il étudie trop, et qu'il a besoin de se déniaiser un peu. Apporte-lui un verre et moi aussi.

— Tu veux-tu qu'elles sortent sur le palier que ton ami les voye ?

La maîtresse de céans est une plantureuse matrone à la chevelure fauve, aux lourdes paupières maquillées de bistre, à la bouche charnue et faussement boudeuse, dont les prétentions de maquerelle sélecte s'émoustillent sous les galanteries de ce fils de la bonne société.

— Tu veux choisir ou tu préfères la surprise du chef ? dit Gonzague, narquois, en se tournant vers son ami.

— Tu sais bien que j'aime pas les surprises, marmonne ce dernier, en acceptant le verre que lui tend la patronne.

— Ah, mais ton *chum*[1] nous a commandé une spéciale pour toi, proteste la bonne femme, en glissant sous le menton du jeune homme l'éventail refermé qu'elle tient cocassement dans ses doigts dodus, histoire sans doute de se donner « du chien ». T'as quel âge, toi, mon *ti'pit'* ?

L'autre raidit imperceptiblement le cou comme un

1. *Chum* (prononcer *tchom'*) : mot anglais signifiant « pote », « copain ».

cheval qui refuse le licou, en toisant son interlocutrice d'un air goguenard.

— L'âge de raison...

— En tout cas une chose est sûre, c'est qu'i'est vierge, s'esclaffe le grand en assenant une tape magistrale dans le dos du néophyte.

— Qu'est-ce't'en sais ?

— Fais pas ton innocent, pis si tu l'es pas, fais tout comme. Elles sont encore plus gentilles quand elles pensent que c'est la première fois, pas vrai, la mère ?

— C'est-i'pas beau, un homme, à c't'âge-là ! Regardes-y la frimousse, un vrai chérubin. En tous cas, mon gars, chez moi les filles sont prop', pis sont jeunes, pis les clients, c'est sur rendez-vous qu'ça s'prend. Toute la grosse gomme qui vient chez moi, mon minou, pas d'vieilles *guidounes*[1], pis pas d'*bum*[2] icitte.

— Allez prends ta part, dit Gonzague en tendant à Mick l'une des deux bouteilles de whisky achetées au Saint-Roch, c'est le temps de monter au paradis.

4.

En haut le couloir sent l'encaustique et le mauvais parfum.

— Elle, c'est spécial, susurre Gonzague devant une porte close. La plus jolie, la plus fraîche. Avec elle, tu grimpes au plafond, tu vas voir...

Peut bien parler, après tout, c'est lui qui paye, se dit Mick en avalant sa salive. Et le cœur qui lui bat, qu'est-ce qu'il a, bon sang — la porte s'ouvre, une jeune femme en peignoir apparaît dans l'entrebâillement, petite, menue, la chevelure brune, abondante.

---

1. *Guidoune :* putain.
2. *Bum :* mot anglais signifiant voyou, clochard.

— Eïe, la douce Hermine ! Occupe-toi bien de mon *chum*, lance Gonzague de la porte à côté.

Il bombe le torse, fait le matamore, deux filles plein les bras, déjà, une blonde, l'autre rousse, avec des seins comme des outres sous leurs négligés...

— Tu viens-tu ? dit la voix féminine, tout près de Mick.

La porte se referme, il est seul avec elle. Le cœur dans la gorge, la queue entre les jambes. Du nerf, *'ostie*[1] ! À la lumière de la lampe, elle est jeune et jolie, très jeune en fait, et totalement nue sous son déshabillé. Un petit visage de poupée, des yeux d'enfant fatigué, une peau pâle, diaphane, sous le rouge à joues. Elle lui prend la bouteille des mains, se trémousse gentiment, se colle contre lui et sourit d'un air aguicheur qui détonne avec la grisaille du regard.

— Comment tu t'appelles ?

Une petite voix rauque, vulnérable.

— Michéal.

— T'es-tu un Anglais ?

— Jamais de la vie ! rechigne-t-il. Irlandais !

Il s'écarte d'elle, fait quelques pas dans la pièce pour dissiper le malaise qu'il éprouve face à cette fille au regard de chien battu tapi sous le fard, échouée si jeune dans la fange du port. La pitié et la honte lui conseillent la fuite, mais dans la chambre voisine déjà les rires fusent, c'est la kermesse. La pièce est petite, avec un lit en laiton au-dessus duquel trône une gravure pastel du Sacré-Cœur de Jésus et, sur la coiffeuse, la commode, la table de chevet, une petite forêt de bougies comme on en voit à l'église. Il doit bien y en avoir une cinquantaine au moins tout autour de la pièce.

— Pourquoi tous ces cierges ? As-tu des clients à l'archevêché ?

Elle s'approche de lui à nouveau, entrouvre son peignoir qui glisse sur ses frêles épaules, sur ses seins lourds, trop lourds sur ce corps fragile. Elle le regarde avec incertitude, avec une sorte de crainte au fond des yeux.

1. *'ostie* : juron canadien français.

— Allez, viens-t'en, sois pas nerveux... dit-elle de sa voix éraillée. Tu veux-tu qu'j'te déshabille ?

Elle s'assied sur le lit, ses petites mains se posent sur la ceinture de son pantalon.

— Allume-les donc, juste pour voir.

— Maintenant, tou'-suite ?

Elle se relève, lui tourne le dos, gratte une allumette. Penchée sur la coiffeuse, ramassant ses longs cheveux d'une main derrière sa nuque, elle allume les unes après les autres les bougies dont la multiple flamme, réfléchie dans la glace, baigne ses seins d'une lueur dorée. Elle revient, éteint la lampe, et les murs s'animent d'une clarté pétrie d'ombres frémissantes. Elle remplit le verre qu'il lui tend. Il le vide à pleines gorgées. Elle lui en verse un autre, puis un autre. La chambre s'illumine, elle brille de mille feux. Elle lui enlève son veston, dénoue sa cravate, défait sa ceinture. Il n'a pas plus envie d'elle maintenant que tout à l'heure, mais contre le mur à côté, c'est le branle-bas, la charge de cavalerie. Mick se laisse asseoir, s'affale en travers du lit, ferme les yeux. Trop bu trop vite, t'es un lâche, O'Neill, tu devrais sacrer ton camp... Ces doigts sur sa braguette, qui défont les boutons, qui le fouillent, le sortent, une bouche chaude et mouillée, et soudain le plaisir, surgissant du plus profond de lui, à sa source, sa racine — se propage, foudroyant, et dans un spasme éblouissant se décharge, se répand, déjà, déjà...

La tête lourde comme un boulet. Envie de dormir mais pas ici. Vidé. De scrupules, d'amour-propre, et même de pitié. Au plafond la lumière funèbre des bougies vacille tristement. Debout au bord du lit, la fille se rince la gorge d'une rasade de whisky.

— Dis à Gonzague que je l'verrai chez lui, dit-il, se rajustant sans la regarder.

En sortant il dépose sur la commode le peu de monnaie qui lui reste. Et la glace lui renvoie, furtive et cruelle, l'image blonde et soignée de sa propre turpitude.

Naissance de Vénus

1.

Carleton, comté de Bonaventure, juillet 1917

On n'eût certes pu trouver deux femmes plus différentes que l'Ange ne l'était de sa belle-sœur, Madeleine Langlois. Grande comme son frère Charles, mais plus élancée et plus fine, avec des yeux bleus d'une grande douceur, Florence avait le teint doré et les reflets blonds dans les cheveux que donne la vie au grand air. Comme son frère, elle aimait les livres, la marche, les chevaux et la vie, partageant avec lui un naturel indulgent et affectueux, et l'été précédent s'était consacrée à remettre sa nièce sur pied. Veuve depuis le début de la guerre, d'un homme dont, disait-on dans la famille, elle avait été folle, elle était encore si jeune et belle que Jeanne, qui avait très peu connu son oncle, avait encore peine à voir en elle une femme de la génération de ses parents. Férue de peinture, excentrique à ses heures, indifférente au qu'en-dira-t-on, on ne s'étonnait plus, dans la région, de la voir conduisant sa carriole, vêtue d'une vieille chemise et d'un pantalon ayant appartenu à son mari, trimbalant son chevalet et ses toiles.

Ce matin, levées aux premières roseurs de l'aurore, toutes deux se sont mises en route sans plus tarder, afin d'arriver au pied de la montagne avant que le soleil ne soit trop haut. Ayant laissé l'attelage chez le fermier à qui Florence achète son beurre, elles ont passé une bonne partie de la journée à escalader le flanc escarpé du mont Saint-Joseph, qui s'élève à pic derrière le village de Carleton, dominant la mer et toute la campagne alentour. L'ascension a été ardue, à travers le sous-bois et la broussaille, mais Florence a l'habitude de l'escalade, et la conquête de ce sommet est un rite auquel elle s'adonne pour marquer le début de chaque été.

— Il y a un autre endroit où j'aime aller, dit Florence en balayant du regard l'immense panorama qui s'étale à leurs pieds. Dans les Laurentides au nord de Montréal. J'y vais chaque automne, juste avant la tombée des feuilles, quand les bois flambent de leurs plus belles couleurs, poursuit-elle. Antoine m'y a laissé un petit pavillon de chasse. On y monte à cheval de la vallée. Il faudra que je t'y emmène, une bonne fois...

Le mari de Florence, Antoine Talbot, avait été l'un des premiers Canadiens français à s'engager comme volontaire dans l'armée en 1914, dès les premiers jours du conflit. Fils de grands bourgeois d'Outremont, il n'avait pas tardé à monter en grade. Il était mort futilement à la tête de ses troupes au printemps de 1915, lors d'une charge suicidaire contre l'artillerie allemande à Ypres, mais ce n'était pas ainsi que le gouvernement avait présenté la nouvelle à sa jeune veuve.

— J'ai fini par avoir l'heure juste, avait expliqué Florence à sa nièce l'été précédent, parce que tous ses hommes n'ont pas été tués avec lui. Il y a deux ans l'un d'eux est venu me voir, à Montréal, à son retour au pays. Un jeune sous-lieutenant, à peine en âge de se battre. L'obus qui a tué Antoine lui a enlevé les deux jambes... Il m'a raconté que, juste avant de sortir de la tranchée-abri avec leurs hommes, Antoine l'a regardé dans les yeux et lui a dit : “Si tu t'en sors, va voir ma femme et dis-lui que je pensais à elle.” Pauvre Antoine, il a fini par avoir ce qu'il voulait...

À l'époque, Jeanne était encore si lasse qu'elle n'avait pas réagi à cette étrange confidence. Couchée sur la grève où elles venaient de pique-niquer, elle avait l'impression de flotter sur le sable chaud, avec tout juste la force d'en absorber la chaleur. Portée par le rythme paisible des vagues, bercée par le grésillement des galets roulés par l'écume, elle-même soignait ce jour-là une blessure encore vive. À son retour à Ottawa de Saint-Boniface, sa mère avait été en retraite fermée chez les sœurs de l'ordre des Cinq Plaies. Fait sans précédent, la décision d'envoyer Jeanne en convalescence chez Florence en Gaspésie pour l'été avait été prise sur les seuls ordres du médecin de famille, en l'absence de sa mère, qui semblait s'en être d'avance lavé les mains. Jeanne n'avait donc revu celle-ci que plus tard, à Carleton. C'est alors qu'en l'apercevant elle avait murmuré en se tournant vers son mari :

— Qu'est-ce que je te disais, Charles, tu vois bien qu'elle n'est pas si malade...

Jeanne avait reçu ces paroles comme un coup de cravache au visage. Pis, ces quelques mots avaient suffi à empoisonner de morosité ce qui restait des vacances. À l'automne, envoyée parfaire son éducation au couvent du Sacré-Cœur à Montréal, elle avait fini par faire son deuil de l'affection si longtemps attendue de sa mère. Le printemps venu, l'idée d'avoir à côtoyer quotidiennement tant d'indifférence et de froideur lui inspira le même effroi qu'à un brûlé le rougeoiement d'un incendie au loin dans la nuit.

— Ton mari doit te manquer terriblement, répondit-elle, relevant au vol l'allusion que venait de faire Florence au pavillon de chasse dans les montagnes au nord de Montréal.

— Je l'aimais trop, murmura Florence. (Une lueur amère s'alluma dans ses yeux puis s'évanouit aussitôt, fugace comme un reflet sur l'eau.) Antoine m'aimait à sa manière, mais il était très malheureux. C'est sans doute mieux comme ça...

Florence parlait avec une sérénité qui mystifiait sa nièce, d'autant plus que les événements qu'elle évoquait remontaient à un passé extrêmement récent. Elle avait été folle d'un homme qui « l'aimait à sa manière » tout en souhaitant sa propre mort ? Comment était-ce possible ? Le mystère était trop grand, ce qu'il cachait de peine aussi. Au loin, de l'autre côté de la baie des Chaleurs, la côte du Nouveau-Brunswick sortait lentement de ses voiles.

2.

Charles Langlois avait écrit à sa sœur pour la prévenir de son arrivée. Comme la Chambre des communes continuait de siéger à cause de la crise politique provoquée par le débat sur la conscription, son séjour serait malheureusement bref. Malgré tout, des élections générales étant prévisibles à tout moment, il ne manquerait pas de faire comme chaque été le tour de son comté pour renouer avec ses électeurs. Il se réjouissait de savoir que Jeanne était déjà sur place. Il lui tardait de voir sa famille enfin réunie, ce à quoi Jeanne avait compris que sa mère serait du voyage. Comment aurait-il pu en être autrement ? Pourtant tout son être à présent se cabrait à l'idée de cette intrusion appréhendée.

Le cabriolet noir de Charles Langlois apparut sur la route qui longeait la mer, puis tourna dans le chemin de terre battue qui remontait le champ de marguerites jusqu'à la maison de Florence. Le père de Jeanne en descendit. C'était un homme d'une impressionnante carrure, aux cheveux d'un blanc éclatant, dont la démarche et les gestes avaient une lenteur majestueuse. De seize ans plus âgé que sa femme, il était encore un très bel homme, au port altier, aux traits nobles, à la mâchoire volontaire, que démentait par ailleurs son tempérament accommodant et docile. Faisant le tour du véhicule, il s'arrêta pour flatter le museau de son cheval, en adressant à sa fille le sourire contraint qu'il arborait toujours en présence de sa femme. Comme si le bonheur chez lui était un coupable secret, constata Jeanne qui, voyant sa mère émerger de l'ombre de la voiture, sentit son cœur se contracter de dépit.

Madeleine Langlois était une femme encore jeune, dont le zèle pour la pénitence et la mortification n'avait en rien atténué la sombre beauté. Aussi petite et charnue que sa fille était grande et svelte, la peau brune, les yeux noirs, les cheveux de jais, elle aurait pu passer pour une Espagnole ou une Indienne, ce qui eût été plus conforme à la réalité. Vêtue comme à son habitude d'une robe de laine noire à manches longues, à collet monté, beaucoup trop chaude pour la saison, qui ne parvenait à escamoter ni son minuscule tour de taille, ni les rondeurs généreuses de son corps, elle descendit de voiture la tête haute, le dos droit, comme pour se mesurer à son géant de mari. Les deux belles-sœurs s'embrassèrent du bout des lèvres sans un regard, dans un geste qui trahissait plus que leur parti pris respectif à l'égard de Jeanne. En effet, si le député avait depuis toujours un faible pour sa sœur cadette (pour tout dire, c'était là l'un des rares aspects de sa vie antérieure que son mariage n'avait pas changé), sa femme en revanche n'aimait pas sa belle-sœur, et celle-ci le lui rendait bien.

— Eh bien, Charlie, dit Florence, en appelant son frère par son surnom d'enfant. Quelles nouvelles d'Ottawa ?

— Elles sont mauvaises, soupira le député, en suivant sa sœur, sa femme et sa fille à l'intérieur de la maison, où les attendait un copieux goûter. Depuis Vimy, l'engagement volontaire ne suffit plus à combler les pertes. Nos soldats là-bas n'en peuvent plus. Le gouvernement en profite pour agiter le drapeau, appuyé par les Orangistes de tous acabits, en Ontario et ailleurs, qui réclament la conscription à cor et à cri. Pendant ce temps-là Bourassa [1], Lavergne [2] et les autres poursuivent leur agitation. Cela dit, ils ont raison de dire qu'un référendum trancherait la question. D'ailleurs Laurier [3] est d'accord.

— Qu'on donne le vote aux femmes, Charlie, et je t'assure que jamais la conscription ne passera, ironisa Florence qui connaissait les opinions conservatrices de son frère à ce sujet.

— Le gouvernement ne veut rien entendre d'un référendum, poursuivit le député, sans relever la boutade de sa

1. Bourassa : Henri Bourassa, chef de file nationaliste et fondateur-rédacteur en chef du quotidien montréalais *Le Devoir.*

2. Armand Lavergne : voir chapitre 2.

3. Sir Wilfrid Laurier, Premier ministre du Canada de 1896 à 1911, premier Canadien français et premier catholique à accéder à cette fonction. Chef de l'opposition officielle de 1911 jusqu'à sa mort en 1919.

sœur, mais il compte bien déclencher des élections. Ils vont miser sur la question de la conscription et du patriotisme pour se maintenir au pouvoir, même au prix d'isoler complètement le Québec qui votera contre, c'est inévitable. J'ai bien peur des conséquences d'une telle division si le gouvernement s'entête à faire voter cette loi...

Comme une bête qui, à force de lécher une plaie, en retarde la guérison, Jeanne ne pouvait pas s'empêcher de regarder sa mère. Celle-ci écoutait la conversation, son regard impassible allant machinalement de son mari à sa belle-sœur, sans jamais effleurer sa fille. Je n'existe plus pour elle, se répéta Jeanne amèrement. Sa mère n'était plus cette énigme impénétrable contre laquelle son âme autrefois s'épuisait sans fin, mais une réalité crue, définitive.

3.

Chaque année, la côte se peuplait de villégiateurs venus de Montréal, Ottawa, Toronto, mais aussi de Boston, New York et Washington. La maison vers laquelle Mick O'Neill se dirigeait appartenait à de riches Américains, qui venaient pour le dépaysement, la mer chaude, et le saumon. C'était une énorme villa blanche dont les murs disparaissaient sous des cascades de roses, et dont le jardin était délimité par une clôture bordée de gros massifs d'églantiers en fleur. Devant la maison, face à la mer, s'alignaient des cabriolets bien astiqués et des automobiles flambant neuves qui scintillaient au soleil de l'après-midi. Une foule élégante avait envahi la pelouse et bourdonnait paresseusement autour de tables nappées de damas où trônaient des bols de cristal regorgeant de framboises fraîchement cueillies. Çà et là, un jeune paysan débordé, engagé pour faire le service, voletait comme un oiseau-mouche d'invité en invité, en remplissant les coupes de champagne. Mick en accepta une au passage, qu'il vida d'un trait, puis une autre, s'enfonçant toujours plus avant dans ce parterre foisonnant de jolies femmes, radieuses dans leurs toilettes d'été, loquaces et souriantes sous leurs chapeaux dont l'incroyable variété le sidérait. Comme une graine de pissenlit poussée par la brise, il naviguait béatement parmi cette capiteuse floraison, vidant imprudemment son verre au fur et à mesure qu'on le lui remplissait, et s'acheminait peu à peu vers le fond du jardin où, non loin d'une arche en treillis couverte de roses grimpantes, un petit attroupement s'était formé.

— Mick, mon ami ! Viens par ici que je te présente ! s'écria le député de Bonaventure en apercevant l'étudiant.

Vêtu d'un magnifique costume blanc qui faisait ressortir l'éclat neigeux de ses cheveux, le gigantesque bonhomme dominait son entourage de la tête et des épaules. Dès leur première rencontre, par l'intermédiaire d'un avocat influent, associé principal dans le cabinet où Mick cette année allait commencer son stage, l'auguste parlementaire et l'aspirant plaideur avaient sympathisé, et par la suite s'étaient revus à la faveur de réunions politiques à Montréal et ailleurs dans la province. Cet été, avec des élections en vue, Charles Langlois avait proposé à l'étudiant de venir lui donner un coup de main dans sa circonscription, et Mick, à qui la modeste rente que lui avait laissée son père pour défrayer son éducation ne donnait pas les moyens de s'offrir des vacances au bord de la mer, avait sauté sur l'occasion de faire un brin de tourisme tout en fourbissant ses armes de débutant en politique. Il y avait presque un mois qu'il faisait la tournée des villages du littoral, rencontrant les pachas locaux qui le recevaient avec tous les égards dus au jeune protégé de celui qui les représentait au Parlement fédéral depuis 1900.

— Ah, voici un jeune homme qui va faire parler de lui..., déclara le député à la cantonade.

Mick n'entendit pas la suite. Droit devant lui dans l'ensoleillement de l'arche fleurie, jaillissant de ses espoirs comme une Vénus blonde et nue surgissant des eaux, une jeune fille venait d'apparaître. Sans doute le fulgurant envoûtement dont il tomba alors victime était-il dû à l'heureuse conjonction, sous ce ciel sans nuage, avec cette mer bleu saphir en toile de fond, d'une chevelure dorée qui coulait en ruisseaux sur de superbes épaules, de la taille souple et svelte que le soleil complice soulignait sous la robe matelot, d'un visage illuminé par un regard, transparent comme de l'eau, qui le traversait sans le voir. En un éclair pourtant, l'apparition se dissipa et la jeune personne s'éloigna en direction de la maison. Mick la suivit des yeux quelques instants puis, au risque d'être perçu comme un malotru par l'invité d'honneur et son entourage, bredouilla d'inaudibles excuses et se lança à sa poursuite.

4.

Elle s'est enfuie dans la maison parce qu'elle n'en pouvait plus de tous ces visages qui se succédaient dans son champ de vision, de ces mains moites empoignant mollement la sienne, de ces yeux qui la scrutaient sans fin. Que lui veulent-ils donc ? Elle erre à travers le dédale de grandes pièces désertes, ne croisant sur son passage qu'une servante portant un lourd plateau, à qui elle demande le chemin des cabinets. Celle-ci lui indique un couloir et une porte. Elle s'y engouffre, pousse le loquet, s'adosse contre le chambranle. L'exiguïté du lieu, le bois nu des murs, le silence relatif la rassérènent peu à peu. Elle ferme les yeux. Vous souffrez... la voix du confessionnal, qui chuchote dans sa mémoire comme une voix d'outre-tombe. Elle a mal, oui, mal à son amour-propre, mal à sa dignité, et ce mal-être nourrit une exaspération envers elle-même, envers les autres, dont seule l'Ange est exempte, pour cause de gratitude.

Le couloir débouche sur une galerie vitrée à l'arrière de la maison. Sans le vouloir, elle surprend un garçon qui fume, debout, face à la fenêtre. Avant qu'elle puisse rebrousser chemin, il se retourne et fixe sur elle des yeux pâles, au regard intense. Étroit de carrure, maigre et nerveux comme un cheval de race, le visage anguleux, le front large, avec des cheveux flous d'un blond roux, auréolés de fumée — pendant un bref instant, avant de se rendre compte qu'elle le dévisage, elle demeure interdite. Puis elle se dirige vers la porte grillagée et sort précipitamment.

5.

Août 1917

Un jeune homme, pour arriver, est prêt à bien des marchandages. Un homme riche et puissant s'intéresse à lui. Cet homme a une fille qu'il chérit comme la prunelle de ses yeux et qui, elle, s'éprend du jeune ambitieux. Pour faire le bonheur de son protecteur, pour se hisser de plusieurs crans dans son estime, notre larron est prêt à sacrifier une partie de lui-même qui plus tard, sur son déclin, lui inspirera des regrets imbibés de nostalgie. Tel n'était pas cependant le mauvais pas dans lequel Mick O'Neill se trouvait. Dès le moment où il l'entrevit, auréolée de roses comme ces Vierges païennes dans leur niche fleurie, il tomba violemment amoureux de Jeanne Langlois. L'ayant suivie dans la maison avant même de savoir à qui il avait affaire, il s'était présenté devant elle, interloqué, ébloui, muet, comme un chasseur débutant qui, ayant soudain en joue le gibier qu'il traquait, s'aperçoit qu'il n'a pas de cartouches dans sa carabine et, ainsi désarmé, ne peut que regarder sa proie disparaître dans l'épaisseur du sous-bois.

Pour les jeunes estivants en âge d'être conscrits, l'orage qui menaçait à l'horizon se déchaîna sur leurs têtes le jour où le Parlement canadien vota le service militaire obligatoire. Une sorte de frénésie s'empara de ces garçons, de ces jeunes filles, dans leur course éperdue pour devancer le raz-de-marée de la guerre qui allait bientôt les arracher au confort familier de la vie de tous les jours, et peut-être les engloutir.

Tout au long de l'étrange été de 1917, garden-parties et réceptions à saveur électorale se succédèrent. Mick faisait le circuit avec assiduité, appelant de tous ses vœux une nouvelle apparition de la créature qui excitait bien autrement son imagination que sa brève incursion dans l'univers lubrique de son ami Gonzague. Mais la naïade, qui ne venait pas souvent à Carleton, demeurait invisible, confinée, semblait-il, quelque part sur la côte.

Par un bel après-midi d'août, la petite troupe de jeunes gens, ainsi que les jeunes filles autour desquelles ils gravitaient, était une fois de plus réunie. Mick, fort de son expérience politique de l'été, était devenu l'interprète attitré d'une actualité de plus en plus mouvementée. Le voilà, debout sous une tonnelle au sein d'un petit cénacle masculin, lisant à haute voix le journal qu'il tient grand ouvert devant lui. Il y a quelques jours à peine, à Montréal, la demeure de lord Atholstan, propriétaire du *Montreal Star*[1] et ardent partisan de la conscription, a été dynamitée. Les auteurs de l'attentat courent toujours, et la police poursuit son enquête.

« C'est presque l'heure, les gars ! » s'écrie quelqu'un en regardant sa montre. À ce signal, le groupe lève le camp et traverse la pelouse en direction de la rue, tirant avec lui tout ce que la *party* compte de jeunes filles, qui emboîtent le pas aux garçons. Mick, depuis quelques instants, ne se tient plus de joie. En levant les yeux de son journal il vient d'apercevoir, tenant son joli chapeau de paille pour l'empêcher de s'envoler au vent qui lui balaie les cheveux en travers du visage, la main derrière la tête, le coude en l'air, dans une pose dont l'érotisme le subjugue, celle qu'il désespérait de jamais revoir. Comme une feuille que le courant détache du bord de la rive et déporte lentement vers le milieu du ruisseau, elle hésite un moment en observant le mouvement du groupe puis se laisse happer à son tour par la joyeuse troupe qui s'entasse dans une demi-douzaine d'automobiles. Ayant habilement manœuvré pour se retrouver sur la banquette arrière de la

1. *Montreal Star* : grand quotidien montréalais de langue anglaise.

même Studebaker Sedan que Mlle Langlois, Mick passe son bras derrière elle sur le dos du siège et lui sourit bravement. Le cortège démarre en pétaradant vers la gare. La chaleur de ce flanc féminin contre le sien le plonge dans un trouble indicible, noyant d'un seul coup les voix des autres passagers, les soubresauts de la voiture sur le chemin cahoteux, le souffle chaud du vent sur ses joues. Il n'y a plus que cette chevelure vaporeuse, cette peau lisse et rose, ce parfum de jeune fille qui l'enivre. Le sang lui afflue au visage. La canaille entre ses jambes fait des siennes. Son désir est si pressant qu'il en est tout endolori. En plus, cela crève les yeux. En écartant les bras pour faire de la place à la jeune vestale, son veston s'est ouvert, découvrant son pantalon. Pourvu qu'elle ne baisse pas les yeux, Seigneur...

En arrivant devant la petite gare, le conducteur, à la blague, freine subitement en donnant un coup de volant à droite, qui projette sa voisine contre Mick avec tant d'insistance que le douloureux plaisir qu'il en ressent le paralyse. Les rires fusent de toutes parts. La voiture s'est immobilisée. Les premiers sifflements du train se font entendre au loin. Mick dégage son bras, descend le premier. Encore tout étourdi, il n'ose faire le galant et lui tendre la main, mais il l'attend néanmoins. Les hurlements de la locomotive s'intensifient. Les jeunes gens débouchent sur le quai, juste à temps pour assister à l'arrivée du mastodonte qui entre laborieusement en gare en piaffant bruyamment et crachant de grands jets de vapeur blanche. Le petit bâtiment tremble jusque dans ses fondements, et tout le monde applaudit.

— Comme ça, vous venez souvent attendre l'arrivée du train ? demande sa compagne à Mick, qui se dirige vers la locomotive d'un pas déterminé.

— Tous les jours, mademoiselle, répond-il sans ralentir le pas. Le conducteur m'apporte les journaux de Montréal.

Ce dernier, le voyant venir, sort la tête par la fenêtre de l'énorme engin et lui jette une grosse liasse de journaux solidement ficelée. Mick attrape le lourd paquet au vol et, plongeant la main dans sa poche de pantalon, en sort une bourse qu'il lance au conducteur. Celui-ci la vide, compte son argent, crie « Correc' ! » pour se faire entendre au-dessus du chuintement de la locomotive, et la renvoie à son propriétaire.

— Qu'allez-vous faire de tous ces journaux ? lui demande la jeune fille.

— Les vendre...

— Eh, Mick ! As-tu *Le Devoir* d'hier là-dedans ?

— Certain que je l'ai !

Avec son canif, l'interpellé tranche la corde qui entoure le paquet.

— J'ai aussi *La Patrie*, *La Presse*, *La Gazette*, et le *Montreal Star*.

Il tend un *Devoir* à l'intéressé. Les autres garçons de la bande se pressent autour de lui.

— Eh, regarde-moi l'éditorial de Bourassa ! « *Stériles violences...* », qu'i'dit ! relate son premier acheteur, le nez plongé dans son journal. Bourassa dénonce les dynamiteurs ! Ça va faire un maudit beau procès quand ils les prendront...

— On est dans de sacrés beaux draps, grommelle Mick, la cigarette aux lèvres, en comptant ses sous.

Puis, de but en blanc, s'adressant à Jeanne sans lever les yeux des pièces de monnaie qu'il triture au creux de sa paume :

— Je peux vous ramener tantôt, si vous voulez...

Mick en effet roule carrosse, depuis qu'il est devenu la coqueluche des organisateurs politiques du député, qui l'ont pris sous leur protection. Où qu'il aille dans la vaste circonscription électorale de Bonaventure, un véhicule quelconque est toujours mis à sa disposition. À Carleton, il a même accès au cabriolet des Langlois lorsque ces derniers sont absents. Sa proposition est risquée, il le sait. La fille de Charles Langlois, a-t-il appris, passe l'été chez sa tante, qui lui sert de chaperon. Mais à titre d'adjoint de son vénérable père, peut-être ?

6.

Le cabriolet file sur la route qui remonte vers Bonaventure en suivant la côte. Le joli cheval noir des Langlois trotte devant, la tête haute, crinière au vent. Au soleil déclinant de sept heures, la mer vire au bleu indigo à perte de vue. Au loin des mouettes planent au-dessus de l'eau, plongeant et virevoltant au ras des vagues dans la forte brise. Bien que l'on ne soit encore qu'à la mi-août, l'été va bientôt finir. Déjà, à l'approche du soir, l'air a des relents d'automne.

— Qu'est-ce que vous allez faire si vous êtes appelé ?

Mick se tourne vers celle qui lui pose cette cruelle question. Elle le regarde d'un air perplexe. Est-il possible qu'elle se soucie de ce qui peut bien lui arriver ?

— Je ne peux pas croire qu'ils vont appliquer cette loi, s'emporte-t-il, l'émotion que lui procure la proximité de sa déesse excitant son indignation. Ou alors ils seront obligés de l'imposer par la force, au risque de faire sauter la baraque. S'ils veulent des élections, c'est parce qu'un référendum, pour eux, c'est perdu d'avance. On n'est pas les seuls à être contre la conscription, vous savez. Dans les autres provinces, il y a bien du monde qui n'en veut pas.

— Il paraît que si on donnait le vote aux femmes, ça ne passerait jamais.

— Peut-être, mais ce n'est pas ce gouvernement-là qui va vous donner le droit de vote, soyez tranquille.

— Qu'est-ce que vous allez faire ?

— Je ne sais pas encore, répond Mick d'un ton morose. On verra bien, le moment venu. Quand même, forcer des gars comme moi à aller se battre pour la Couronne britannique quand on sait ce qui se passe en Irlande ! Mon grand-père a traversé l'océan pour échapper à la famine et à l'oppression anglaise, et moi, on me renverrait là-bas risquer ma vie pour l'Angleterre ?

Jeanne considérait le jeune homme avec une curiosité grandissante. Sa véhémence frondeuse la séduisait, peut-être parce qu'elle-même s'était si longtemps attelée sans broncher à plaire à quelqu'un qui, en fin de compte, ne lui voulait point de bien. Il lui arrivait de repenser aux jeunes soldats en route vers la gloire, qu'elle avait jadis entrevus sur le quai d'une gare quelque part en Ontario. Combien d'entre eux étaient encore vivants ?

— Regardez comme c'est beau ! dit-elle, histoire de lui remonter le moral.

La route à cet endroit côtoie une falaise au pied de laquelle les brisants viennent expirer sur les rochers dans un fracas d'écume. Mick fait ralentir le cheval, qui bientôt s'immobilise. Le vent s'est levé. Les flots se soulèvent et déferlent avec la lente régularité d'une gigantesque respiration. Le garçon la regarde. Il semble désemparé. Dans ses yeux anxieux, Jeanne soudain mire un espoir insensé que la route qui fuit devant elle à perte de vue et que cette côte sauvage balayée par le vent et le spume conspirent à inciter, à nourrir. Sous une impulsion dont l'audace l'excite plus encore que le geste lui-même, elle pose sur la bouche du jeune homme un baiser dont tous deux demeurent un instant atterrés. Pourtant elle n'aime pas la cacophonie de sensations contradictoires qu'elle a si inconsidérément déclenchée en elle-même, ni ce mélange vertigineux d'excitation et de crainte, d'apitoiement et d'exaspération devant la réaction interloquée du garçon qui, s'étant ressaisi, en redemande.

— Maintenant il faut rentrer, murmure-t-elle, piteuse. Florence va s'inquiéter...

— Je pars pour Montréal dans quinze jours, dit-il d'un air souffrant. Est-ce que vous pensez qu'on pourrait se revoir ?

Il la contemple avec quelque chose de poignant, de pathétique dans le regard qui la remue, la rejoint. Elle baisse les yeux. Son cœur bat à tout rompre. Qu'a-t-elle fait ?

— Il faudra demander à Florence...

Il fait claquer les rênes du cheval qui repart au pas.

7.

Les vacanciers allaient sous peu quitter la côte. Florence eut l'idée, pour faire plaisir à sa nièce, de donner une petite réception en l'honneur des jeunes gens qui, comme Mick O'Neill, seraient bientôt appelés sous les drapeaux. Les invités commencèrent à arriver au crépuscule, au moment où une lune gigantesque se levait sur l'océan, remplissant presque tout l'horizon. Jeanne suivait la métamorphose de la lune qui rapetissait à mesure qu'elle montait au firmament. Il allait bien falloir se résigner à rentrer à Ottawa avec ses parents, même si Florence promettait de l'inviter souvent à Montréal. Elle en aurait profité pour voir Mick O'Neill, s'il n'y avait pas eu la guerre. Depuis la fois où il l'avait reconduite chez Florence, il était revenu la voir à deux reprises. Il faisait rire sa tante avec ses récits des péripéties parfois rocambolesques de la *cabale*[1] dans les villages du comté. Son père avait dit que c'était un jeune homme plein d'avenir. « Un mécréant et un athée », s'était insurgée sa mère, qui savait par le curé qu'on ne l'avait pas vu à l'église depuis son arrivée dans la région. Il n'en fallait pas plus pour intriguer Jeanne, qui néanmoins accueillait les attentions du jeune homme avec un émoi teinté d'embarras. Car si ses visites flattaient son amour-propre féminin et alimentaient sa répugnance à retourner vivre sous la férule maternelle, si le jeune adjoint de son père l'attirait en attisant chez elle des velléités d'affirmation de soi, Mick l'aimait déjà trop pour ne pas se dévaluer à ses yeux, elle qui n'avait même pas su se faire aimer de sa propre mère. Jeanne en effet soignait à cet égard une blessure à peine refermée, dont la cicatrice trop fraîche demeurait rétive au toucher. Pour tout dire, le baiser qu'elle avait si étourdiment donné à ce garçon avait été pour elle une espèce de ruade improvisée dans les brancards d'un présent sans avenir, alors qu'il avait allumé en Mick un brasier qu'il tentait tant bien que mal de

1. *Cabale* : campagne politique.

contenir, et dont les ravages s'étendaient jusqu'à sa propre conception de lui-même. Hier encore sûr de lui, prêt à affronter toutes les difficultés pour parvenir à la réussite, il ne respirait plus que dans l'espoir de revoir Jeanne, de l'intégrer à son avenir, à sa vie. S'il l'avait pu, comme un pèlerin il serait venu tous les jours lui faire ses dévotions, mais le comté de Bonaventure était grand, et la maison de Florence, isolée sur la côte en dehors de tout village, ne se trouvait pas souvent sur l'itinéraire que lui imposait son emploi du temps.

On dîna ce soir-là de homard frais pêché, bouilli dans l'eau de mer et arrosé de champagne. L'Honorable Charles Langlois prononça le toast, et l'on but à la victoire et au retour sain et sauf des futurs soldats. Après le dessert (un fabuleux saint-honoré dont Rose, la cuisinière de Florence, avait le secret), les invités se retrouvèrent dans la spacieuse salle de séjour qui, le jour, avait une vue imprenable sur la mer, et où ce soir l'on avait eu la bonne idée de faire du feu dans la cheminée. Voyant Mick s'esquiver discrètement du salon, Jeanne le trouva sur la véranda, accoudé à la balustrade, le regard perdu dans la nuit. Il ne se retourna pas à son approche.

— Le discours de papa vous a plu ? lança la jeune fille, à tout hasard.

— Un discours admirable, répliqua-t-il, faisant volte-face. Votre père est un excellent orateur.

Dans la pénombre un silence passa entre eux, les figeant l'un et l'autre sur place.

— Un homme de paix, reprit-il, comme Laurier, c'est pourquoi je l'admire. Mais ces gens-là finissent toujours par se mettre à dos ceux-là même qu'ils cherchent à réconcilier.

— Ou par les convaincre, répliqua la jeune fille. Si vous croyez sa cause perdue d'avance, pourquoi travaillez-vous si fort à sa réélection, au lieu d'être dans la rue avec Armand Lavergne ?

Mick lui lança un regard perçant, et rougit en se rappelant sa folle soirée avec Gonzague. Heureusement, dans la demi-obscurité rien n'en parut.

— Parce que votre père a de l'honneur, et que les convictions qu'il défend ne lui sont pas dictées de la bouche d'un curé !

Le jeune homme se retourna vers les ténèbres extérieures et prit une longue bouffée de sa cigarette. Jeanne battit en retraite.

— Non ! balbutia Mick, soudain à côté d'elle. Non, attendez, répéta-t-il plus doucement, puis il se tut de nouveau.

— Vous partez demain..., hasarda-t-elle.

Il était à présent si près d'elle qu'il en tremblait de nervosité. Il regardait Jeanne avec une intensité telle qu'elle en fut toute troublée, et craignit de bredouiller quelque bêtise. Elle baissa les yeux.

— Je me demandais, reprit-il enfin, les mots lui sortant par bribes, scandés par sa respiration, si je pourrais, si vous n'auriez pas d'objection, à ce que je vous écrive...

— Non, je veux dire bien sûr que je n'aurais pas d'objection...

Mick prit une autre bouffée de sa cigarette. Celle-ci n'était plus qu'un mégot qui lui brûla les doigts. Étouffant une exclamation de douleur, il le lança par-dessus la balustrade. Il brûlait, effectivement, de la prendre dans ses bras, de l'embrasser, tellement qu'il en avait mal, mais il n'en fit rien. La moustiquaire venait de s'ouvrir. Ils n'étaient plus seuls sur la véranda. La silhouette de Mme Langlois se profilait dans l'embrasure de la porte. Jeanne et elle se regardèrent, se mesurèrent du regard, puis tous trois réintégrèrent le doux murmure du salon.

L'embarras du choix

1.

À la mi-octobre, le député de Bonaventure, le cœur lourd de noirs pressentiments, fit ses valises et se prépara à se soumettre au jugement du peuple pour la cinquième fois de sa carrière. La tourmente déclenchée par l'imposition de la conscription menaçait de scinder le pays, ainsi qu'Henri Bourassa et son journal, *Le Devoir*, l'avaient toujours prédit et Laurier tant redouté. Depuis les émeutes du 30 août, à Montréal, quand une foule en panique avait été dispersée à coups de matraques par des policiers à cheval caracolant sur les pavés sonores de la rue Notre-Dame en crue, la situation dans la province avait rapidement dégénéré. Plusieurs *assemblées contradictoires*[1] durent être annulées à cause des risques de violence partout appréhendés. Dans les rues de la métropole, des candidats du gouvernement furent brûlés en effigie par des foules criant aux traîtres et aux vendus. Pendant ce temps, Laurier et ses candidats d'opposition multipliaient les appels au calme, promettant un référendum s'ils reprenaient le pouvoir, et exhortant ceux qui le pouvaient à se porter volontairement au secours des soldats canadiens en Europe. Dans le reste du pays cependant, la vague conscriptionniste menaçait de tout emporter. Dans cette atmosphère de tumulte, le gouvernement, ne voulant rien laisser au hasard, jugea utile de faire adopter une loi électorale spéciale, donnant le suffrage aux mères, épouses, veuves, filles et sœurs

1. *Assemblée contradictoire :* débat politique public mettant en présence des adversaires politiques.

de soldats (mais pas aux femmes dont les êtres chers n'étaient pas encore partis). À tous les citoyens nés à l'étranger, « de langue maternelle ennemie », et naturalisés depuis moins de quinze ans, la même loi enlevait carrément le droit de vote. Pour l'opposition, les dés étaient pipés, et Charles Langlois le savait.

La veille de son départ, il convoqua sa fille dans sa bibliothèque, lieu profane où son épouse ne mettait jamais les pieds, en raison des nombreux volumes à l'index qui y étaient entreposés et de l'odeur de tabac qui y régnait. Jeanne en contrepartie avait une prédilection particulière pour cette grande pièce aux murs tapissés de livres magnifiquement reliés, dorés sur tranche, aux titres exotiques en plusieurs langues, où l'on entrait à pas feutrés comme dans une chapelle et qui, au dire de son père, recelait autant de trésors que la caverne d'Ali Baba. Dehors un soleil d'hiver, rougeoyant comme une braise, sombrait lentement derrière les arbres noirs, que les pluies allaient bientôt dépouiller de leurs feuilles. Son père, debout à la fenêtre dans le jour déclinant, l'accueillit avec chaleur.

— Ah ! ma petite Jeanne, je suis content de te voir, fit-il, comme s'il ne l'avait pas vue à table, à midi. Entre, entre. J'ai quelque chose d'important à t'apprendre.

Comme pour se donner une contenance, il prit la boîte d'allumettes en argent sur la tablette de la cheminée et déplaça le pare-étincelles.

— Je n'ai pas encore abordé le sujet avec ta mère, commença-t-il, en se penchant pour mettre le feu aux brindilles et aux languettes de papier journal soigneusement disposées sous les bûches dans la cheminée, parce que je souhaitais t'en parler auparavant. Après tout, c'est toi que cela regarde, et je tiens à connaître ton sentiment avant d'aller plus loin.

Il s'était redressé et se tenait un peu voûté, les mains dans les poches, regardant les flammes qui commençaient à lécher les bûches. Il respira profondément et se retourna vers sa fille.

— Je viens de recevoir une lettre de notre jeune ami

Mick O'Neill. Je crois qu'il t'écrit assez régulièrement depuis quelque temps, n'est-ce pas ?

Jeanne hocha la tête en silence, tout en tentant de deviner où son père voulait en venir. Mick en effet lui écrivait longuement et souvent. Dans ses lettres il lui décrivait sa nouvelle vie comme stagiaire dans la firme d'avocats Lynch O'Connell Doyle, l'une des plus prestigieuses de Montréal, et en filigrane les rebondissements de l'actualité politique qui secouaient la métropole. Jeanne était presque sûre que sa mère ouvrait ses lettres, le premier courrier de la journée arrivant à huit heures, alors qu'on ne lui remettait le sien que beaucoup plus tard.

— Tiens, lis donc, dit son père d'une voix ébranlée par l'émotion.

Jeanne prit la feuille qu'il lui tendait. Elle dut relire plusieurs fois le début de la lettre, tant elle avait peine à absorber le sens des mots grattés à la plume, de cette écriture dégingandée qui lui était désormais familière. « *... je suis parfaitement conscient du fait que mon propos risque de vous étonner, et je m'attends naturellement à ce que vous vous demandiez si ce n'est pas brusquer un peu les choses. Toutefois mon affection pour votre fille est telle...* »

Jeanne tressaillit et regarda son père d'un air interrogateur.

— Continue, continue, la pressa doucement ce dernier.

« *... que je serais profondément malheureux de devoir partir sans emporter avec moi au moins l'espoir qu'elle attende mon retour. J'ose aussi espérer que votre opinion n'a pas changé en ce qui me concerne, que vous me croyez toujours promis à un avenir respectable, et qu'en conséquence vous êtes en mesure de voir en moi un parti honorable pour votre fille...* »

Jeanne restait figée sur place. La déclaration de Mick la bouleversait, faisant palpiter en elle des perspectives d'une nouveauté affolante, mais au fond d'elle-même une sorte d'instinct se cabrait comme un poulain rétif au premier contact du mors. Les conséquences difficilement prévisibles tantôt d'un oui, tantôt d'un non, s'entrechoquaient déjà dans son esprit confus. D'un côté la possibilité, hier à peine concevable et peut-être irréalisable à cause de la guerre, de s'émanciper enfin, en liant son destin à celui de ce garçon ; de l'autre, la consécration de la vie solitaire et sans joie qu'elle menait, semblait-il, depuis toujours. Alors, s'élevant au-dessus de cette clameur intérieure, la voix réconfortante de son père s'imposa.

— Il vient d'être appelé. Il doit rejoindre son unité d'entraînement à Valcartier le mois prochain, précisa ce dernier. Bien sûr, c'est une grosse décision, qui ne se prend pas à la légère. Je ne veux pas que tu te sentes bousculée...

Elle se taisait, répugnant à discuter de questions aussi personnelles avec son père. Sa pensée se tournait instinctivement vers la seule personne à qui elle eût pu se confier véritablement. Il fallait qu'elle parle à Florence.

— C'est un garçon assez timide, élevé sans mère, sans grand contact avec ses sœurs. Cela dit, ajouta son père en esquissant un sourire, tout homme a besoin de l'influence civilisatrice d'une femme dans sa vie, et je soupçonne qu'une femme qui saurait l'aider à sortir de sa coquille trouverait fort probablement en lui un excellent époux. Il va faire une carrière brillante, cela ne fait pas de doute. Tu ne t'ennuierais sûrement pas aux côtés d'un homme comme lui...

En regardant son père remuer les bûches avec le tisonnier, Jeanne ne put s'empêcher de se demander quelle « influence civilisatrice » sa mère avait bien pu avoir sur cet homme au naturel si doux.

— Évidemment, il y a la question de sa mobilisation. J'aimerais pouvoir te dire que nous allons gagner l'élection et que la loi de la conscription, une fois soumise à un référendum, sera abrogée. Mais je crois qu'il est de mon devoir de te dire la vérité telle que je la conçois. Le Québec va voter pour Laurier, et la majorité dans le reste du pays votera pour le gouvernement. En pratique, cela signifie fort probablement qu'il sera mobilisé... Pour ma part, je vais prévenir ta mère. Je suis certain, ajouta-t-il comme pour lui-même, qu'elle aura sa propre idée là-dessus.

Jeanne anticipait déjà la teneur de leur discussion, l'un tentant diplomatiquement de faire valoir les qualités de son jeune protégé, l'autre s'indignant de son anticléricalisme, dont Mick ne faisait malheureusement aucun secret. Il n'en fut rien.

— Qu'elle se marie, décréta Madeleine Langlois avec cette douceur péremptoire contre laquelle son mari était sans défense, et le plus vite possible, avant qu'elle ait le temps de pécher.

Et plus tard, s'adressant à sa fille :

— Prends bien garde, lui dit-elle en la regardant longuement dans les yeux, de ne pas regretter de t'être refusée à Notre Seigneur.

2.

— Comme ça, tu changes pas d'idée, maugréa Mick en jetant une poignée de brindilles sur le feu qui déjà crépitait à l'air vif de l'automne.

Gonzague et lui s'apprêtaient à regagner Québec après une partie de chasse fructueuse dans la vallée de la Jacques-Cartier. Ils venaient de déposer dans la Ford empruntée pour l'occasion la biche qu'ils avaient abattue la veille. Mick cette fois s'était ému à la chute de l'animal, dont ils avaient trouvé le beau corps gisant parmi les feuilles mortes, aussi gracieux dans la mort que dans la vie. Même après deux jours dans la paix des bois, il était intérieurement aussi agité que lorsqu'il avait quitté Montréal.

— On a beau dire, répondit Gonzague d'un air grave que Mick ne lui avait pas souvent vu depuis qu'il le connaissait, c'est là-bas que ça se passe. Puis à part ça, il est temps d'en finir.

Les deux jeunes gens étaient assis sur un tronc d'arbre qu'une tempête avait dû abattre, tout récemment d'ailleurs car les branches avaient encore leurs feuilles, jaunies par l'automne.

— Gonzague Prud'homme, jamais j'aurais cru que tu t'engagerais, murmura Mick, incrédule.

— D'abord j'avais plus le choix, pis depuis que mon cousin Georges a été tué à Vimy, l'atmosphère était plus respirable à la maison. C'est pas pour l'Angleterre ou la France qu'il est mort, le p'tit Georges. Quand tu meurs soldat canadien, laisse-moi te dire qu'il y a pas grand monde qui peut prétendre que ton pays est rien qu'une colonie de l'Angleterre. La souveraineté canadienne, on l'a maintenant. On se l'est donnée, à la bataille de Vimy, mon *chum*. Celle-là, c'est nous qui l'avons gagnée. Pas les Français, pas les Anglais. Nous autres, Mick, oublie jamais ça.

— J'peux pas croire que *t'à l'heure* tu seras rendu à Valcartier [1], *crime* [2], même si c'est à deux pas d'ici. J'te respecte, Gonzague, tu le sais, même que je t'admire. Mais moi non plus je change pas d'idée.

— Qu'est-ce que tu vas faire ?

— Je vais prendre les moyens q'i'faut... Moi, tant que l'armée canadienne sera sous commandement britannique, tu me verras pas dans ses rangs.

— Maudit fou. L'honneur de l'Irlande, c'est bien beau, mais t'es sûr que ta Jeanne Langlois y est pas pour quelque chose ?

— Certain qu'elle y sera pour quelque chose si jamais elle accepte de m'épouser. Crois-tu que je vais aller me faire tuer ou, pire, mutiler à vie si j'ai même une chance qu'elle me dise oui ?

— T'est mordu pour vrai, toi, t'as la piqûre. Et si elle te dit non ?

— Elle me dira pas non.

— Mais comment vas-tu faire pour te faire exempter ?

— Justement, Gonzague, c'est là que tu peux m'aider.

— Je veux bien t'aider, mais je vois pas comment...

Mick se leva, alla chercher son fusil de chasse, une Winchester modèle 94 qui avait appartenu à son père, et revint

---

1. Valcartier : base militaire près de la ville de Québec.
2. *Crime :* pour Christ, juron canadien français.

vers Gonzague. Il se rassit sur le tronc d'arbre mais cette fois à une certaine distance de son ami. Puis il sortit de sa veste une gourde qu'il avait au préalable pris soin de remplir de whisky, la déboucha et en avala la moitié d'un trait.

— Qu'est-ce que tu fais ? lui demanda Gonzague, d'un ton rempli d'alarme.

— Gonzague, tu te souviens, on se l'est toujours dit. À la vie, à la mort, pas vrai ?

— Oui, mais *crisse*[1] !

— I' faut qu'tu m'aides !

— Mais quoi, qu'est-ce que tu veux qu'je fasse ?

Mick posa le fusil en travers de ses genoux, l'ouvrit, enfonça une cartouche dans le magasin.

— Maintenant bouge pas, mon Gonzague, bouge pas d'un poil. Mais après, c'est après qu'i'faut qu'tu m'aides...

Mick avala d'un trait ce qui restait dans sa gourde. Puis il arma la Winchester, la posa précautionneusement sur le sol devant lui et, de la main gauche, l'empoigna par la pointe du canon, en couvrant de son majeur la bouche du fusil.

— Mick, es-tu fou, maudit, es-tu... ! ?

Soulevant la crosse du fusil de sa main droite, il la cogna contre le sol d'un coup sec.

3.

Ottawa, novembre 1917

La semaine suivante Jeanne Langlois fut demandée au téléphone pour parler à son père, qui appelait de New Carlyle.

— Jeanne, comment es-tu ? crépita la voix lointaine mais familière.

— Ça va bien, papa, et toi, ton élection ?

1. *Crisse :* pour Christ, juron canadien français.

— Oh, la mienne ça va pas pire ! dit-il dans la langue du terroir, qu'elle ne lui connaissait qu'en campagne électorale. Malheureusement, Bourassa vient de nous donner le baiser de la mort dans le reste du pays, en se prononçant pour nous. Mais Laurier prendra le Québec, ça ne fait aucun doute. Comment va ta mère ?

— Elle est partie à Montréal hier faire sa retraite annuelle de novembre chez les sœurs du Précieux Sang, répondit Jeanne, qui connaissait trop bien son père pour ne pas se douter qu'il l'appelait justement parce qu'il savait que sa mère n'était pas là.

— Écoute, Jeanne, je t'appelle parce que j'ai eu de mauvaises nouvelles concernant le jeune O'Neill.

Le sang de Jeanne se figea.

— J'ai reçu un télégramme. Il semble qu'il ait été hospitalisé suite à un accident de chasse.

— Un accident ? Je pensais qu'il t'aidait dans ta campagne.

— On lui a offert une place dans le cabinet d'avocats où il fait son stage. C'est pourquoi il est resté à Montréal. Il semble que sa blessure soit grave. Je t'ai écrit une lettre à ce sujet, et quand tu l'auras reçue, j'aimerais qu'on se reparle. Je t'embrasse. Prends soin de toi.

4.

Mick passa trois semaines à l'hôpital de l'Hôtel-Dieu, où son père pendant tant d'années avait pratiqué son art. La blessure qu'il s'était infligée était considérable, la balle ayant emporté la jointure en même temps que son doigt, et le faisait atrocement souffrir. Bien qu'il eût perdu beaucoup de sang, le pire avait été évité grâce à la présence d'esprit de Gonzague, qui lui avait fait un tourniquet, avait arrosé d'alcool sa blessure et y avait appliqué une compresse propre, confectionnée à partir d'une quantité de linge de rechange que sa mère l'avait obligé à emporter avec lui. C'est lui également qui l'avait transporté à l'hôpital, faisant en un temps record le trajet entre Sainte-Catherine-de-la-Jacques-Cartier et la vieille capitale. Les religieuses, dont plusieurs avaient bien connu le docteur O'Neill, entourèrent Mick de soins et prirent plaisir, dès qu'il fut en mesure de leur faire la conversation, à lui raconter les hauts faits de son père, qui avait été le premier disciple de Pasteur à la faculté de médecine, et le premier chirurgien à introduire l'asepsie dans les pratiques de l'hôpital.

Quand Gonzague revint le voir, il était en uniforme de second lieutenant dans le Royal 22e Régiment. Sa mère avait fait dorer les boutons de sa tunique, et lui avait fait faire ses bottes d'officier et son ceinturon à bandoulière de gradé par son propre sellier. Il allait bientôt s'embarquer pour Halifax.

— Maudit fou, avait murmuré le grand en le voyant, si pâle dans son lit d'hôpital. Tout ça pour une *p'lote* ! avait-il ironisé, avec une désinvolture qui ne parvenait pas à masquer son émotion.

— J'veux t'remercier pour c'que t'as fait...

— Eïe, à la vie à la mort, pas vrai ?

— Ouais, sauf que maintenant tu vas *sacrer ton camp*[1], quand j'voulais que tu me serves de témoin à mon mariage !

— *Crime*, elle t'a-tu dit oui ?

— Pas encore, mais elle va le faire, t'inquiète pas.

— Mick, avant de partir j'ai quelque chose à te demander...

Le visage de Gonzague se rembrunit.

— C'est ma mère, dit-il en baissant la voix et regardant son ami dans le fond des yeux. *Elle le prend pas*[2], que j'parte. J'suis son seul fils, tu le sais, pis Éloïse a beau être la meilleure des filles, pour maman c'est pas pareil...

— Demande-moi c'que tu veux, Gonzague, tu sais qu'tu peux compter sur moi.

— Occupe-toi d'elle un peu, appelle-la de temps en

1. *Sacrer ton camp :* foutre le camp.
2. *Elle le prend pas :* elle n'accepte pas.

temps ; quand tu viens à Québec pour une cause, viens la voir, ça lui fera du bien.

— T'es sûr qu'elle m'en voudra pas...

— T'es comme un deuxième fils pour elle, j'te dis.

— Entendu, le grand, tu sais que ma parole vaut plus que ma signature...

5.

Ottawa, 1er janvier 1918

La nuit tombait sur le canal gelé. Jeanne patinait, les mains enfouies dans le magnifique manchon d'hermine dont Florence lui avait fait cadeau le matin même. Sa tante avait eu froid aux pieds et l'attendait, bien au chaud sous les peaux de bison, dans la carriole rouge d'où son haleine s'élevait en petits nuages blancs, tandis que les chevaux patientaient sous leurs couvertures, secouant parfois la tête et soufflant bruyamment dans l'air glacial. De ses patins Jeanne attaquait la surface lisse et dure du canal. Son père avait gagné son élection en même temps que soixante-deux autres députés libéraux de la province de Québec, y compris leur chef, sir Wilfrid Laurier. Dans les autres provinces leur parti, qui proposait de soumettre le service militaire obligatoire à un référendum, avait été anéanti. Quelques jours avant Noël, Mick, remis sur pied et officiellement exempté de service militaire, était venu à Ottawa pour la voir et lui avait formellement demandé de devenir sa femme. Il allait bientôt, disait-il, être en mesure d'intégrer à titre de *junior associate* le prestigieux cabinet de Lynch O'Connell Doyle, à Montréal. Son avenir était assuré. Comme gage de son affection, il lui avait offert une bague en or sertie d'une aigue-marine — « pour aller, lui dit-il, avec la couleur de vos yeux » —, une folie qui avait dû lui coûter toutes ses économies. Les rouages de la vie se remettaient à tourner, le coche se mettait en branle, entraînant Jeanne dans une voie qu'elle ne s'était pas elle-même tracée mais qui, au moins, menait ailleurs, loin, sans possibilité de retour. Dans l'obscurité croissante, elle s'acharnait sur la patinoire, ivre de vitesse et de froid, grisée par l'effort conjugué de ses muscles. Le frottement de ses lames de patins contre la glace se répercutait entre les hautes berges du canal, amplifié par le rythme éperdu de son souffle, de son sang. Encore un peu plus loin, encore un peu plus fort. Finalement, sa décision prise, elle se hâta d'aller rejoindre Florence qui lui faisait signe de la carriole où elle l'attendait, prête à l'envelopper de tendresse et de chaleur.

Adieu Botticelli

1.

Le mois d'avril 1918 s'annonça froid et venteux. L'hiver traînait en longueur. La guerre s'éternisait. Le pays se remettait mal des élections de décembre. La conscription avait échoué dans toutes les provinces. Des cent mille hommes appelés depuis que la loi avait été votée, les trois quarts avaient demandé à être exemptés. Depuis l'élection, pas un convoi n'avait quitté Halifax pour les champs de bataille d'Europe, où l'hécatombe continuait et le besoin de renforts se faisait cruellement sentir. Au pays, les méthodes de recrutement se faisaient de plus en plus brutales. Le jeudi saint au soir, une émeute éclata dans la ville de Québec après que des *spotters*[1], recherchant des réfractaires, eurent arrêté un homme qui, bien que ne les ayant pas sur lui, avait fini par produire ses papiers d'exemption. Pendant plusieurs jours le désordre régna. Des *spotters* furent tabassés par les émeutiers. Les huit cents soldats de la garnison de Québec n'ayant pas suffi pour contenir la foule de plusieurs milliers de personnes qui avait incendié le poste de police et saccagé des bureaux de recrutement fédéraux, un bataillon de soldats, tous de langue anglaise, fut envoyé en renfort de Toronto. Des francs-tireurs embusqués sur les toits tirèrent sur eux, blessant quatre hommes. Les troupes ouvrirent le feu, tuant cinq émeutiers et provoquant le tollé général dans la province. Pendant ce temps, à Londres le gouvernement britannique annonça

1. *Spotters :* agents du gouvernement fédéral ayant pour mission de repérer les conscrits réfractaires.

son intention d'imposer la conscription en Irlande, mesure perçue comme d'autant plus inique qu'elle forcerait les Irlandais à aller risquer leur vie à l'étranger au nom d'un principe — le droit de se gouverner soi-même — qu'on refusait de leur reconnaître chez eux. Le jour du vote, tous les députés du parti nationaliste irlandais au Parlement britannique quittèrent la Chambre des communes et s'embarquèrent pour Dublin, où ils se reconstituèrent en *Dail Ereann*, l'Assemblée nationale irlandaise. On commençait à entendre parler de mutineries généralisées dans l'armée française l'année précédente, d'unités entières en révolte contre leurs officiers, de soldats désespérés par l'horreur et la futilité du carnage, qui s'étaient par centaines retrouvés devant des pelotons d'exécution. Partout l'horrible contagion de la guerre se propageait, dressant les peuples les uns contre les autres, semant le désordre et la division à l'intérieur même des nations.

C'est par un temps sombre et pluvieux que Jeanne et Mick furent mariés sans fanfare à Montréal. La cérémonie eut lieu le matin — à temps pour pouvoir prendre le train de midi pour New York — dans le décor grandiose de la cathédrale Notre-Dame. Signe des temps, seuls les proches avaient été invités au mariage, la famille n'ayant pas jugé à propos de faire trop fastueusement étalage de ces noces, alors que tant de jeunes femmes pleuraient un fiancé ou un mari, et tant de familles, un fils, un frère, un père. Remontant l'allée centrale au bras de son père dans la pénombre bleue de la cathédrale, Jeanne s'engageait dans un sentier étroit qui menait elle ne savait où, et au bord duquel l'attendait un jeune inconnu en habit qui la fixait nerveusement de ses yeux pâles. Il avait changé depuis son accident. Sa blessure le faisait encore souffrir, bien qu'il ne s'en plaignît pas, et la douleur le rendait taciturne — du moins était-ce l'interprétation qu'avait Florence de son attitude parfois ombrageuse lors des répétitions. Au pied de l'autel il accueillit sa fiancée du même air interdit qu'il avait eu lorsqu'elle l'avait entrevu pour la première fois, à la garden-party en l'honneur de son père, l'été précédent. Puis il se retourna vers Sa Grandeur l'archevêque Bruchési à qui l'Honorable Charles Langlois avait demandé de célébrer la messe.

Dans son sermon le prélat s'étendit longuement sur le modèle de l'amour divin, fait d'abnégation et de sacrifice de soi. D'une voix que la cathédrale rendait caverneuse, il enjoignit la mariée de suivre l'exemple de la Sainte Vierge, « qui a offert son corps à Dieu afin que naisse le Sauveur, qui rachète tous les péchés du monde ». Il exhorta son mari à faire son devoir de chrétien, le comparant à celui du semeur « qui met en terre les semences dont jaillira la moisson de demain, la prochaine génération de fils et filles de Notre Sainte Mère l'Église ». Il parla des vicissitudes de la vie, des souffrances « que l'on surmonte tellement mieux lorsqu'on est deux. Rappelez-vous enfin, conclut-il avec emphase, chaque jour de votre existence, les paroles du Christ. Rappelez-vous cette règle de vie qu'il nous a laissée et qui, en ces temps sombres, nous fait si cruellement défaut : Aimez-vous les uns les autres comme je vous ai aimés. Dans la douleur et dans la joie. Dans la douleur surtout, car dans la joie tout est facile... » Amour. Souffrance. Les deux notes du chant modulé appris au Carmel. Souffrir. Aimer. L'âme se rebellait contre cette ordonnance, cette finalité.

2.

Après la cérémonie, le cortège nuptial, discret sous la pluie battante, se transporta au Ritz où une modeste réception avait été prévue, afin de donner aux mariés le temps de revêtir leurs vêtements de voyage, et aux invités celui de boire à leur santé avant de les accompagner à la gare Windsor pour l'embarquement du train. Jeanne monta dans l'ascenseur directement en arrivant. L'antichambre de la suite qu'on lui avait réservée était remplie de fleurs, petite extravagance à laquelle son père s'était livré pour se faire pardonner l'austérité et la parcimonie de la cérémonie et de la réception. Dans la chambre l'attendait un imposant amoncellement de cadeaux, magnifiquement emballés, qu'on n'avait pas jugé bienséant d'exposer publiquement. Son tailleur de voyage, choisi pour elle par Florence, était étalé sur le lit. Jeanne avait passé les deux semaines précédentes chez sa tante, dans sa grande maison d'Outremont sur le flanc du Mont Royal, où celle-ci vivait seule avec sa femme de chambre et sa cuisinière. Florence s'était bien davantage occupée des préparatifs que sa propre mère. Son trousseau, même sa robe de mariée avaient été choisis par ou avec Florence, qui avait tout fait faire par sa couturière d'après des modèles qu'elle avait fait venir de Paris. Essayages, répétitions, thés, confidences, Jeanne avait retrouvé quelque temps l'insouciance facile de leurs dernières vacances ensemble. Elle l'avait quittée à regret, tout comme elle avait quitté son père, tout à l'heure, au pied de l'autel. Elle n'était plus Langlois. Son nom ne lui appartenait plus, et le nom qu'elle portait désormais ne lui appartenait pas davantage.

Jeanne sursauta violemment. On frappait à la porte. Elle ramassa précipitamment la lourde robe de satin blanc dont elle venait de se dégager et, la serrant contre son corps, s'approcha de la porte.

— Hou-hou, chérie. (C'était la voix de Florence.) Je viens voir si tu as besoin d'aide !

Jeanne se précipita pour ouvrir.

— Mais tu pleures ! Fais voir ces larmes, pauvre pitou !

Florence la prit dans ses bras.

— Là, laisse-toi aller, murmura sa tante en lui caressant la tête. T'es pas la première, va.

Peu à peu ses sanglots s'espacèrent.

— Là, le pire est passé. Pleure tant que tu veux, c'est comme la pluie après l'orage, ça fait du bien.

Jeanne redressa la tête et sourit à travers ses larmes.

— Viens que je t'aide à t'habiller. Il ne faudrait pas que tu manques ton train, quand même. Viens devant le miroir. Tu vois que même en larmes tu es belle comme le jour. Allez, enfile cette jupe. Maintenant, un peu de courage. Dans quelques heures tu seras à New York. Tu commences une nouvelle vie, madame O'Neill. Et tu as un jeune mari qui, j'en suis sûre, ne demande pas mieux que de te rendre heureuse.

La pluie s'était transformée en neige et tombait à gros flocons mouillés sur la rue Sherbrooke lorsque les mariés sortirent sous l'auvent noir du Ritz pour monter dans leur landau. Comme celui-ci s'ébranlait dans un bruit de sabots répercuté par les pavés, Jeanne aperçut soudain son père au moment même où une rafale, emportant son chapeau haut de forme, ébouriffait ses cheveux blancs. Elle éprouva un élan de tendresse envers ce grand homme vulnérable et digne qui dépassait d'une demi-tête le petit attroupement de gens frileux dans leurs manteaux de printemps qui se pressaient derrière lui sur le trottoir. Sur le quai de la gare il pleura en embrassant sa fille. Madame mère, qui avait assisté au mariage mais non à la réception, était à ses côtés. « Je prierai pour toi, ma fille », avait-elle soupiré d'un air entendu. Dans la foule Jeanne avait cherché des yeux Florence, qui s'était frayé un chemin pour venir l'embrasser. Un instant plus tard le photographe croquait sur le vif le portrait des mariés en partance. On y verra une jeune femme, la taille bien prise dans son tailleur, le chignon dissimulé sous un chapeau à large bord, orné d'une grande aigrette en plume, souriant pudiquement derrière sa jolie voilette à pois, au bras du grave jeune homme en habit et chapeau haut de forme à qui elle venait de lier son destin.

3.

Mick a disparu presque aussitôt que le train a quitté la gare. Il paraissait nerveux, ne tenait pas en place, s'est levé, a ôté son manteau, défait sa veste, détaché son faux col. Jeanne lui souriait, constatant pour la première fois qu'il n'avait pas pris le temps de se changer avant de partir. Il a allumé une cigarette, en a tiré une puissante bouffée.

— Si tu veux bien m'excuser, je meurs de soif, a-t-il prétexté en regardant Jeanne d'un drôle d'air.

Elle ne se formalise pas de ce manque d'empressement à son égard. Elle éprouve même un certain soulagement à ce qu'il la laisse, seule dans leur compartiment réservé, reprendre ses esprits après l'énervement du matin. Dehors la neige tombe obliquement, en gros flocons mous poussés par le vent. Elle se laisse bercer par les oscillations du train, par la plénitude du mouvement qui l'emporte à toute allure vers la vie, la vraie, la sienne. New York ne sera qu'un temps d'arrêt entre les jours antérieurs et son avenir montréalais, un avenir où figure Florence. Elle ferme les yeux et s'abandonne petit à petit à une langueur profonde.

Elle est tirée de sa torpeur une heure plus tard, lorsque la porte du compartiment s'ouvre avec fracas. Mick reste un moment accoté des deux bras aux montants, le corps ballotté au gré du roulis, les yeux luisant comme s'il avait la fièvre, les cheveux en bataille. Le train amorce un virage. Il perd pied, trébuche comme si on l'avait poussé, reprend momentanément son équilibre, referme la porte d'un coup de jambe. Subitement le wagon se redresse et Mick, perdant pied de nouveau, s'écroule. Jeanne se lève, s'incline, lui tend la main. Étalé par terre de tout son long, dodelinant de la tête à chaque mouvement du train, il la considère avec un sourire proche de la béatitude. « Défais donc tes cheveux... tellement belle quand tu défais tes cheveux... », murmure-t-il tout bas comme un homme qui parle dans son sommeil. Jeanne, penchée sur lui, s'exécute de bonne grâce. Ses cheveux tombent en rideau autour de son visage. Brusquement il s'empare de la main qu'elle lui tend, mais, au lieu de se relever, la tire vers lui, lui faisant perdre l'équilibre à son tour. Elle tombe, et le choc est si brutal qu'elle en a le souffle coupé, mais lui ne paraît pas s'en ressentir. Il referme les bras autour de sa taille, la serre contre lui. Elle le sent contre elle qui respire, trop vite, comme s'il avait couru. Ses mains se déplacent, suivent la courbe de ses reins, descendent plus bas, retroussent sa robe, osent s'immiscer en dessous...

— Mick ! Lâche-moi ! Lâch...

Elle se raidit, tente de se dégager, mais lui, tout haletant, la serre convulsivement contre lui.

— Jeanne, répète-t-il dans une sorte de râle plaintif, Jeanne !

Elle se débat, mais il est fort, plus fort qu'il n'en a l'air. Il ne l'écoute pas, ne l'entend pas, tout absorbé qu'il est dans ce corps à corps, répétant son nom inlassablement jusqu'à ce que, prenant le dessus, il la renverse sur le dos. Sous elle le plancher branle, trépide dans un ferraillement assourdissant. Maladroitement, il plaque sa bouche contre la sienne. Elle se cabre de toutes ses forces, pour se soustraire à l'odeur, au goût de whisky sur son souffle.

— Jeanne, lui gémit-il dans l'oreille, tellement belle, Jeanne..., par-dessus les soubresauts rythmés des roues sur les rails au-dessous d'eux.

Il l'écrase contre le plancher du wagon que parcourt un violent tremblement. Une main fébrile s'introduit de nouveau sous son jupon, cherche à tâtons la mince culotte de soie, s'impatiente, déchire l'étoffe trop fine — il s'agite un moment contre elle, qui se tord, résiste, se débat, et soudain une chair dure, qui la force, la déchire, l'envahit, plonge au plus vif d'elle sa douleur crue, trépignante, tandis qu'il se trémousse, frénétiquement, le souffle rauque, grognant, gémissant, et dans un ultime râlement s'affaisse, s'immobilise, s'appesantit contre elle.

Entre les jambes de Jeanne l'outrage lentement se dissout, s'épanche, la souillant de colère et de honte. Elle tente furieusement d'écarter d'elle ce corps devenu complètement inerte. Elle parvient à le faire rouler sur le côté, à se dégager, à se relever. Elle regarde celui qui déjà dort veulement à ses pieds, la mâchoire lâche, les paupières à demi closes, l'habit débraillé, le pantalon ouvert qui révèle une chair triste, flasque, ratatinée. Elle détourne les yeux, tremblante de dépit. Les paroles de sa mère lui reviennent, narquoises, lancinantes. *Prends bien garde de ne pas regretter de t'être refusée au Seigneur.* Comme une braise au fond de l'estomac. Elle se précipite dans le minuscule W.-C. de leur compartiment. Les sanglots l'étouffent. Le train tremble, s'ébroue, plonge sans fin. Elle vomit à rendre l'âme.

4.

Les canyons de New York ce printemps-là fourmillaient de soldats en uniforme. L'Amérique, forte de sa longue neutralité, venait enfin d'entrer de plain-pied dans la guerre. L'immense ville gratte-ciel, exubérante d'optimisme, vibrait tout entière au pas de ses guerriers. Dans le hall du Waldorf-Astoria où il avait donné rendez-vous à sa femme, Mick O'Neill faisait les cent pas. Elle était en retard, mais son impatience à la revoir était teintée de remords et de crainte. Depuis qu'il s'était réveillé sur le plancher du train, la tête endolorie, la bouche pâteuse, le pantalon défait, il cherchait désespérément un moyen d'effacer la bavure dont il avait entaché la page frontispice de leur vie commune. Il maudissait la soif implacable qui s'était emparée de lui au moment de se retrouver seul avec elle. Une soif qu'il devait à la fatigue, à l'insomnie, à l'émoi, vif comme une brûlure, que lui causait la beauté de la jeune fille à laquelle il avait pensé constamment, qu'il n'avait cessé de convoiter, depuis la première fois où il l'avait vue. Comment donc avait-il pu être assez sot pour l'effaroucher dès la première approche ? Il s'était conduit comme un porc, se servant à pleine bouche, à pleines mains... Mick regarda sa montre. Il s'était levé à six heures, fidèle à la routine inculquée au séminaire, s'était douché à l'eau froide, s'était habillé dans la salle de bains, tandis qu'elle dormait. Il avait allumé sa première cigarette de la journée, lui avait écrit un mot l'invitant à le rejoindre à midi pour le lunch, puis il était allé à son rendez-vous avec un journaliste irlando-américain qui avait des contacts auprès du mouvement nationaliste en Irlande. Au retour, il s'était arrêté chez Van Cleef et Arpels, où il avait acheté un ravissant bracelet-montre en or, au cadran en forme de marguerite, serti de diamants, dans l'espoir de se faire pardonner.

5.

Bien qu'en retard pour le déjeuner, Jeanne traverse le hall de l'hôtel d'un pas nonchalant et, se dirigeant tout droit vers son mari, constate avec satisfaction qu'il ne la reconnaît pas.

— Jeanne ? dit-il enfin. Qu'est-ce que tu es allée faire ?

Il la dévisage avec un désemparement que, dans sa rancune, Jeanne s'empresse de ridiculiser.

— Eh bien ? dit-elle, avec un sourire narquois. Tu n'aimes pas ?

— Mais pourquoi as-tu fait ça ?

— Est-ce que j'ai besoin de demander ta permission, tu crois ?

Il la regarde d'un air désemparé.

— Tu avais de si beaux cheveux. Tu sais bien que...

— Je pensais que nous allions déjeuner, réplique-t-elle avec désinvolture. Je meurs de faim, pas toi ?

Le regard du jeune homme se durcit.

— Tu te moques de moi, gronde-t-il, la prenant par le bras.

— Mais lâche-moi, proteste-t-elle tout bas, on commence à nous regarder !

— Très bien. Tu m'excuseras si je ne me joins pas à toi pour le déjeuner. J'ai une affaire plus pressante à régler, dit-il d'un ton glacial, puis s'éloigne à grands pas, une sorte d'étau lui comprimant le cœur, en serrant dans sa poche de veston le petit écrin de velours qu'il s'apprêtait à lui offrir.

Jeanne reste seule avec sa maigre victoire. Elle commence à comprendre qu'elle n'a fait que changer de geôlier. Que cette fois elle a pris le collier de son plein gré. Pour toujours, à la vie, à la mort. Elle ne se rappelle déjà plus ce qui l'a poussée au consentement. Elle blâme sa mère, son père, même Florence. Elle peste contre le sort qui l'a mise devant un si mauvais marché. Puis, éprouvant une grande fatigue, elle monte à sa chambre sans manger et se couche. Elle dort à poings fermés jusqu'au dîner.

Destins de femmes

1.

— Enfin, chérie, vas-tu bien me dire ce qui s'est passé ? Ça ne peut tout de même pas être simplement cette histoire de cheveux ?

Jeanne frémit visiblement. Elles sont installées sous l'auvent vert, derrière la maison de Florence à Outremont. Les deux dernières semaines ont été exceptionnellement chaudes. Le long des plates-bandes les pivoines fraîchement épanouies, déjà trop lourdes, courbent leurs belles têtes blanches et pourpres. Au fond du jardin, un vent doux soulève mollement les longues branches d'un saule. Florence, en kimono de soie, est assise en face de sa nièce à la petite table en fer, peinte en blanc, dont le dessus de verre arbore les restes de leur déjeuner.

— Ça te va très bien, remarque. D'ailleurs c'est fou ce que ça te donne l'air d'un garçon. Un très joli garçon, s'entend. Mais je comprends tout de même que ton mari ait pu être surpris, voire même un peu choqué. Pourquoi ne l'as-tu pas prévenu ?

Jeanne lève les yeux vers la frange de l'auvent qui remue doucement dans la brise.

— Il veut que nous partions pour Carleton à la fin du mois. Nous allons passer deux semaines avec mes parents. Apparemment il a un tas de choses à discuter avec papa. Je vais m'ennuyer à mourir. Après il doit revenir ici, mais j'aimerais bien pouvoir rester sur la côte plus longtemps.

Les deux hommes en effet auront beaucoup à se dire.

Depuis la débâcle de décembre, que Bourassa a décrite comme une grande victoire pour le nationalisme canadien français, le Québec est sans représentation au sein du gouvernement canadien, son isolement par rapport au reste du pays est maintenant complet, et le rêve d'unité si cher à Laurier est en ruine. En avril, on a même entendu des députés de la Chambre des communes réclamer la loi martiale pour le Québec, l'internement pour Henri Bourassa, petit-fils du héros de la Rébellion de 1837, et l'interdit de publication pour son journal, *Le Devoir*.

— Eh bien, alors tu viendras passer le mois d'août chez moi.

Jeanne adresse à sa tante un sourire plein de reconnaissance.

— En attendant, tu n'auras sûrement pas le temps de t'ennuyer.

2.

Florence par là faisait allusion à la maison que Mick avait achetée, rue Université, et dans laquelle le couple venait tout juste d'emménager. C'était un beau logement en pierre à chaux à trois étages, spacieux, bien éclairé, dont la façade était recouverte de lierre. Au rez-de-chaussée le salon, dont les fenêtres donnaient sur le campus de l'université McGill de l'autre côté de la rue, servait actuellement d'entrepôt aux innombrables livres de Mick. Une grande partie de cette bibliothèque lui venait de son père chirurgien et professeur de médecine, par ailleurs grand amateur de littérature. Traités d'anatomie, œuvres complètes de Shakespeare, ouvrages en gaélique et poésies de Lamartine s'y empilaient pêle-mêle avec les ouvrages de nature juridique, en attendant qu'on les rangeât sur les rayons que Mick avait fait construire sur deux murs entiers. Dans un coin de la pièce, le Victrola [1], un cadeau de mariage

1. *Victrola :* marque commerciale de gramophone.

de Florence, dressait comme une promesse de gaieté son pavillon en corolle de pétunia. Tout restait à faire pour rendre la maison présentable afin de commencer à y recevoir des invités, mais Jeanne n'avait pas le cœur à l'ouvrage. Elle perdait l'appétit. Elle était de nouveau épuisée, dolente, et tombait souvent de lassitude au milieu de l'après-midi. Elle sombra dans une nostalgie sans objet, puisqu'elle n'avait pas de passé auquel elle eût voulu retourner, et pleura amèrement sur son sort.

De son côté, Mick remplissait ses journées de travail acharné et passait plusieurs soirées par semaine au Club de Réforme [1], d'où il rentrait fort tard après un copieux dîner entre hommes, virilement arrosé de vin et de liqueurs variés. Suivant son degré d'ébriété, il lui arrivait de tomber sur son lit tout habillé. D'autres fois, il restait debout au milieu de la pièce à se balancer d'une jambe sur l'autre en fumant une dernière cigarette et se parlant tout bas à lui-même. C'était un préambule que Jeanne redoutait. Après avoir jeté son mégot de cigarette dans la petite cheminée de la chambre à coucher et s'être délesté de son pantalon, il s'approchait alors de son lit en pan de chemise, et venait l'importuner de ses avances maladroites. Elle avait vite appris que le plus sûr moyen d'expédier le pénible devoir conjugal était de se soumettre sans broncher, car, lorsque l'alcool le tenait, toute résistance de sa part ne faisait qu'exciter son appétit.

Ces atteintes répétées à sa jeune pudeur étaient pour Jeanne une source d'anxiété perpétuelle, bien qu'elle n'eût personne à qui elle eût pu s'en ouvrir. Elle avait l'impression de tourner sans fin, comme une bête qui se heurte sans cesse aux parois de sa cage. En désespoir de cause, elle avait cherché refuge au confessionnal, dans une église qu'elle ne fréquentait pas d'habitude. Mais le prêtre, anonyme derrière la grille obscure, n'avait pas compati à ses malheurs.

— Votre époux ne fait que son devoir de chrétien, mon enfant, avait-il déclaré sur un ton sentencieux qui avait aussitôt rebuté la jeune pénitente. Vous devez faire le vôtre,

1. Club de Réforme : célèbre club pour messieurs, à Montréal, où se réunissait toute l'élite libérale de la province.

conformément au saint sacrement du mariage. Vous écoutez trop souvent la voix de votre orgueil, et il ne s'agit pas là d'une faute vénielle. Mais Dieu est Amour. Demandez-lui pardon, et pour votre pénitence, vous direz...

C'est alors que Jeanne avait commis l'impardonnable. Elle était sortie avant d'attendre sa sentence. Elle s'était enfuie, la rage au cœur, bouleversée néanmoins par la crainte primaire, inavouée, du châtiment divin. Au fil des jours elle maigrit, son teint pâlit, elle se mit à souffrir d'étourdissements et cessa presque complètement de manger. Florence, qu'elle voyait presque quotidiennement, s'en alarma, jusqu'au jour où elle tomba sans connaissance en sortant de table après un déjeuner auquel elle n'avait pas touché.

— Il semble que des félicitations soient de mise, madame O'Neill, conclut le médecin que Florence avait mandé d'urgence. Vos symptômes sont tout à fait normaux dans votre condition. Florence me dit que vous partez au bord de la mer dans quelques jours. Le repos et l'air frais vous feront le plus grand bien. Pour le reste, il n'y a plus qu'à attendre. Je dirais que vous pouvez attendre votre bébé pour le début de l'an prochain.

Jeanne accueillit la nouvelle avec affolement. Elle était impuissante à contrôler sa vie. Les choses lui arrivaient par ignorance, par incompétence. Florence, elle, pleurait de bonheur.

— J'aurais tellement aimé connaître ce bonheur-là, dit-elle en serrant sa nièce dans ses bras, rends-toi compte, donner la vie à un être, distinct de toi-même et en même temps chair de ta chair, pouvoir aimer de cette façon-là, sans réserve, pour toujours...

Aimer sans réserve, pour toujours. L'injonction du Carmel, du mariage. La vie suivait son cours inexorable, charriant dans son sillage le triste sédiment de tous ces avenirs désormais non avenus.

3.

— J'attends un enfant.

Jeanne venait de fracasser le silence de la salle à manger. Celui à qui s'adressaient ses propos leva vivement les yeux de son assiette. Une sorte de désarroi se lisait dans son visage. Pour une fois, sous le coup d'une émotion trop forte, ses sentiments échappaient à la censure de son orgueil. Cependant c'était un événement si rare que Jeanne fut incapable de l'interpréter. Son mari ne lui ayant jamais permis d'apprendre son registre affectif, elle en était peu à peu venue à croire qu'il l'avait épousée pour des raisons purement politiques, et ne prêtait plus aucun mobile sentimental à ses étranges comportements.

— Tu as vu un médecin ? balbutia-t-il enfin, sans la quitter des yeux.

— Cet après-midi. J'ai perdu connaissance.

— Tu ne t'es pas fait mal, j'espère ?

— Non. Florence a appelé le médecin.

— Ah, cette chère Florence, dit-il avec une pointe de sarcasme. Comment va-t-elle ?

— Elle m'a invitée à venir passer quelques semaines chez elle quand tu seras reparti.

— Je n'ai rien contre ça. Tu sera sûrement mieux là-bas qu'en ville, cet été.

À partir de ce moment, Mick, ivre ou non, s'abstint de ses visites nocturnes. Il se prit à s'enquérir de la santé de sa femme et même à l'occasion à lui acheter des fleurs. Le ton général de leurs rapports s'améliora. Lorsqu'ils se séparèrent à la fin de juillet, Jeanne insista même pour l'accompagner à la gare. Néanmoins, les deux semaines passées chez ses parents avaient été éprouvantes. Sa mère, flairant quelque dissension sous leur civilité extérieure, était tout à coup aux petits soins pour son gendre, sans pour autant sortir du silence qu'elle réservait à sa fille depuis son retour de Saint-Boniface, l'année précédente. La fatigue, les haut-le-cœur de celle-ci étaient accueillis non pas avec la compassion d'une mère, mais avec un mutisme entendu qui disait : « Il est trop tard pour te plaindre, tu as péché, maintenant paye le prix. » Jeanne, à qui la noire notion de « péché de la chair » avait toujours inspiré un subtil effroi fait de répugnance et de curiosité inavouée, trouvait désormais incompréhensible qu'un acte aussi grotesque, et auquel on voyait des chiens s'adonner sans pudeur en plein jour, portât une telle charge de mystère, de terreur et de honte.

4.

Gaspésie, août 1918

— Tu es bien silencieuse, ce soir, remarqua Florence en mettant une nouvelle bûche dans l'âtre en pierre des champs.

Les soirées fraîchissaient. On avait recommencé à faire du feu dans la cheminée.

— Est-ce la visite de ta mère qui t'a perturbée ?

Madeleine Langlois était venue déjeuner. Elle ne s'était pas attardée.

— Je n'existe plus pour elle depuis que j'ai quitté Saint-Boniface, murmura Jeanne, s'ouvrant pour la première fois de ce chagrin tenace, inavoué.

— Je vais te dire quelque chose, soupira enfin Florence après un bref silence, comme si elle passait outre à une résolution prise de longue date. Au sujet de ta mère. Est-ce que ton père t'a jamais raconté comment ils se sont rencontrés ?

Jeanne réfléchit un instant, puis haussa les épaules.

— Quand ton père a connu ta mère, commença Florence d'une voix pleine de tact et de nuances, il avait trente-deux ans. Il était de bonne famille, instruit, il avait voyagé. Il était vraiment très beau et, bien sûr, il était riche, car notre père à cette époque faisait des affaires d'or. Madeleine, elle, avait seize ans. Son père était boucher, elle était sans instruction, sans le sou, et elle travaillait déjà en usine pour aider à subvenir aux besoins de sa nombreuse famille. Elle avait trois atouts en sa faveur : elle était extraordinairement jolie, très intelligente, et extrêmement déterminée. Ton père, comme beaucoup d'autres, aimait bien prendre un coup avec ses *chums* et aller dans l'est de la ville ramasser des filles à la sortie de l'usine. Ils les emmenaient danser et, en retour, j'imagine qu'ils devaient s'attendre à ce qu'elles leur accordent certaines faveurs. Un soir il a rencontré ta mère, et il en est tombé follement amoureux. Comme elle était tout sauf une petite midinette écervelée, elle s'est dépêchée de se faire épouser.

— Tu veux dire...

Florence s'interrompit et regarda sa nièce avec inquiétude. Puis elle en prit son parti et poursuivit :

— Ton père était fou d'elle, dit-elle en guise d'explication. Je n'avais que treize ans à l'époque, mais je me souviens que leur mariage a fait scandale dans la famille. Ma mère en particulier n'en est jamais revenue. C'est la raison pour laquelle Madeleine t'a toujours raconté que tes grands-parents maternels étaient morts avant ta naissance. Ta mère cachait leur existence parce qu'elle avait honte de son père, qui avait dû signer son nom d'une croix sur l'acte de mariage de tes parents. Elle avait beaucoup d'ambition pour ton père à cette époque. C'est un peu ironique, mais c'est beaucoup parce qu'elle le poussait dans le dos qu'il a décidé de se lancer en politique.

— Quand j'y pense, je n'ai pas davantage connu mes autres grands-parents..., dit Jeanne, le cœur alourdi sous le poids de ces révélations.

— Mais tout cela explique, justement, pourquoi tu ne les as pas connus. Mes parents étaient persuadés que ta mère avait tendu un piège à Charlie pour le forcer à l'épouser et ils ne le lui ont jamais pardonné. Ils étaient bien malvenus car Charlie, le jour de ses noces, était le plus heureux des hommes. Mais Madeleine, elle, s'est tout de suite sentie humiliée par l'attitude qu'elle soupçonnait chez ses beaux-parents, et elle a très vite refusé de les voir. Au début, mes parents ont vu dans son attitude les simagrées d'une personne vulgaire, mais, une fois que Charles a été élu député et qu'ayant déménagé à Ottawa tes parents se sont mis à fréquenter les Laurier et tout le gratin de la capitale nationale, je pense qu'ils ont bien regretté de ne pas l'avoir accueillie avec plus d'égards.

— Et la brouille a duré comme ça jusqu'à leur mort ?

— Oh, oui ! Ta mère est une personne vindicative, et elle n'a jamais voulu les recevoir chez elle. Mais il n'empêche qu'au fond d'elle-même il devait bien subsister quelque écho de tous les sermons du dimanche de son enfance, de toutes les admonestations du curé de sa paroisse contre la tentation et le péché. Et toi, pauvre enfant, tu étais l'incarnation, la personnification de son péché, la pièce à conviction par excellence. Il y a des années que je la regarde blanchir sa conscience à tes dépens. Évidemment, quand le père Plantin est entré dans sa vie, elle a complètement abdiqué son rôle d'épouse et de mère, mais avec tant d'ostentation qu'elle a encore réussi à scandaliser tout le monde.

Jeanne frissonna en pensant au directeur de conscience de sa mère, le ténébreux capucin à qui elle se confessait quotidiennement et dont les diktats depuis des années réglaient sa vie jusque dans les moindres détails.

— Comment était-elle avant de le connaître ?

— Oh, tu sais, comme elle était d'ici et qu'elle était très belle, elle a tout de suite fait sensation dans le petit monde conformiste et cancanier d'Ottawa. Dès son arrivée dans la capitale nationale en 1900, quand ton père a été élu pour la première fois, elle a ébloui tout le monde, les hommes par sa beauté et les femmes par ses toilettes importées à grands frais de Paris. Comme elle avait une jolie voix, elle est vite devenue une attraction aux dimanches musicaux chez le Premier ministre Laurier. Les femmes d'ambassadeurs se l'arrachaient pour leurs dîners officiels. Et bien entendu, on murmurait dans son dos que Charles s'était marié au-dessous de lui, qu'elle avait du sang de sauvage, bref tout ce que peuvent colporter la malveillance et l'envie, qui sont le pain quotidien de ce monde-là...

— Je ne peux pas m'imaginer maman en coquette, en mondaine !

— Elle le fut pourtant, jusqu'à l'arrivée, à l'église qu'elle fréquentait, de ce nouveau confesseur, qui devint le sien et la changea du tout au tout. C'est sans doute lui qui a dû la convaincre que la seule façon de se racheter aux yeux de Dieu était de mener une vie d'abstinence et de privations. Du jour au lendemain elle s'est transformée en illuminée, en multipliant les excentricités, ce qui a beaucoup nui, hélas, à la carrière de ton père. Quand tu as atteint l'âge qu'elle avait quand elle a jeté son dévolu sur lui, elle a dû être prise de panique. Ton entrée au couvent était pour elle un moyen d'acheter la rédemption éternelle. Elle te voyait déjà bienheureuse, peut-être même sainte ! Je t'avoue que, quand j'ai appris où tu allais, je me suis emportée contre Charlie de s'être laissé embarquer dans cette histoire, et je le lui ai dit. Tu étais si jeune ! En tout cas, quand l'archevêque lui a écrit pour le prévenir que tu dépérissais et lui demander de venir te chercher, il m'a appelée. Il ne pouvait pas quitter Ottawa et ta mère refusait d'accepter qu'il faille te sortir de là. Alors c'est moi qui suis allée te chercher. Dieu, dans quel état tu étais !

Jeanne écoutait, ébahie, ce torrent de confidences. Elle ne pouvait s'empêcher d'éprouver de l'admiration pour sa mère, qui, au lieu de subir sa condition, l'avait saisie à bras-le-corps pour imposer sa volonté à l'homme qu'elle avait choisi et au monde. Florence se leva du divan, se dirigea vers le Victrola, déposa un disque sur le plateau et revint au milieu du plancher. Elle tendit les bras à sa nièce tandis que les premières mesures, aguichantes, insolentes, d'un tango mettaient péremptoirement fin à la conversation.

Jeanne répondit avec soulagement à son invitation. Elle adorait ces séances, même si au début elle avait mis du temps à apprendre les mouvements. Elle aimait se sentir guider par Florence, elle aimait le contact de son corps, l'assurance de ses gestes.

— Antoine dansait si bien, reprit cette dernière en lui

enlaçant la taille de son bras. Dieu, que je l'ai aimé, cet homme-là ! Je l'aimais tellement que je n'en mangeais plus, je n'en dormais plus, j'aurais fait n'importe quoi pour lui plaire. Nos fiançailles ont duré deux ans et il m'a pratiquement rendue folle. Je ne vivais que pour le voir, que pour être avec lui.

— Tu as encore beaucoup de peine...

— Oh, tu sais..., murmura Florence. S'il était revenu, j'aurais été obligée de demander l'annulation de notre mariage.

— L'annulation ?

— Les choses ont mal tourné le soir de nos noces. Tu m'aurais vue, toute frémissante d'amour et d'anticipation... Il s'est assis sur le lit, tout habillé, la mine défaite. Il était blanc comme un drap et si malheureux. Il m'a prise sur ses genoux, il s'est excusé, il m'a dit qu'il fallait lui donner du temps. Au bout de quelques jours, il a conclu qu'il valait mieux faire chambre à part, je n'ai jamais su pourquoi. Quand il s'est engagé, je n'ai pas pu m'empêcher de croire que c'était la seule issue honorable qu'il avait pu trouver...

La musique avait pris fin, et l'aiguille à la fin de son sillon butait contre l'étiquette avec un grattement répété.

— Tu pourrais te remarier, Florence, tu es bien assez jeune.

— Au rythme auquel on est en train de massacrer nos hommes, répondit Florence avec un petit rire amer en replaçant le disque dans son carton, il risque de ne pas en revenir beaucoup, et ceux qui reviendront auront l'embarras du choix. Pour chacun d'eux, il y aura dix femmes plus jeunes et plus appétissantes qu'une veuve de trente et un ans comme moi. Tu devrais te compter chanceuse, ma chérie, d'avoir un mari bien vivant, qui n'est pas parti à la guerre, et qui est à la fois capable et désireux de te donner des enfants. Tu ne l'aimes peut-être pas, mais tu l'apprécieras davantage quand tu verras la génération de vieilles filles que cette guerre va laisser.

Cette nuit-là avant de s'endormir, Jeanne resta longtemps à écouter les vagues qui s'exhalaient sur le sable comme les soupirs profonds d'un dieu endormi. Elle retint son souffle et rentra l'estomac. En se tâtant le bas-ventre elle détecta une masse ronde et dure qu'elle n'avait pas sentie la semaine précédente.

5.

Florence et Jeanne étaient assises sur une grosse roche, face à la mer qui scintillait de mille feux sous le soleil matinal. Le vent soufflait de l'intérieur des terres, ondulant les hautes herbes vers le large. L'air vif leur rappelait combien l'hiver vient tôt dans ce pays. Les deux femmes se levèrent, serrant leurs châles autour d'elles contre la force du vent, et se replièrent vers la maison en quête de chaleur.

— Vite ! le four à bois, du thé et des rôties ! cria Florence en trottinant de froid.

Sitôt qu'elles eurent rejoint l'accalmie de la maison et que leurs oreilles furent à l'abri du vent, un bruit leur parvint du fond de la maison. Un son étouffé, venant de la cuisine. Elles s'y dirigèrent à pas circonspects et découvrirent Rose qui pleurait, affalée sur un tabouret, le visage enfoui dans son tablier.

— Eh bien, ma pauvre Rose, dit Florence avec sollicitude, qu'est-ce qui vous arrive ?

Rose travaillait chez Florence à titre de cuisinière et de femme de ménage. C'était une femme dans la cinquantaine, solidement bâtie, au teint rougeaud, aux cheveux grisonnants. Elle était la mère de dix enfants d'âge adulte, et travaillait depuis des années pour aider son mari à subvenir aux besoins de leur nombreuse famille.

— C'est Gabrielle, Madame, dit-elle enfin, d'une voix brisée par les sanglots.

— Seigneur ! Que lui est-il arrivé ? Elle n'est pas...

— Morte ? Non, Madame. Mais c'est tout comme ! Autant mourir de honte... !

Gabrielle était la plus jeune des enfants de Rose. L'automne précédent elle était entrée comme domestique au service d'un riche médecin de Québec. Depuis, Rose et les siens avaient subi chaque dimanche les foudres du curé qui du haut de la chaire trouvait toujours moyen, au détour de chaque sermon, d'évoquer la salubrité des mœurs dans nos campagnes et la force morale que procure une vie de famille réglée par les saisons, le travail de la terre et la religion. C'était l'inévitable prélude d'une mise en garde, chaque fois plus apocalyptique, contre les tentations que réserve aux jeunes gens l'enfer des villes, où les espoirs les plus purs, les rêves les plus nobles sont vite engloutis par le cloaque du vice et de la pauvreté.

— Où est-elle ?

— 'Est ici, répondit la Gaspésienne à travers ses sanglots. 'a dû quitter son emploi. 'a été renvoyée. Elle... attend un petit ! gémit la pauvre femme.

— Qui est le père ?

— Le fils aîné du docteur Gratton. C'est lui le père !

— Grands dieux, mais quel âge a-t-il ?

— Dix-huit ans, Madame, i'fait son cours à l'université. Dès qu'son père l'a su, i'a mis ma Gabrielle à 'a porte, sans s'toquer d'comment qu'allait bien faire pour rentrer che'nous. Et lui, un médecin, Madame ! Si ma Gabrielle était pas si prévoyante et qu'avait pas mis que'qu'sous d'côté pour s'en venir, Dieu sait c'qui 'i s'rait arrivé. J'aurions pas cru qu'd'aussi méchantes gens, ça pouvait exister !

— Elle est chez vous ?

— Oui, à c't'heure. Son père 'a tuerait s'i savait. J'i ai dit que ses employeurs étaient partis en voyage et q'i 'i avaient donné un congé. 'Est chanceuse d'être une grande fille bien bâtie parce que ça se voit pas trop. Mais encore une secousse, ça va se voir comme le nez au milieu de la figure. 'a le cœur brisé, Madame. Sa vie est finie. 'a même pas seize ans !

— Ma pauvre petite Gabrielle, dit Florence en accueillant la jeune fille, le lendemain après-midi.

Gabrielle s'était transformée depuis l'été précédent. Son

corps avait mûri comme un beau fruit. Ses yeux pervenche semblaient plus grands dans son visage basané, sa longue chevelure noire plus lustrée. Cette beauté rustique avait tout, en effet, pour éveiller l'appétit d'un jeune homme normalement constitué. Contrairement à sa mère, dont les joies et les peines se livraient sans ambages, la fille gardait un visage fermé. Elle ne laissait rien filtrer du chagrin, de la honte dont le trop-plein débordait dans le visage de sa mère qui, même dans le déshonneur, la tenait par la main. Jeanne regardait Gabrielle à la dérobée, réprimant confusément un élan d'envie envers l'infortunée. Elle lui enviait cette main couvrant la sienne de sa chaleur protectrice, de son amour triomphant dans sa simplicité.

— J'ai demandé à votre maman de vous faire venir, disait Florence, ayant fait asseoir les deux femmes au salon, parce que j'ai une proposition à vous faire.

Florence leur suggéra de ramener Gabrielle à Montréal avec elle. Celle-ci levait vers elle des yeux impassibles.

— Nous n'aurons qu'à dire que ma femme de chambre est tombée malade et a dû me quitter. Je vous ai donc demandé si Gabrielle pouvait venir travailler pour moi. Quand l'enfant naîtra, je m'occuperai de lui trouver un foyer. Personne ici ne le saura jamais. Avec le temps, vous surmonterez cette épreuve, et vous serez encore bien assez jeune pour refaire votre vie. Pour quand est le bébé ?

— Autour de Noël, Madame, balbutia Rose, dont la main se resserra autour de celle de sa fille.

Florence se leva, adressant à Rose un sourire entendu, et fit signe à sa nièce de la suivre. Elle alla prendre son châle et son vieux chapeau de paille à larges bords.

— Fille-mère à son âge, la pauvre enfant, soupira-t-elle une fois qu'elles furent sorties de la maison. Quelle épreuve épouvantable, tu t'imagines, être forcée de se séparer d'un enfant que l'on a porté. Pendant que le jeune homme en question poursuivra ses études sans être inquiété. Puis ce sera la carrière, le mariage, la petite vie cossue et respectable... Tu pourrais faire quelque chose pour adoucir sa peine...

— Demande-moi ce que tu veux !

— Elle attend son enfant un peu plus tôt que toi, ce qui veut dire qu'elle sera à peu près rétablie lorsque le tien naîtra. Tu pourrais la prendre chez toi pour s'occuper du bébé pendant ta convalescence. Gabrielle est une bonne fille, et nous n'allons pas laisser sa vie se terminer avant même de commencer...

La Tueuse

1.

— Vous ne lisez donc pas les journaux ? s'écrie Mick à bout de souffle, l'inquiétude se manifestant, comme d'habitude chez lui, par de l'irritation.

C'est un Mick agité et soucieux qui accueille les voyageuses à leur arrivée à la gare Windsor, en ce soir de fin de septembre. Apercevant les trois femmes à leur descente du train, il se précipite à leur rencontre et, s'emparant de leurs valises, les entraîne d'autorité vers la sortie en prenant soin de leur faire éviter les porteurs.

— Je sais que je vous bouscule, lance-t-il en refoulant ses protégées, un peu interloquées, devant lui vers la McLaughlin Buick noire décapotable qu'il vient d'acheter et que sa femme n'a pas encore vue, et je m'en excuse, mais nous sommes au milieu d'une grave épidémie.

En effet, même si les récentes victoires alliées en Europe annoncent la fin imminente des hostilités, un spectre nouveau se dresse à présent à l'horizon de l'espoir. L'épidémie d'influenza, qui s'est déclarée dans les tranchées, a atterri à New York en mai. Ayant atteint le Québec au mois d'août, elle se propage depuis à une allure foudroyante. La maladie est d'une extraordinaire virulence et souvent mortelle, de sorte que la population a été avisée d'éviter les lieux publics et, le plus possible, de rester chacun chez soi.

Mick ouvre la portière à sa femme et raccompagne Florence à sa voiture. Il a changé pendant l'été. Il porte un costume en tweed neuf, d'une coupe élégante, et s'est laissé pousser une belle moustache rouquine. Même sa démarche semble plus assurée, plus déterminée. De toute évidence ses affaires sont bonnes, et le fait de plaider régulièrement devant le tribunal, comme il le fait depuis qu'il s'est joint à la firme, lui a délié la langue. Jeanne aussi a changé ces derniers mois, constate-t-il en s'installant au volant de sa nouvelle voiture dont il avait voulu faire la surprise à sa femme. L'éclat de son teint, les rondeurs nouvelles dont se pare la sveltesse encore adolescente de son corps, la rendent plus désirable à ses yeux que jamais. Sachant sa flamme vaine à cause de la grossesse de sa femme, contrarié de ne pouvoir songer à l'assouvir, il se rembrunit.

Jeanne, manquant comme d'habitude des points de repère qui lui eussent permis d'interpréter son silence, s'en vexa. Il n'en fallait pas plus pour que le vieux malaise s'insinuât de nouveau entre eux. Elle en voulait à son mari, qu'elle tenait à présent responsable de tous ses malheurs. Son corps ne lui appartenait plus. Toutes ses énergies étaient réquisitionnées, mobilisées autour de ce noyau remuant, qui de semaine en semaine prenait de plus en plus de place au cœur même de son être, entravant sa démarche, son sommeil et sa digestion. Ces désagréments somme toute mineurs ne faisaient cependant que nourrir une angoisse sous-jacente, secrète et constante. De sombres allusions glanées au hasard de conversations entendues ici et là avaient éveillé chez elle les pires craintes. La mère de son mari était *morte en couches* ; lui-même était le dix-septième de dix-huit enfants, dont douze étaient *mort-nés* ; la sœur aînée de Gabrielle était *morte des fièvres*, laissant trois orphelins. *Tu enfanteras dans la douleur*... le châtiment de la première femme. *Tu regretteras de t'être refusée au Seigneur*... Elle regarda furtivement l'homme qui désormais conduisait son destin. Même de profil, son visage, son haut front, son nez aquilin, ses yeux pâles et intenses, retenaient le regard. À ce moment, le souvenir même du trouble qu'il lui avait, jadis, brièvement inspiré ne suscitait en elle que rancune et ressentiment.

2.

Montréal est devenue une ville fantôme. Le Bureau de la Santé a fermé les écoles, les théâtres, les salles de concert. Même les églises ont finalement dû fermer leurs portes. On ne voit plus guère de soldats dans les rues, les permissions ayant été annulées et tous les militaires confinés à leurs quartiers. Les huit hôpitaux montréalais sont débordés. Les rangs du personnel traitant étant eux-mêmes décimés par l'épidémie, la pénurie de médecins est telle que tous les étudiants en médecine à partir de la cinquième année ont été envoyés en renfort dans les villes environnantes. Les nouveaux cas se chiffrent quotidiennement au-dessus du millier, et les décès à plus de cent cinquante par jour. Dans les grandes artères, la circulation est réduite au strict minimum. Seuls les véhicules d'urgence, ambulances, voitures de médecins (qui ont priorité absolue), automobiles réquisitionnées pour le transport des malades, et bien sûr les corbillards, se déplacent librement. La voiture que conduit Florence est clairement identifiée par une banderole blanche sur laquelle est inscrit en toutes lettres : « AIDE BÉNÉVOLE ». Comme bien d'autres femmes de la classe aisée, elle a répondu à l'appel des autorités et s'est portée volontaire pour soigner les malades dans les quartiers pauvres de la ville. Ce matin, elle se rend d'urgence auprès d'un ancien combattant et de sa famille, dont les voisins de palier, inquiets, ont appelé au secours. Se dirigeant vers l'est le long de la rue Sherbrooke quasiment déserte, elle croise un des tramways convertis par la ville en wagon funéraire, qui servent à transporter les cadavres des quartiers pauvres directement au cimetière. Florence soudain frissonne, se sentant presque physiquement frôler par un vague pressentiment de malheur. Elle tourne dans la rue Panet. La population, Dieu merci, semble suivre à la lettre les consignes du Bureau de la Santé, car pas un gamin ne traîne dans la rue vide. Elle frappe à la porte du logement qui lui a été indiqué et, n'entendant pas de réponse, pénètre dans un couloir obscur au plancher raboteux. L'air ambiant est presque aussi froid que celui du dehors. Du fond de l'appartement lui parvient un son, d'abord indistinct puis de plus en plus déchirant à mesure qu'elle s'en rapproche, le son d'un enfant qui tousse à fendre l'âme. Dans une chambre au bout du couloir, à côté de la cuisine où le poêle est éteint depuis des heures sinon des jours, elle découvre une famille entière recroquevillée sur elle-même. Dans le lit en désordre parmi les couvertures souillées, une femme inerte gît, tenant dans ses bras repliés le cadavre violacé d'un bébé. Deux petits garçons, plus morts que vifs, se sont blottis contre elle. À côté d'elle une pâle petite fille dort dans les bras de son père, qui fixe sur Florence des yeux hâves et fiévreux. Soudain un des petits garçons se remet à tousser faiblement. Chaque quinte de toux le secoue comme un pantin, agitant ses membres de mouvements saccadés. Florence se précipite. Le petit ne parvient pas à retrouver son souffle. Sa cage thoracique se contracte spasmodiquement comme un soufflet, mais le petit n'ouvre même plus les paupières. Florence lui tâte le front. Il est moite et glacé. Elle déplie les couvertures qu'elle a apportées, couvre les trois enfants encore vivants, et se dépêche d'aller faire du feu pour mettre de l'eau à bouillir. Lorsqu'elle revient dans la pièce quelques minutes plus tard, plus rien ne bouge. L'homme et sa petite fille se sont assoupis. À côté d'eux la pauvre petite toux s'est éteinte pour toujours.

3.

Le dernier jour d'octobre 1918, un jeudi, Jeanne, excédée par la solitude et le désœuvrement, décrocha le téléphone et commanda un fiacre. Depuis son retour de Gaspésie, un mois auparavant, elle avait réduit ses sorties au minimum, à l'insistance de son mari, et languissait d'ennui, seule à la maison. Entre-temps, le temps gris et froid s'était installé. Le fiacre remonta l'avenue du Parc, longeant le

Mont Royal. Les pluies avaient dépouillé la montagne, dont les arbres agitaient leurs squelettes au vent du nord. S'engageant dans les rues cossues d'Outremont, il s'immobilisa devant la maison de Florence au moment même où elle rentrait de sa randonnée matinale dans les bois. Florence en effet possédait un cheval qu'elle gardait aux écuries du chemin Shakespeare et montait quotidiennement. Elle était encore en costume d'équitation.

— Jeanne ! s'écria Florence d'un ton plein d'alarme, du haut des marches de pierre qui montaient à la maison. Tu aurais dû téléphoner avant de venir !

— Mais tu n'étais pas là...

— Ça ne fait rien, poursuivit-elle en faisant signe à sa nièce de ne pas s'approcher. Esther t'aurait prévenue de ne pas venir. Il y a des malades dans la maison. Le mari d'Esther, et maintenant Gabrielle. Le médecin a très peur pour elle. C'est ma faute, s'empressa-t-elle d'ajouter, voyant le désarroi de sa nièce, j'aurais dû t'appeler, mais je ne voulais pas t'inquiéter. Tu dois tout de suite rentrer chez toi et ne plus sortir. Tu es déjà assez exposée comme ça avec ton mari qui sort travailler tous les jours ! Je promets de venir te voir dès qu'on nous assurera que le danger est passé. Je ne me pardonnerais jamais si tu tombais malade à cause d'une imprudence de ma part.

4.

Le surlendemain, lorsque Florence téléphona, sa voix était méconnaissable. Gabrielle venait de perdre son bébé. Oui, elle était hors de danger. Non, elle-même n'était pas malade. Seulement épuisée par quarante-huit heures de veille au chevet de la pauvre fille. Jeanne se souviendrait toujours de sa voix grêle, déjà désincarnée. Une semaine plus tard, le jour même de l'armistice, alors que le monde entier était en liesse, l'Ange mourut d'une pneumonie. Un peu de Jeanne mourut avec elle.

Pour Jeanne, l'effet de cette mort fut d'autant plus dévastateur qu'à l'insistance de sa tante elle n'avait pas été prévenue de la gravité de son mal. Ses appels quotidiens ne suscitaient, à l'autre bout du fil téléphonique, qu'une phrase laconique et vague de la bouche d'Esther, la femme de chambre, à qui sa maîtresse avait fait jurer de ne pas révéler à sa nièce l'extrémité de son état. « Elle ne va pas plus mal, Madame, mais toujours pas assez bien pour venir vous parler. » Ce jour-là ce n'était pas Esther, mais bien son mari, lui-même à peine guéri, qui avait répondu au téléphone. Cet homme d'un naturel fruste et direct lui avait appris la nouvelle sans ménagement, sans même demander au préalable à qui il avait affaire. « Madame est morte pendant la nuit », avait-il déclaré. Peut-être était-il lui-même sous le choc de la perte de son employeur, ou du remords d'avoir introduit la contagion dans la maisonnée. Quoi qu'il en fût, la nouvelle fondit sur elle comme un coup de matraque, et la plongea dans le pire abattement qu'elle eût connu jusque-là. Même le désespoir qui l'avait habitée à Saint-Boniface n'avait rien de comparable avec ce chagrin brutal. Sa peine s'était muée en révolte quand, sur les ordres de son médecin, on l'avait empêchée d'assister aux obsèques.

Au moins Florence avait-elle bénéficié d'un enterrement en bonne et due forme, en présence des membres de sa famille et de ses amis. À tous ceux qui, au plus fort de l'épidémie cet automne-là, avaient été forcés de se séparer de leurs chers disparus pour les voir entassés dans un wagon de tramway et emportés directement au cimetière pour être mis en terre, sans oraison funèbre, dans un simple cercueil en bois de pin parce qu'un cercueil plus imposant eût nécessité une fosse plus grande et que les fossoyeurs étaient débordés, à tous ceux-là, les modestes funérailles de Florence eussent semblé princières. « L'Honorable Charles Langlois, membre du Parlement pour Bonaventure, membre du Conseil privé du roi, et frère de la disparue, assistait aux obsèques, M. le maire Médéric Martin était également présent, ainsi que etc. », disait la notice nécrologique dans *La Presse*.

Le lendemain de l'enterrement, Jeanne alla déposer une couronne de fleurs sur la tombe de la morte. Il n'y avait pas encore de pierre tombale, ni d'herbe pour recouvrir la terre fraîchement tournée, jonchée de fleurs flétries par le gel. Tandis que Mick attendait, un peu en retrait, qu'elle eût terminé ses dévotions, une neige fine se mit à tomber, et le cœur de Jeanne se vida. Une colère sourde s'empara d'elle devant ce sol désolé, sous lequel l'innommable affront à tant de jeunesse et de beauté ne faisait que commencer. Elle eût souhaité le secours d'une nausée, de quelque défaillance corporelle pour la soulager de l'horreur qui la glaçait. Mais la vie, sournoise et triomphante, n'avait jamais battu avec plus de vigueur dans ses entrailles. N'était-ce pas le pire des malheurs que de survivre si fort à un être aimé ? Elle était à présent plus orpheline que si elle avait perdu le même jour et son père et sa mère. Elle rageait contre la douleur barbare qui s'acharnait sur son âme. Elle n'avait que faire du Dieu tortionnaire de la pauvre Gabrielle, qui voyait dans la perte de son bébé la punition de son péché. Elle se révoltait contre la grossièreté d'une croyance qui s'imposait de force à l'esprit de ses fidèles sous peine de châtiments immondes. Quelle justice dans la mort de ton enfant, Gabrielle, dans celle de milliers d'autres, immolés par ce fléau à travers tout le pays ? Quel crime payaient donc ces légions de jeunes gens assassinés avant d'avoir pu vivre, de veuves et de mères assommées par le chagrin, de jeunes filles condamnées à pleurer toute une vie l'inconnu qu'elles auraient peut-être rencontré et aimé ? Et si le Juge était un Ogre qui fauche les enfants des filles qui succombent à la douceur d'aimer, et les femmes dont les nièces se refusent à Lui, qui achève les rares soldats rescapés du Carnage, et s'en prend à leurs épouses et aux enfants qu'ils n'ont pas eu le temps de voir grandir ? La maladie qui avait emporté sa tante et le bébé de sa petite protégée lui avait laissé la vie sauve, à elle et à l'enfant qu'elle portait. La justice était aveugle et le Juge était un Fou. L'amitié de Florence n'avait duré dans sa vie que le temps d'une ondée dans le désert.

5.

Pour Mick O'Neill aussi, l'an 1918 connut une fin tragique. Trois semaines après l'armistice, la mère de Gonzague reçut du gouvernement canadien une lettre lui annonçant la disparition de son fils. *Missing in action*, porté disparu, la pire sentence pour une mère, qui jusqu'à son dernier jour ne pourra pas s'empêcher d'espérer, contre tout espoir, de continuer à croire, secrètement, à une erreur, à un miracle. Un peu plus tard on lui envoya sa croix militaire posthume. Promu capitaine, avec une compagnie de cent hommes sous ses ordres, Gonzague s'était distingué pour sa bravoure lors de la bataille d'Arras. Il avait disparu dans le feu de l'action le 1er novembre, dix jours avant la fin des hostilités.

6.

Dans son testament Florence laissait les deux maisons qu'elle avait héritées de son mari à la famille de celui-ci. À son unique nièce elle léguait ses bijoux, ses livres, et son pavillon de chasse dans les Laurentides. À son frère Charles elle laissait le reste de ses biens parmi lesquels on découvrit un étrange tableau que personne n'avait jamais vu. C'était un portrait grandeur nature de Florence, peint sur une très grande toile. Il était remarquable par le jour insolite et saisissant sous lequel l'artiste avait choisi de la représenter. Il l'avait peinte debout, en robe du soir, les épaules nues, cheveux au vent, sous un ciel nocturne irisé par la lune. La pâleur nacrée de la peau, les grands yeux opale dégageaient une tristesse, une solitude qu'elle ne lui avait jamais connues. La palette était sombre, l'atmosphère dramatique, mystérieuse. Jeanne, fascinée, se demanda pourquoi, de toutes les fois qu'elle était allée chez sa tante, Florence ne le lui avait jamais montré. Peut-être n'aimait-elle pas le reflet d'elle-même qu'il lui renvoyait. Il la montrait pourtant encore plus belle qu'elle n'avait été. Peut-être était-ce le regard qu'il posait sur elle, sur sa personnalité, qu'elle avait relégué à l'armoire dans laquelle on l'avait découvert. Le père de Jeanne n'avait pas aimé ce tableau et s'en était départi volontiers en faveur de sa fille. Mick au contraire s'en était tout de suite épris. Il trônait désormais au-dessus du piano, dans le salon de la rue Université.

Épiphanie

1.

Montréal, 6 janvier 1919

Les douleurs commencèrent tôt dans la soirée des Rois. Il avait neigé abondamment depuis le matin, et la rue Université était ensevelie. Gabrielle, qui se remettait peu à peu des malheurs de l'automne, et à qui sa jeune maîtresse avait fait la joie d'une paire de patins neufs à Noël, était en train d'aider Georgette, la nouvelle cuisinière, à préparer la galette des Rois. Celle-ci venait d'y enfouir, au lieu du pois traditionnel, le précieux louis d'or ayant appartenu au premier des Langlois, arrivé en Nouvelle France en 1653, que les générations suivantes s'étaient fidèlement transmis, et qui se retrouvait chaque année dans l'assiette d'un roi ou d'une reine d'un soir. L'Honorable Charles Langlois était attendu avec sa femme pour le dîner, ainsi qu'un avocat de Québec, ami de Monsieur, jeune célibataire qui n'avait pas de famille à Montréal.

Jeanne, dont la grossesse tirait à sa fin, était devenue très lourde et se déplaçait péniblement. Son dos la faisait souffrir et elle était sujette à de terribles crampes dans les jambes, la nuit. Elle dormait mal, cherchant vainement à composer avec cette vie remuante qui prenait désormais toute la place à l'épicentre de son corps. Une sourde angoisse l'habitait en permanence car, malgré tous les efforts de son imagination, elle ne parvenait pas à se figurer comment tout cela allait finir, ni par quel miracle l'enfant qu'elle portait allait apparaître. Mais ses questionnements demeuraient sans réponse. Un grattement se fit entendre à la porte.

— Voici le thé de Madame, dit Gabrielle en entrant discrètement dans la chambre où sa maîtresse se reposait avant l'arrivée de ses invités. Il est presque cinq heures. Madame veut-elle que je prépare sa robe ?

Gabrielle posa le plateau sur le lit. Son bref apprentissage chez le médecin de Québec en avait fait une domestique stylée, à la satisfaction de Rose qui croyait fermement que, quoi qu'il arrive dans la vie, il fallait savoir en tirer quelque chose. « C'est toujours ça de pris », aimait-elle à répéter. Elle-même n'avait jamais aspiré à la domesticité. Du vivant de Florence, elle ne servait pas mais « travaillait pour » Madame, son égalitarisme étant la plus pure expression de sa foi chrétienne. Car si la religion l'enjoignait d'accepter les limites de sa condition en même temps que l'autorité des grands de ce monde, elle lui enseignait aussi que tous les croyants sont égaux devant Dieu et que nul ne vaut plus que son prochain aux yeux de Jésus-Christ. Ainsi son absence totale d'obséquiosité dans ses rapports avec sa patronne avait été, de la part d'une personne consciente de sa propre valeur humaine, un témoignage du respect qu'elle lui portait.

Jeanne se dressa lentement sur son séant et prit une gorgée de thé. Bougeant avec précaution, elle posa les pieds par terre et les glissa dans ses pantoufles. Elle agrippa la main que Gabrielle lui tendait et se releva péniblement, sans parvenir à se redresser tout à fait. Elle fut saisie à nouveau par la peur secrète qui la hantait depuis qu'elle avait le sentiment que le bébé comblait à présent tout l'espace disponible à l'intérieur de son corps, comprimant, entravant sa respiration, déformant, distendant à le rompre son ventre énorme. Soudain un liquide chaud et abondant lui inonda l'intérieur des cuisses. Elle poussa un cri et, baissant les yeux, vit à ses pieds une flaque de liquide semblable à de l'eau. Elle se mit à trembler convulsivement en regardant Gabrielle, qui restait figée sur place, complètement interloquée. « Le médecin ! » geignit-elle, terrorisée à l'idée de provoquer un nouvel épanchement. Ses jambes se dérobèrent sous elle.

Lorsque Jeanne reprit conscience, elle était couchée sur le côté en travers du lit. Sa chemise de nuit trempée lui glaçait la peau, malgré la couverture de mohair que Gabrielle avait dû lui jeter sur les jambes. Elle se recroquevilla sur elle-même en grelottant de froid et de peur. Dans son ventre le bébé qui se débattait ne faisait qu'attiser sa terreur. Au bout d'un temps interminable, Gabrielle frappa de nouveau à la porte mais, cette fois, entra sans attendre la réponse.

— Le docteur est en route, Madame. Il dit de vous reposer au lit jusqu'à ce qu'il arrive.

— Les invités, Gabrielle. Avez-vous prévenu mon mari ?

— Dès qu'il arrivera, Madame. Georgette et moi nous occupons de tout. Madame doit se reposer.

Gabrielle apporta une bassine, un linge, une serviette et une chemise de nuit propre. Les premières douleurs ne se firent pas attendre. Elle les avait tant redoutées ces derniers mois, à force de les entendre évoquer à mots couverts, qu'elle ne les reconnut que lorsque leur intensité augmenta au-delà du malaise et qu'elles se mirent à déferler sur elle à intervalles de plus en plus rapprochés. Chaque vague de souffrance qui naissait, s'enflait, s'amplifiait, aspirant dans son ressac son être tout entier avant de se briser dans un paroxysme effrayant, la rejetait plus tremblante, plus affaiblie que la dernière sur la grève hostile de sa peur. Enfin le médecin arriva et, attendant l'accalmie, lui tâta l'abdomen d'un air affairé. Jeanne écarquilla les yeux, comme pour déchiffrer sur le visage du médecin quelque signe qui lui permettrait de comprendre ce qui lui arrivait. La douleur se dressait comme un mur entre elle et le monde au-delà de son corps.

— Le grand jour est arrivé, chère madame, affirma le docteur d'un ton réjoui. Vos douleurs sont fréquentes ? Aux dix minutes ? Cinq minutes ? Mais vous êtes pressée ! Tant mieux pour vous, ça va aller vite. Je serai en bas quand vous aurez besoin de moi. En attendant tout le monde boit à votre santé. Allez, un peu de courage. Gabrielle m'appellera quand ce sera commencé, n'est-ce pas, Gabrielle ?

Quand ce sera commencé ? Les paroles du médecin retentissaient encore à ses oreilles, lorsque la pieuvre qui la terrorisait l'enserra de nouveau, s'empara d'elle avec une violence inouïe, subjuguant sa volonté, fracassant sa conscience, la traînant comme une épave, plus près, encore un peu plus près du néant. Il n'y avait plus de répit entre les assauts, entre les cris de suppliciée qu'elle ne pouvait plus réprimer. À travers le brouillard hallucinant de la souffrance, Jeanne décela un branle-bas dans la pièce, suivi de va-et-vient, de murmures, et soudain l'affolement, l'indignité de cette main d'homme qui lui ouvrait les cuisses, lui écartait, lui fouillait les chairs. Une nouvelle fois la douleur se ramassa, puis se dressa, menaçante, terrifiante. *Encore un tout petit effort !* Et dans un paroxysme si ardent que Jeanne en perdit presque les sens, tout à coup, le soulagement, immense, la délivrance.

Elle sombra dans la noirceur bénie d'une voix masculine lui disant : « Une fille, vous avez une fille ! » Elle ouvrit les yeux et contempla le miracle du petit corps nu (comment n'y avait-elle pas pensé ?) et mouillé dans les mains du médecin, les cheveux noirs collés au petit crâne, le petit visage rouge, ratatiné, qui s'égosillait de sa petite voix indignée. Elle vit les larmes sur les joues de Gabrielle qui se penchait vers elle pour lui donner son enfant. Le bébé, qui avait cessé ses vagissements, clignait des yeux à la lumière de la lampe, en crispant ses poings minuscules. Jeanne, ayant frôlé de si près les ténèbres où la vie et la mort se rejoignent, se laissa enfin engloutir par le sommeil.

2.

Quand Gabrielle sortit de la chambre, tenant le nouveau-né amoureusement dans ses bras, Mick attendait immobile au sommet de l'escalier. Le médecin, ses beaux-parents venaient de repartir, et le calme était revenu dans la maisonnée. Il laissa passer Gabrielle, se dirigea vers la chambre à coucher. Il hésita, la main sur la poignée, se ravisa et suivit Gabrielle dans la chambre du bébé.

— Comment est-elle ? demanda-t-il, visiblement gêné.
— Oh, Monsieur, venez voir. Elle est si belle...
— Je voulais dire ma femme, comment est-elle ?
— Madame se porte à merveille, répondit Gabrielle, se voulant rassurante. Elle est très fatiguée, comme de raison. Mais ne vous inquiétez pas. Elle a simplement besoin de dormir.

Mick s'approcha du berceau où la jeune fille venait de coucher l'enfant. « C'est une expérience terrible pour une femme, avait murmuré son beau-père, qui avait pâli en entendant la détresse de sa fille, à l'étage supérieur. Après la naissance de Jeanne, j'ai juré à Madeleine qu'elle ne serait jamais obligée de revivre pareil tourment. Et j'ai tenu parole. » Peut-être était-ce la clé de la soumission abjecte avec laquelle cet homme qu'il admirait se laissait mener par le bout du nez par sa folle de femme. Jamais lui, Mick, ne s'en laisserait ainsi imposer. Et pourtant lui-même vivait fort mal avec le remords, avec l'impuissance honteuse que lui causait le tourment solitaire de sa femme. Il se pencha sur l'être minuscule qui en était l'aboutissement, et sa rationalité se heurta de plein fouet au mystère d'un être humain tel qu'il n'en avait jamais vu de sa vie, une apparition si émouvante que, tout athée qu'il fût, il se sentit en présence d'un miracle. Car il avait devant lui un être si parfait, si vivant, même dans l'immobilité du sommeil, si complet et si autre, mystérieusement jailli des ténèbres de son désir et des profondeurs secrètes du corps de sa mère, un être d'une fragilité, d'une vulnérabilité tellement inimaginables, avant ce soir, que Gabrielle crut voir des larmes briller dans ses yeux.

3.

Mars 1919

Depuis la naissance de sa fille, Mick O'Neill avait passé bien peu de ses soirées chez lui. Encore ce soir, il rentrait fort tard. Pour tout dire, il n'aurait pu nier qu'il passait le moins de temps possible à la maison, où il avait parfois l'impression de s'être égaré dans un hôpital ou même un couvent. On n'y parlait qu'à voix basse, et le silence n'y était froissé que par le froufrou discret de la servante qui, vêtue de son uniforme blanc amidonné, allait et venait, portant des bassines, des plateaux, du linge. Gabrielle avait charge exclusive de la petite, qu'il croisait le soir dans le corridor, hurlant ou assoupie suivant qu'on la menât affamée à sa mère ou qu'elle la quittât, rassasiée. En vérité, il régnait chez lui une atmosphère de renfermé féminin, dont le mystère cachait on ne sait trop quelles prudes indécences. Les premiers temps il avait bien tenté un rapprochement avec la jeune mère éprouvée. Il lui avait apporté des fleurs, et s'était attardé à son chevet, s'efforçant de lui tenir des propos rassurants.

— Il paraît que cela s'est bien passé alors ? avait-il avancé, non sans embarras. Le docteur dit que tu n'as pas eu trop de mal.

— Il t'a dit ça ? avait répliqué Jeanne, dont la pâleur et l'extrême lassitude l'avaient un peu effrayé. C'est bien d'un homme, de dire une chose pareille.

— As-tu décidé comment tu veux l'appeler ? avait-il balbutié, changeant son fusil d'épaule.

— Catherine, avait-elle répondu.

C'était une décision finale, fruit d'une réflexion qui ne le regardait manifestement pas. Il se l'était tenu pour dit, et avait vite trouvé de quoi occuper presque tout son temps à l'extérieur.

Sous l'égide de ses patrons, deux Irlandais catholiques comme lui mais originaires de Montréal, où les Irlandais parlaient l'anglais, sa carrière d'avocat avait démarré en flèche et il était souvent invité à dîner chez des clients. Le Club de Réforme aussi faisait désormais partie de ses habitudes, car il importait pour l'avenir qu'il y fût régulièrement remarqué en compagnie des libéraux les plus influents de la province. Louis-Alexandre Taschereau, ministre des Travaux publics et du Travail dans le cabinet provincial, s'intéressait à lui. Issu d'une grande famille de Québec, ayant bien connu le père de Mick, on le disait près du Premier ministre du Québec, Lomer Gouin, dont les journaux commençaient à dire qu'il songeait à se retirer.

La cause de l'Irlande occupait également une bonne partie de son temps. En décembre, pour la première fois de son histoire, dans un balayage électoral sans précédent, les Irlandais avaient voté massivement pour le parti sécessionniste *Sinn Fein.* Eamon de Valera, élu président *in absentia* de la nouvelle Assemblée nationale à Dublin alors qu'il était encore détenu politique en Angleterre, s'était évadé de prison. Les pressions de l'opinion aux États-Unis, où l'électorat comptait vingt-cinq millions d'Américains d'origine irlandaise, avaient convaincu la Chambre des représentants de voter une résolution exhortant la Conférence de paix, à Paris, à considérer d'un œil favorable le droit des Irlandais à disposer d'eux-mêmes. Mais à Paris le président Wilson restait coi, et les incidents de violence contre les forces de l'ordre en Irlande se multipliaient. La diaspora irlandaise en Amérique du Nord, source intarissable d'argent et, beaucoup plus clandestinement, d'armes se mobilisait. Mick avait participé, avec encore plus de ferveur cette année qu'à l'accoutumée, aux levées de fonds de la Saint-Patrick, la fête nationale des Irlandais. Des drapeaux du *Sinn Fein* avaient figuré dans le traditionnel défilé, et, lors du banquet à l'hôtel Windsor qui avait clôturé les célébrations, on avait lu le message que de Valera adressait ce jour-là au peuple irlandais : la langue irlandaise se mourait, prévenait-il, la jeune génération ne la parlait pratiquement plus. Sans la langue, l'Irlande cesserait d'exister. Il incombait à sa génération de la sauver ou de la perdre à jamais, en s'affranchissant pour toujours de ceux qui au cours des siècles avaient tenté par tous les moyens de l'étouffer, allant jusqu'à en interdire l'enseignement en même temps que celui de la religion catholique pendant plus de cent ans.

En rentrant chez lui ce soir-là, rendu sentimental par les nombreux toasts bien arrosés de la soirée, Mick O'Neill pensait à son père, qui avait parlé couramment la langue des

Gaëls. Il le revit à la tête du défilé de la Saint-Patrik, dans le vieux Québec encore sous la neige à la mi-mars, cramoisi de colère sous la volée de boules de neige destinées à son haut de forme huit reflets, que ses galopins de fils, incognito derrière un énorme banc de neige, lui avaient décochées avant de déguerpir à toutes jambes. Il se revit lui-même à dix-sept ans, les pieds dans la boue, grelottant de chagrin derrière le cercueil paternel, à la tête du cortège immense formé par la famille, les collègues, élèves, patients et amis du défunt, et tous les badauds qu'au cours de sa longue vie il avait mis au monde ou secourus de quelque manière, et qui ce jour-là semblaient représenter la moitié de la ville de Québec. On l'avait accompagné au cimetière Saint-Patrick tandis que le son des cloches de l'église Saint-Patrick, de la basilique Notre-Dame-de-Québec, de l'église anglicane, et de toutes les églises des paroisses avoisinantes se répercutaient de loin en loin dans l'air printanier. Pour Mick ce jour-là, elles avaient sonné dans un ciel vide.

Ces souvenirs, surgis d'une enfance à demi oubliée et pourtant si proche, avaient été remués le matin même sans qu'il s'en rendît vraiment compte. Lui qui, à part son mariage, n'avait pas remis les pieds à l'église depuis les funérailles de son père, avait pourtant tenu à se fondre dans la multitude qui se pressait en l'église Saint-Jean-Baptiste au service funèbre « des trente jours » pour le repos de l'âme de sir Wilfrid Laurier, mort le mois précédent. Depuis des semaines, dans les églises des villes et des villages à travers la province, le peuple se recueillait et écoutait. *Paix, tolérance, respect,* avait-on rappelé du haut de toutes les chaires. Langue, religion, et gouvernement responsable. Bourassa et *Le Devoir* avaient pleuré avec tous les autres.

4.

Le lendemain, contre toute attente, Jeanne décida d'accepter l'invitation à dîner d'une importante nouvelle cliente de son mari, Miss Edwina Marshall, dame d'un grand âge, fort riche, dont le frère avait fait la guerre des Boers, et qui vivait dans la rue Drummond, dans un de ces palais en pierre volcanique rouge qu'affectionnaient les membres de la haute société anglo-montréalaise. La nuit était froide et brumeuse. Comme Mick travaillait toujours fort tard, Miss Marshall avait envoyé chercher Jeanne dans sa luxueuse Pierce-Arrow, aux banquettes recouvertes de vison. D'emblée le majordome qui lui ouvrit lui fit une étrange impression. C'était un homme replet, de taille moyenne, aux cheveux blonds gominés dégageant un haut front, au visage fleuri dont les traits sensuels et boudeurs dégageaient une morgue libertine, corrigée par le port d'un monocle sévère. Il la débarrassa de son manteau, qu'il tendit à une domestique en uniforme noir et tablier blanc qui attendait au garde-à-vous dans l'immense vestibule.

— Si madame veut bien me suivre, dit-il avec un accent vieille France que Jeanne jusque-là n'avait entendu qu'à l'ambassade, une année où elle avait accompagné son père à la réception du 14 juillet.

Ils traversèrent plusieurs salons richement meublés, avant de pénétrer dans une sorte de serre aménagée en jardin d'hiver, complètement vitrée mais d'une chaleur accueillante malgré la froidure hivernale. Le majordome l'annonça en anglais, avec un lourd accent dont toute sonorité française avait disparu.

Jeanne fit ce soir-là une entrée remarquée, dans sa robe noire à paillettes sans manches, à taille haute, qui escamotait sa récente maternité et mettait en valeur ses longs bras, ainsi que le lui indiquèrent les regards qui s'attardaient sur son passage. Presque aussitôt elle aperçut une grande femme dans la cinquantaine, d'aspect sévère, qui venait à sa rencontre d'un pas déterminé.

— Madame O'Neill, lui dit en anglais cette femme à l'accent britannique. Miss Marshall est impatiente de faire votre connaissance.

En lui emboîtant le pas, Jeanne repéra Mick qui l'observait avec concentration, accoudé au dossier d'un énorme fauteuil où était perchée une très vieille dame.

— Oh, Michael, s'exclama la vieille Anglaise dont Mick avait renoncé à exiger la prononciation correcte de son prénom, quelle jolie fille ! *My dear,* gazouilla-t-elle, en tendant à son invitée une minuscule main frêle et sèche, dont le toucher lui rappela la petite patte froide d'une perruche. Vous êtes encore plus jolie qu'on ne le dit. Merci, Hutchison, ajouta-t-elle à l'intention de la femme rébarbative qui lui servait, de toute évidence, de dame de compagnie. (Puis, se tournant vers son jeune avocat :) Soyez gentil, Michael, voulez-vous, et présentez votre adorable épouse aux autres invités !

Le couple O'Neill se dirigea vers un premier petit groupe, à qui le majordome était en train de servir du sherry, et qu'il dominait moins par sa taille que par la condescendance du regard. Les têtes se tournèrent à leur approche. Un semblant de complicité passa entre eux, peut-être favorisé par le fait qu'à l'exception du domestique ils étaient seuls ici à parler français. Parfaits bilingues depuis l'enfance, s'exprimant l'un et l'autre en anglais sans le moindre accent, ils savaient se fondre si complètement avec la compagnie dans laquelle ils se trouvaient que ceux de leurs interlocuteurs à qui ils ne le divulguaient pas ne se doutaient pas une seconde qu'ils fussent de « l'autre race ». Tous les invités ce soir étaient de langue anglaise. Parmi eux figuraient quelques vieilles fortunes, dont l'ancienneté du *pedigree* était inversement proportionnelle à l'éclat du smoking, comme pour se démarquer de « l'argent récent », que l'on disait teinté par l'odeur de contrats faramineux obtenus d'amis au sein du Cabinet fédéral. Trop souvent pendant la guerre ces fortunes trop neuves s'étaient traduites au front en obus non éclatés, en fusils qui ne tiraient pas, en bottes qui prenaient l'eau, en rations avariées. Mais le front était loin, la guerre avait pris fin, et ces profits de mauvais aloi n'avaient plus guère de couleur que celle, universelle, du pouvoir que confère l'argent et qui s'étalait ce soir, ventru, clinquant, en smoking flambant neuf, en parures hors de prix.

Le dîner fut annoncé et l'on passa à la salle à manger, où la table était somptueusement mise pour vingt et une personnes. Pour la seconde fois de la soirée, Jeanne vit des têtes féminines se retourner sur le passage de son mari. L'agacement qu'elle en éprouva la surprit, et elle s'en irrita. Lorsque tout le monde fut assis, la chaise à droite de Jeanne demeura vide. La maîtresse de maison s'en excusa.

— J'attends mon neveu, expliqua-t-elle avec une pointe de fierté, il devrait arriver d'un moment à l'autre. Le pauvre enfant vient de reprendre son internat au *Royal Vic.* Même quand il a une soirée libre, il lui arrive d'avoir un empêchement de dernière minute...

— J'ai vu hier dans le *Star* que Rachmaninov sera à Montréal dimanche, lança quelqu'un à la cantonade, au His Majesty's. J'étais à New York en février quand il est venu, mais cette fois-ci je ne manquerai pas de l'entendre !

— Pauvre Rachmaninov, soupira la maîtresse de maison, qui paraissait encore plus minuscule à la tête de la longue table. Son pays est à feu et à sang.

— Les Bolshéviki gagnent du terrain partout, même ici, remarqua un banquier de la rue Saint James. Le journal de ce matin parlait d'émeutes par les grévistes du textile au Massachusetts. La police a fini par disperser les manifestants, mais il y avait des drapeaux rouges dans la foule, apparemment. La menace est réelle.

— En tout cas c'est l'anarchie complète en Allemagne. L'agitation communiste est partout, renchérit un important monsieur à la voix grasseyante.

— Mais dites-moi, Michael, demanda, avec une innocence de mondaine, Miss Marshall à son voisin de droite, est-ce que ces gens-là ne meurent pas de faim ?

— Effectivement, *Ma'am.* Ils sont sans pain, sans travail et sans chef. Et le blocus allié est en grande partie responsable de l'agitation...

— Mais, mon cher monsieur, l'interpella le banquier, c'est le prix de la défaite ! Le rôle de la Conférence de paix est de s'assurer que l'agression de 1914 ne puisse *jamais* se reproduire. Les « Huns [1] » sont un peuple guerrier qu'il faut à tout prix juguler une fois pour toutes. La paix future en Europe et dans le monde en dépend.

— Il est toujours dangereux d'affamer le peuple, répliqua Mick d'un ton égal, cependant on humilie une nation à ses risques et périls.

La fixité avec laquelle il regardait son interlocuteur n'échappa guère à son hôtesse.

— Quelle chance nous avons de vivre à l'abri de tous ces malheurs ! s'écria la maîtresse de maison. Regardez mon pauvre maître d'hôtel, poursuivit-elle en baissant le ton, j'ai presque honte de l'avoir engagé. Figurez-vous, un prince de la maison des Romanov, élevé à la cour du tsar, la révolution l'a complètement ruiné. Il est arrivé ici sans le sou.

— Mais heureux d'être en vie, je parie, tonna un convive aux boutons de manchettes rutilants, en découpant son roast-beef.

Directement en face de Jeanne une grande femme distinguée avait tout à coup un visage défait. Autour d'elle quelques regards s'échangèrent discrètement. Un ange passa. Un silence contristé se propagea imperceptiblement jusqu'à la tête de la table, comme une onde à la surface de l'eau.

— La journée d'aujourd'hui a été difficile pour vous, compatit Miss Marshall en s'adressant au banquier et à celle qui de toute évidence était sa femme.

Depuis deux jours les troupes canadiennes fraîchement débarquées défilaient dans Montréal en liesse. Les Fifth Canadian Mounted Rifles étaient arrivés la veille au soir, et le Ninth Field Ambulance le matin même.

— Notre Malcolm était avec les Princess Pats, dit l'homme d'une voix éteinte.

Il ne quittait plus son épouse des yeux.

---

1. Huns : sobriquet péjoratif utilisé par les Anglais pour désigner les Allemands lors de la Première Guerre mondiale.

— Quelle tristesse, murmura-t-on.

— Le plus dur, dit soudain la pauvre femme, dont Jeanne entendait pour la première fois la voix tremblante, ce n'est pas tant de voir tous ces garçons qui reviennent.

Elle s'arrêta, et son visage se crispa de nouveau.

— Le plus dur, reprit-elle avec amertume, ce sont ces *French Canadians.* Hier encore ils étaient des milliers à chanter les louanges de Laurier ! Lui qui, pendant que nos fils mouraient là-bas, incitait le peuple à les trahir, à les abandonner.

— *Slackers,* maugréa une voix. Lâches.

— Pendant que nos enfants allaient à l'abattoir, grogna un autre.

Jeanne regardait fixement son mari depuis le début de ce pénible échange. Sa sympathie naturelle pour la mère affligée avait vite tourné à l'indignation devant le ton cinglant avec lequel elle parlait de Laurier, dont la mort avait plongé toute sa famille dans le deuil.

— Au diable Laurier, gronda l'homme aux boutons de manchettes en diamant. Au moins il ne sera plus là pour nous empoisonner l'existence avec ses damnées écoles françaises en Ontario. Cet homme-là a fait plus pour diviser et détruire ce pays que Bourassa et sa bande d'agitateurs.

— C'est bien pourquoi je répète, reprit le banquier, que dans des situations pareilles on a tout avantage à se montrer très ferme. Par exemple ici, nous aurions pu résoudre le problème dès le lendemain de la Conquête. L'Angleterre est tout aussi responsable de l'impasse dans laquelle nous nous trouvons que ne le sont les Laurier de ce monde. C'est elle qui a permis aux Canadiens français de garder leur religion, leurs églises, leurs écoles, leur langue, leur gouvernement, leur système juridique. C'est comme ça qu'ils ont prospéré au point qu'ils menacent aujourd'hui l'existence même de la nation !

Jeanne ne quittait plus Mick des yeux. Pas un muscle de son visage ne bougeait. Il regardait calmement ses mains, immobiles sur ses couverts, dont la gauche estropiée témoignait secrètement du fond de sa pensée. À ce moment la porte vitrée de la salle à manger s'ouvrit, livrant le passage à un grand gaillard en uniforme militaire, que Miss Marshall accueillit avec des gloussements de joie.

— *Darling* ! Enfin ! Viens manger, mon pauvre enfant, fit-elle en lui désignant de la main le siège à côté de Jeanne qui était encore toute rouge d'indignation inexprimée. Chers amis, pour ceux d'entre vous qui ne le connaissez pas déjà, je vous présente mon neveu, le docteur Louis Marshall.

Celui-ci saisit au vol la main de la vieille dame et, se penchant pour l'embrasser, lui murmura des excuses qui parurent l'enchanter.

— Mais tu es encore en uniforme, tu n'as même pas eu le temps de rentrer chez toi te changer !

Le jeune homme vint s'asseoir à la place qu'on lui avait réservée. À la lueur des chandelles ses yeux noirs adressèrent un regard affable à chacun des invités tour à tour. Une servante lui apporta le potage.

— Tu vois, soupira la maîtresse de maison, nous en sommes déjà au dessert, mais cela ne fait rien. Je suis ravie que tu aies réussi à te libérer. Louis a servi en France, avec les Ambulanciers alors qu'il était encore étudiant en médecine à McGill. Il faisait partie du comité d'accueil de la faculté, qui a accueilli le Ninth Field Ambulance à la gare Bonaventure ce matin. C'est la raison pour laquelle il est en uniforme...

L'arrivée tardive du nouveau venu changea le cours de la conversation, et le dîner se poursuivit sans incident. Cependant, dès la sortie de table, Jeanne fit signe à son mari et, prétextant la grande fatigue d'une première sortie, alla prendre congé de la maîtresse de maison. Dehors le froid humide la transit jusqu'aux os.

— Comment se fait-il que tu n'aies pas rétorqué à ces gens-là ? dit-elle à Mick qui s'affairait en silence à démarrer la voiture.

— Une perte de temps, grommela-t-il en haussant les épaules. (Le moteur toussa deux ou trois fois puis vrombit puissamment.) Ces gens-là ne changeront pas d'idée.

— Mais ils pensent...

— Ils ne pensent rien. Ils ont besoin de blâmer quelqu'un pour la mort de leur fils.

— Enfin, tu as entendu ce qu'ils ont dit...

— Ils répètent ce que leurs parents leur ont appris. Des comme ça, on en a à revendre, nous autres aussi.

— Fut un temps où tu leur aurais répondu, marmonna Jeanne, choquée par ce qu'elle prenait pour de l'indifférence.

Elle se rendit compte qu'elle avait aimé cet air frondeur qu'il affichait lorsqu'elle l'avait connu. « Maintenant il ne pense qu'à ménager les clients », se dit-elle.

— Fut un temps où j'étais aussi bête qu'eux, trancha-t-il.

Depuis que son meilleur ami était parti pour le front et, s'étant couvert d'honneurs à la bataille d'Arras, était disparu au champ d'honneur, il ne parvenait plus à se mobiliser sur cette question. Il lui eût suffi que Gonzague ait survécu et qu'il revînt sain et sauf, ce qui, hélas, n'était plus un espoir réaliste.

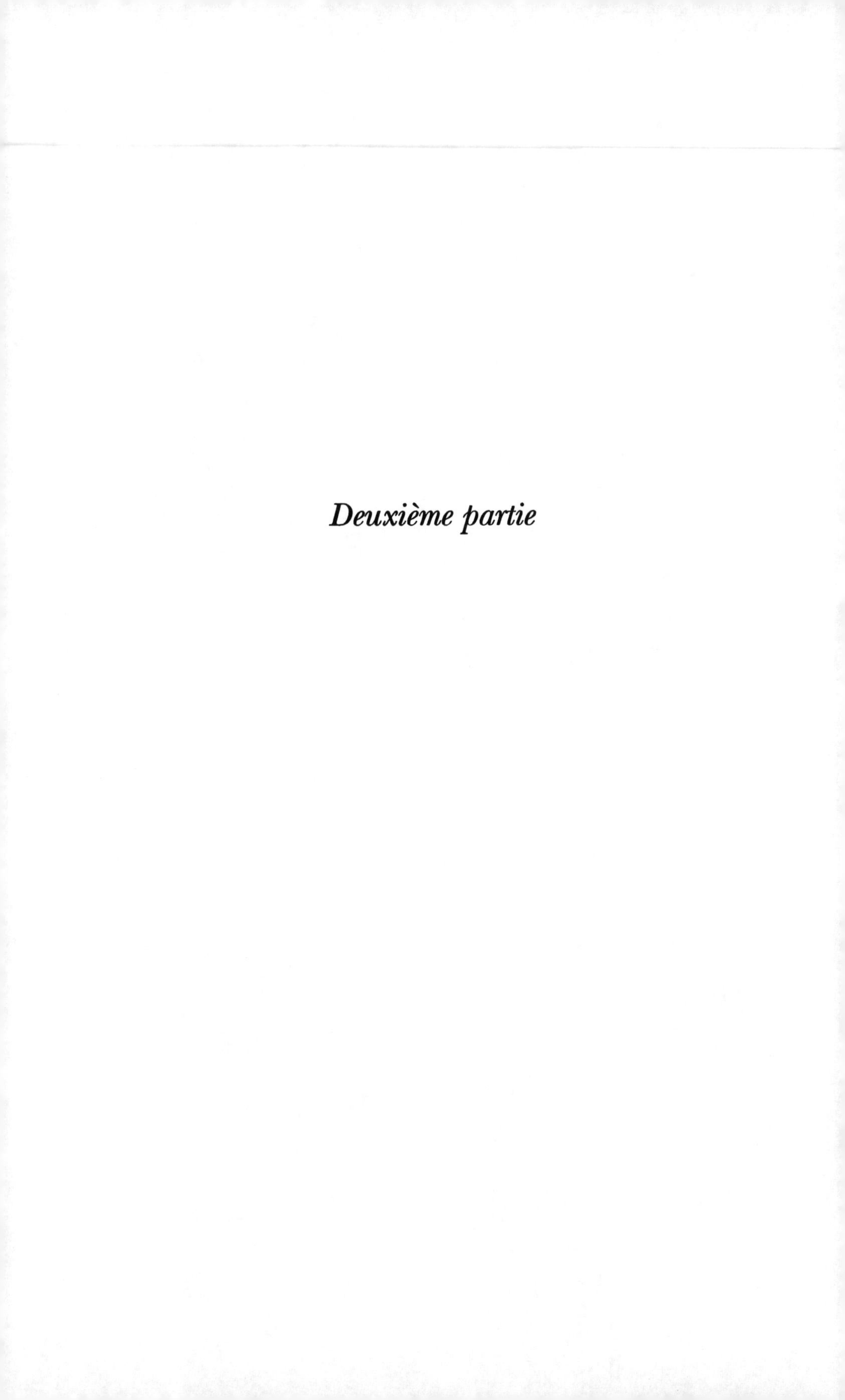

Deuxième partie

Andante cantabile

1.

La maison de campagne du sénateur Bernard sur les bords du lac Saint-Louis était visible de la route derrière sa grille en fer forgé, au bout d'une allée de gravier bordée de massifs de roses. La maison, en pierres rondes qui faisaient penser à des dragées, s'ouvrait à l'arrière sur une grande terrasse dominant le lac, où des groupes d'invités prenaient déjà l'apéritif. Une immense pelouse, impeccablement tenue, descendait en douceur jusqu'au bord de l'eau où, derrière un rideau de joncs, flottaient un quai et plusieurs embarcations. À mi-chemin entre la rive et la maison un chêne gigantesque déployait ses ombrages sous lesquels quatre musiciens, le regard ancré à leurs partitions, le geste mesuré et précis, jouaient de la musique de chambre.

Mick n'avait pas caché que cette garden-party n'était que l'agréable prétexte d'une réunion politique. C'était inévitable et il y en avait beaucoup, des petites et des grandes, un peu partout au pays depuis la mort de sir Wilfrid. La plus grosse, prévue pour le mois d'août, faisait l'objet de fébriles préparatifs. Pour la première fois de son histoire, le parti libéral allait tenir un congrès national pour choisir un nouveau chef et se réunifier après le grand schisme de 1917, causé par l'élection sur la conscription.

— Nous allons enfin pouvoir panser les plaies, disait le sénateur, un homme rondelet, à cheveux blancs laineux, au jeune avocat. Le temps des rumeurs est terminé. Nous avons finalement en main le moyen de réunir toutes les factions du

Parti, en leur prouvant une fois pour toutes que la défaite de '17 était le résultat d'une colossale escroquerie de la part de nos adversaires.

— Nous pouvons prouver qu'il y a eu fraude ? interrompit Mick avec une lueur maligne dans les yeux.

— Nous allons tout documenter : les directives provenant des membres du Cabinet câblées au Bureau du Haut-Commissaire à Londres, qui ont permis de recruter des soldats britanniques, des citoyens américains, et même des employés britanniques des hôpitaux canadiens en Angleterre pour voter dans l'élection de '17. Et il y a plus : des citoyens britanniques à qui on a donné des uniformes canadiens, et des listes de noms, et l'emplacement de tous les bureaux de scrutin de Londres.

— Il y a d'autres preuves ?

— Mon cher ami, en voulez-vous, en voilà ! Des lettres confisquées par le censeur, à l'insu des destinataires, parce qu'elles contenaient un encouragement à voter contre le gouvernement. Des câbles bidons envoyés à des soldats, sur l'ordre et aux frais de l'État, supposément par des membres de leurs familles, leur conseillant de ne pas voter contre les candidats du gouvernement aux élections. Nous sommes même en mesure de révéler l'existence du comité d'officiers haut gradés, avec pignon sur rue à Piccadilly, dont la mission était de dénicher les soldats qui affichaient des tendances libérales, afin de les envoyer au front sans délai. Même dans les hôpitaux, des blessés ont été prévenus qu'un vote pour Laurier leur vaudrait prématurément un retour à sens unique vers le front. Des révélations sans précédent, mon ami, et qui vont rendre notre congrès très, très intéressant !

— Eh bien, Mick ! interrompit une jeune femme rousse qui venait de se joindre à eux.

— Éloïse ! s'écria Mick avec une rare émotion. Comment vas-tu ? Comment va ta mère ?

Elle n'était pas jolie, remarqua Jeanne, mais son visage rieur, aux yeux pétillants d'intelligence, lui prêtait un certain charme. Elle portait une robe courte en crêpe de soie beige et dans les cheveux un bandeau vert, qui faisaient ressortir la blancheur laiteuse de son teint et le potelé de ses bras. Elle embrassa le sénateur et se présenta à Jeanne d'une poignée de main, qu'elle avait aussi ferme qu'un homme.

— Éloïse Prud'homme, dit-elle avec un sourire engageant. Nous nous sommes rencontrées à votre mariage.

Jeanne eut à peine le temps de s'excuser de ne pas l'avoir reconnue.

— Pensez-vous ! protesta la jeune femme. Est-ce qu'on remarque des choses pareilles le jour de ses noces ?

— Qu'est-ce que t'en sais ? s'écria Mick d'un air taquin.

— Oh toi ! riposta celle-ci avec une exaspération toute feinte.

— Je sens que je vais me faire tirer les oreilles, sénateur, qu'en pensez-vous ?

— Éloïse est incorrigible mais on lui pardonne toujours. Mick, que diriez-vous d'aller remplir les verres de ces charmantes jeunes personnes ?

— Ils veulent nous semer, ricana Éloïse en regardant les deux hommes s'éloigner. Et si on allait se promener, nous aussi ? Ça leur apprendra à faire des messes basses.

Jeanne suivit de bonne grâce la jeune femme qui l'entraîna vers la fraîcheur de la pelouse. Sa vivacité lui plaisait, et la familiarité avec laquelle elle traitait son mari l'intriguait.

— Il y a longtemps que vous connaissez Mick ?

— Oh oui ! répondit l'interrogée, avec une inflexion affectueuse dans la voix. Je l'ai connu garnement. Si vous saviez les mauvais coups auxquels il se livrait avec son frère Arthur, et les raclées qu'il attrapait ! Toujours en prenant tout le blâme sur lui, pour protéger son cadet. J'étais amie avec sa sœur.

— Vous êtes de Québec ?

— Oui, madame ! Sa sœur Marguerite et moi étions aux Ursulines ensemble. Mon frère Gonzague et lui étaient inséparables. Ils habitaient rue Desjardins, et nous, la rue Couillard.

Elle avait vingt-quatre ans, cinq de plus que Jeanne, elle était célibataire (« Pas d'Abélard en vue. J'ai dû me tromper de siècle ») et n'avait qu'une passion dans la vie : la politique, à laquelle elle consacrait tous ses loisirs. Son père, le juge Évariste Prud'homme, était mort subitement peu de temps après l'armistice en apprenant que son fils unique, Gonzague, en qui il fondait tous ses espoirs, était présumé mort au champ d'honneur, quelques jours à peine avant la fin de la guerre. Sa mère, dont ce fils était la raison d'être, était entrée au couvent des Ursulines, en laissant à sa fille une rente considérable. Éloïse, dont le cardinal Bégin avait jadis saboté le premier *At home*[1] au château Frontenac en décrétant en chaire, le dimanche précédant l'événement, que danser était un péché mortel, avait décidé de quitter Québec pour la métropole. Depuis son arrivée à Montréal, au lieu de partager son temps entre le circuit mondain et les œuvres de charité, elle hantait les *backrooms*, les coulisses emboucanées du parti de son père, qui était mort *rouge*[2] comme il était né. Elle fumait le cigare à ses heures, mais pour l'instant se contenta d'allumer une cigarette qu'elle avait insérée au bout d'un long fume-cigarette en ivoire.

— Il n'existe peut-être plus d'Abélard ici-bas, mais en voilà un qui ferait très bien mon affaire. Malheureusement c'est vous qu'il regarde et pas moi, soupira Éloïse d'un ton faussement dépité.

Jeanne suivit le regard de sa compagne et vit un inconnu, là-haut sur la terrasse, qui la fixait d'un air indéfinissable.

— Qui est-ce ? murmura-t-elle en tournant le dos à la maison, savourant ce début de complicité entre la jeune femme et elle. Est-ce que je devrais le connaître ?

— À vos risques et périls ! chuchota Éloïse d'un air entendu, en se dirigeant vers le bord du lac.

— Mon Dieu, à ce point-là ?

— Mais non, s'esclaffa l'autre, je vous taquine. Ce sire est un Russe, madame, un aristocrate, un vrai.

---

1. *At home :* réception mondaine (soirée dansante) donnée par ses proches en l'honneur d'une jeune débutante.

2. *Rouge :* libéral.

— On en croise de plus en plus depuis quelque temps, remarqua Jeanne en se rappelant le majordome de Miss Marshall, quelques mois plus tôt, et cherchant sans s'en rendre compte à se donner la contenance avertie de sa compagne.

— Ils viennent beaucoup ici, à cause de l'Amérique, et à cause du français. La plupart le parlent mieux que vous et moi.

— Il est beau... Comment s'appelle-t-il ?

— Vladimir Sergeievitch Shpazhinski, articula Éloïse avec exagération, ces Russes ont des noms impossibles !

— Que fait-il ici ? C'est un libéral ?

— Ne prenez pas cet air incrédule, il l'est peut-être, dit Éloïse, et Jeanne s'émerveilla une fois de plus de la vivacité avec laquelle elle changeait d'expression. Il a beaucoup d'amis, les femmes l'adorent, il est reçu partout. Il paraît que c'est un très bon peintre, même s'il n'expose pas. Il faut bien qu'il gagne sa vie, sa famille est ruinée. Ce ne doit pas être drôle tous les jours. Si ce qu'on raconte est vrai, son père était écuyer du tsar.

— Vous le connaissez ?

— Je n'ai jamais eu l'honneur de lui être présentée.

Il y avait une pointe d'ironie dans sa voix, un besoin de se moquer d'elle-même, sous lequel Jeanne commençait à déceler une sensibilité attachante.

— Dites donc, vous deux, j'ai eu toutes les peines du monde à vous trouver ! s'écria Mick derrière elles. Viens-t'en, Éloïse, je t'ai gardé une place à notre table.

Non seulement elles étaient les deux seules personnes qui restaient dans le jardin, mais en parlant elles s'étaient éloignées jusqu'au bord de l'eau, où les couleurs pâles qu'elles portaient se confondaient avec le blanc des phlox en bordure de la pelouse.

2.

On avait déjeuné au champagne et fini avec des fraises délicieusement mûres enrobées de crème fraîche et arrosées de sirop d'érable, dont le velouté vous noyait la gorge de fraîcheur parfumée. À leur table on s'attardait encore sur les mérites relatifs de Mackenzie King ou de Fielding à la direction du Parti.

— Pour ma part, avait tranché Éloïse avec le supplément de ferveur que lui donnait le vin, je ne me remettrai jamais de la perte de Talbot Papineau ! Il était prédestiné au poste de Premier ministre. Imaginez s'il n'avait pas disparu dans le carnage de Passchendaele. Le petit-fils de Louis-Joseph Papineau, le héros de la Rébellion de 1837 ! Parfaitement bilingue, héros de la Grande Guerre, adulé des Canadiens, beau comme il était ! Et quel debateur, quel orateur !

Jeanne, grisée par le vin, le sucré exquis du dessert et l'air vivifiant de la campagne, se leva et partit en direction du jardin où d'autres promeneurs se dispersaient déjà. La brise soufflant du lac agitait doucement les branches basses de l'arbre centenaire, sous lesquelles les musiciens s'étaient remis à jouer. Jeanne s'approcha et s'y adossa, face au lac, séduite par la douceur mélancolique de la mélodie dont les notes, privées de la netteté que leur eût prêtée l'acoustique savante d'une salle de concert, se dissipaient comme un parfum dans le jour infini.

— Ah, l'*andante cantabile* qui fit pleurer Tolstoï..., dit une voix toute proche, qui semblait venir du tronc même de l'arbre. Vous aimez Tchaïkovski, mademoiselle ?

Jeanne tressaillit. L'inconnu, apparaissant soudain, se rapprocha. Son regard, où luisait un éclair taquin, riait doucement mais sans moquerie.

— Je vous ai fait peur, s'excusa-t-il, en posant une main presque trop près de l'endroit où l'épaule de Jeanne touchait l'écorce rugueuse, et s'y appuyant à bout de bras.

Il y avait de l'audace dans ses yeux gris, qu'il plongeait

dans les siens comme on se sert, sans attendre d'être servi. Puis, lui prenant la main et la portant lentement à ses lèvres :

— Permettez que je me présente, mademoiselle, Vladimir Shpazhinski.

Jeanne, toute saisie de la douceur de cette bouche sur sa peau, lui rendit un instant son regard. Elle n'avait pas cru, tout à l'heure, si bien dire : il était remarquablement beau.

— *Madame*, le corrigea-t-elle, cherchant à dissimuler sa confusion.

— Quoi, déjà ? (Il la tint un instant encore rivée à son regard puis, d'une légère poussée, s'écarta de l'arbre.) Dommage... Vous rougissez ? observa-t-il avec un sourire gourmand.

Cet homme a peut-être trente-cinq ans, il s'amuse de mon âge et de ma gaucherie, se dit Jeanne, et son trouble redoubla.

— Mais dites-moi qui donc est l'heureux homme...

— C'est moi, trancha à ce moment la voix de Mick à quelques pas d'eux.

Jeanne sursauta, le cœur dans la gorge.

— Maître O'Neill, enchaîna l'étranger avec la plus complète aisance, quel plaisir ! Vous êtes en effet le plus heureux des hommes.

— Vous vous connaissez ? demanda Jeanne avec un sang-froid dont elle ne se fût pas crue capable un instant auparavant.

Mick serra la main qui se tendait et répondit, sans regarder sa femme :

— Nous nous sommes rencontrés l'hiver dernier, à l'enterrement de Florence.

— Vous connaissiez ma tante, monsieur ?

— Elle était mon élève, répondit Shpazhinski avec une imperceptible raideur qu'elle ne sut comment interpréter.

— C'est l'heure de partir, Jeanne, il est déjà tard, dit son mari en la saisissant sans ménagement par le coude et l'emmenant vers la maison comme une enfant à qui l'on se prépare à administrer une correction.

L'arrivée de Mick avait eu sur elle l'effet d'un verre d'eau glacée lancé en plein visage. Morte de honte de s'être laissé ainsi humilier, trop orgueilleuse pour en laisser rien paraître, elle attendit d'être suffisamment près de la maison pour qu'il n'osât la malmener davantage, avant de dégager son bras avec toute la véhémence dont elle était capable. Elle grimpa quatre à quatre les marches de pierre qui menaient à la terrasse, faillit renverser Éloïse qui venait les rejoindre, tenta de s'excuser, s'embrouilla.

— Il a toujours été coléreux, chuchota la jeune femme qui avait dû observer de loin toute la scène. Faut pas lui en vouloir...

Elle avait ce sourire béat que donne le vin. Jeanne, que l'indignation avait dégrisée, n'en éprouva que plus d'humeur. L'on prit congé.

Pendant le retour Mick s'enferma dans un silence hargneux, tandis que Jeanne, toute frémissante encore de ressentiment, tentait en vain de reconstituer les événements de l'après-midi, et en particulier de se remémorer le visage de l'inconnu dont la beauté l'avait émue. Elle se rendit compte qu'elle n'avait pratiquement rien retenu de lui et s'emporta contre elle-même, craignant de s'être rendue ridicule aux yeux d'un homme du monde, en rougissant comme une couventine parce que, se disait-elle, elle avait bu.

Quand ils arrivèrent rue Université, ils entendirent les cris affamés de leur fille de cinq mois avant même d'avoir passé le pas de la porte. Jeanne, dont les pleurs du bébé avaient brusquement fait monter le lait, se précipita à l'étage. Elle trouva l'enfant dans les bras de Gabrielle, qui faisait les cent pas d'un air exténué.

— Mais enfin, Gabrielle, dit Jeanne, exaspérée, en ôtant sa robe dont le devant était déjà mouillé de lait, il fallait lui donner le biberon, vous savez bien ce que je vous ai dit...

— Elle n'en a pas voulu, Madame, j'ai tout essayé.

— Donnez, donnez, dit sa maîtresse avec impatience, en passant son peignoir et se découvrant le sein.

Dès que les lèvres de l'enfant effleurèrent le mamelon,

elle se mit à téter goulûment. Peu à peu Jeanne sentit ses nerfs se dénouer. Elle céda peu à peu au bonheur tout charnel de nourrir, à l'odeur voluptueuse de bébé et de lait, au doux recueillement de cette communion. Sentant les doigts légers de Gabrielle dans ses cheveux, qui la massaient doucement comme elle le faisait parfois, sans qu'on le lui demande, depuis la naissance du bébé, Jeanne s'abandonna à la bonne chaleur de ce corps de femme dans son dos, et se laissa gagner par un engourdissement délicieux. La petite s'était endormie. Gabrielle la lui prit avec précaution et sortit la porter dans son berceau. Jeanne s'allongea sur son lit et, fermant les yeux, fut aussitôt transportée dans le jardin du sénateur Bernard ; elle eut envie de revoir Éloïse avec ses deux petites fossettes qu'une gaieté perpétuelle semblait avoir creusées dans ses joues, de s'étonner de nouveau de son incroyable débit verbal et de la nature tendre qu'elle devinait sous les boutades ; enfin elle tenta de repousser le souvenir capiteux du Russe dont l'audace l'avait à ce point perturbée qu'elle eût été incapable de dire s'il était grand ou petit, s'il avait les yeux bleus ou bruns, s'il s'était tenu à trois pas ou à trois doigts d'elle. Elle s'assoupit au milieu de cette rêverie, et au réveil constata que le jour tombait.

3.

Le lendemain matin, Jeanne s'éveilla d'un sommeil sans rêve, en proie à de violentes appréhensions. Elle crut même un bref instant, avant d'ouvrir les yeux, qu'elle se trouvait de nouveau dans sa cellule, à Saint-Boniface. Son corps était courbatu comme si elle avait dormi dans la chemise de crin qu'on portait pour se mortifier, sa mâchoire était endolorie à force, pensa-t-elle d'abord, de grincer des dents de faim dans son sommeil... Quelqu'un frappait doucement à la porte. Elle ouvrit les yeux et, reconnaissant la chambre à coucher de la rue Université, fut saisie d'une nostalgie irrationnelle pour le refuge aride de son lit de religieuse. Enfin la lourdeur de ses seins gonflés de lait finit de la rappeler à la réalité de la petite Catherine et de tout ce que sa vie actuelle avait de plus doux. Elle se rappela s'être relevée du plancher où elle était tombée, et avoir poussé le loquet, bien inutilement d'ailleurs puisque Mick n'avait pas essayé de revenir. La porte était toujours fermée, et elle reconnut finalement le grattement timide de Gabrielle.

— Excusez-moi de vous réveiller, Madame, mais la petite pleurait...

L'enfant avait trouvé son pouce, qu'elle suçait énergiquement. Deux petites larmes rondes comme des gouttelettes de rosée perlaient sur ses joues. Jeanne prit le bébé dans ses bras.

— Madame veut-elle qu'on lui apporte son déjeuner ? dit Gabrielle d'une voix hésitante, sans la regarder.

— Qu'est-ce qui ne va pas, Gabrielle ? Vous n'êtes pas vous-même ce matin.

— Oh, Madame, dit la jeune femme, les larmes aux yeux, hier soir... je n'ai pas pu m'empêcher d'entendre...

Jeanne baissa la tête de honte. Mick était apparu à sa porte fort tard, le col de chemise défait, les revers de son smoking blanc maculés de cendre de cigarette, le visage luisant de sueur. Elle supposa qu'il avait dû boire sec depuis leur retour et elle ne se trompait pas. Tout de suite en rentrant, tandis qu'elle montait s'occuper du bébé, il avait ouvert une bouteille de scotch et s'était installé au salon. À la nuit tombée, il s'y était pris à deux ou trois fois avant de se lever en titubant, puis il avait cherché l'interrupteur à tâtons dans la pénombre. C'est le bruit qu'il avait fait en se cognant au guéridon du Victrola que Gabrielle avait d'abord entendu. En montant l'escalier il avait trébuché plusieurs fois en jurant d'une voix rageuse. Il y avait eu de violents éclats de voix dans la chambre de Madame et puis la porte qui se refermait avec fracas, et Monsieur dans le couloir qui marmonnait en se rendant dans la bibliothèque.

Jeanne ne s'en était pas rendu compte tout de suite, mais

elle ne l'avait jamais vu aussi soûl. L'alcool produisait d'ordinaire chez lui l'une de ces deux réactions, suivant la quantité consommée : initialement il se détendait, se déliait la langue, devenait spirituel et amusant. Dans les soirées mondaines ses talents de raconteur étaient en effet fort prisés. Par contre, dans le décor strictement masculin du Club de Réforme, il buvait plus vite et plus sec, ce qui finissait par produire le second effet, celui que Jeanne avant la naissance de Catherine avait tant redouté. Hier soir cependant avait été différent. Il était bien au-delà de tout appétit physique. Presque incohérent de rage, il avait bondi sur elle comme un puma, l'avait menacée, bousculée, et finalement poussée avec tant de force qu'elle avait été projetée à terre. En tombant elle s'était heurté la mâchoire et il était resté quelques instants encore à vociférer au-dessus d'elle. Finalement il était parti en claquant la porte si fort derrière lui qu'elle avait failli sauter de ses gonds.

Georgette entra avec le plateau du petit déjeuner, le journal et le premier courrier de la journée que Jeanne ouvrit en finissant de nourrir le bébé.

« *Madame,* disait la courte lettre dont l'écriture lui était inconnue, *Je me ferais un plaisir de mettre à votre disposition les chevaux de Mme Florence Talbot, à l'écurie du chemin Shakespeare, au moment qui vous conviendra.*

Avec mes hommages,

V. S. Shpazhinski »

4.

Une fois qu'elle eut pris la décision de revoir celui qui avait dû être le professeur d'équitation de Florence, Jeanne se prit à tergiverser, remettant sans cesse au lendemain, par timidité, par inexpérience, mais aussi par crainte de ce qui s'ensuivrait, la démarche initiale qui pouvait la remettre en contact avec lui. Son cœur battait si fort chaque fois qu'elle s'approchait du téléphone qu'elle se ravisait, momentanément soulagée d'avoir une fois de plus repoussé l'échéance, irritée contre elle-même de manquer à ce point de courage et d'audace. Elle tournait ainsi autour du pot depuis une bonne semaine lorsque, deux jours avant son départ pour Carleton, la curiosité et la perspective de passer tout l'été sans l'avoir revu eurent enfin raison de ses atermoiements. Dès qu'elle eut demandé la communication, elle se prit à espérer qu'il ne répondît pas. À l'autre bout du fil le téléphone sonnait, et chaque sonnerie produisait en elle une violente décharge nerveuse. Quatre fois. Cinq fois. Elle allait raccrocher quand elle entendit le déclic.

— Shakespeare road, Shpazhinski, dit la voix en anglais. Hello, répéta-t-il au bout d'un moment, Shpazhinski speaking.

— Monsieur Shpazhinski, dit-elle, se ressaisissant enfin. Jeanne O'Neill à l'appareil.

— Madame O'Neill ! (Le ton était plein de sollicitude.) J'avais presque renoncé à avoir de vos nouvelles. Comment allez-vous ?

Elle reconnut la légère inflexion russe dans son impeccable français.

— J'espère qu'il n'est pas trop tard, nous partons pour la Gaspésie après-demain, cela ne vous fait pas beaucoup de préavis...

— Mais vous venez quand vous voulez, cet après-midi, n'importe quand !

— Je ne voudrais pas vous déranger...

— Vous ne me dérangez pas. Je suis à votre disposition.

Jeanne se détendit. Il avait l'air de trouver la chose tellement normale, et d'ailleurs Florence avait à une ou deux reprises parlé de l'emmener sur la montagne faire de l'équitation, avant que sa grossesse n'intervînt. Tout à coup, l'excitation mêlée d'appréhension qu'elle avait ressenties lui parurent puériles. Au téléphone il semblait bien ordinaire — courtois, gentil, mais tout à fait quelconque, finalement.

Pourtant, cet après-midi-là, l'effet qu'il lui fit en sortant du petit bureau attenant à l'écurie n'eut rien d'ordinaire. Dès l'instant où il apparut, Jeanne fut plongée dans le désarroi le plus complet. En bras de chemise et culotte d'équitation, les cheveux en désordre comme s'il venait de se lever, il semblait plus jeune que lorsqu'elle l'avait vu pour la première fois. Son regard était si direct qu'elle eut l'impression qu'il lisait dans ses pensées. Elle devint si absorbée dans l'effort qu'elle faisait pour se dominer qu'elle ne comprit pas ce qu'il venait de lui dire. Il se dirigea vers la porte de l'écurie. Elle le suivit, soudain attentive au crissement de leurs bottes sur le gravier, maintenant que toute sa concentration n'était plus mobilisée autour de la nécessité d'éviter ce regard.

— Le gris est le plus doux, disait-il, c'est celui que Florence préférait.

Le fait qu'il appelât cette dernière par son prénom intrigua, et même inquiéta sa jeune compagne. Avait-il été un familier de Florence ? Un ami ? Pourquoi alors ne lui avait-elle jamais parlé de lui ? Se rappelant combien elle avait été incapable de se remémorer le moindre détail de ses traits après leur première rencontre chez le sénateur, elle profitait de ce qu'il la précédait pour le regarder attentivement. Il n'était pas aussi grand qu'elle l'avait cru. Pas beaucoup plus grand que moi en réalité, s'étonna-t-elle, se rendant compte que l'impression qu'il lui avait laissée était celle d'un homme grand.

— Je suis content que vous soyez venue, dit-il sans se retourner, je commençais à penser que je ne vous reverrais pas.

Et il lui envoya par-dessus l'épaule un sourire désarmant.

— Je ne savais pas si je devais répondre ou non, hasarda-t-elle avant de se rendre compte du sens que l'on pouvait prêter à ses paroles.

Il poussa la porte de l'écurie, dont le battant supérieur était grand ouvert à cause de la chaleur.

— Alors vous êtes aussi honnête que belle, dit-il en plongeant son regard dans le sien comme il l'avait fait sous le grand chêne, ce jour-là.

Il était beaucoup trop près d'elle. Il sentait le cheval et le cuir et...

Il disparut dans la sellerie puis reparut avec une selle anglaise sur le bras et, à la bretelle, une bride, et entra dans un box. Dans la pénombre Jeanne distingua peu à peu un superbe gris pommelé, à crinière et à queue noires. Shpazhinski parlait doucement en flattant la puissante encolure de l'animal.

— C'est donc vous qui enseigniez l'équitation à ma tante ? dit Jeanne pour se donner une contenance face à cet homme dont la proximité dans le box obscur la bouleversait délicieusement.

— J'ai eu ce privilège, répondit-il laconiquement en la regardant par-dessus le garrot du cheval qu'il était en train de sangler.

— La dernière fois que je l'ai vue, elle revenait d'ici et...

— Elle portait le même habit que vous, fit-il, en désignant du menton l'habit de cheval que Florence lui avait fait faire, au temps béni de leurs petits après-midi de thé et d'essayages, dans les semaines qui avaient précédé son mariage.

— Oui, nous avions le même, bien que je n'aie encore jamais eu l'occasion de le porter...

— J'ai su dès la première fois que je vous ai vue que vous étiez sa nièce, dit-il en ôtant le licou de l'animal, lui présentant le mors et lui passant la muserolle d'un geste fluide de ses mains expertes. Vous lui ressemblez beaucoup.

Elle se rappela brusquement l'expression qu'il avait eue en la regardant du haut de la terrasse quand Éloïse l'avait repéré du jardin, et la question « L'aimiez-vous ? » s'imposa soudain à son esprit, mais elle n'eut pas l'effronterie de la lui poser. Il ne la regardait pas de cette façon-là aujourd'hui.

Le cheval était maintenant prêt. Shpazhinski le fit sortir de son box à reculons. « Il s'appelle Pouchkine », annonça-t-il. Les sabots de l'animal retentirent sur le ciment dans l'air lourd de l'écurie. Une fois dans la cour, il ramassa d'une main un escabeau bas en bois usé et, le plaçant à côté du cheval sous l'étrier, tendit la main à la jeune femme. Jeanne prit cette main, monta sur l'escabeau, mit le pied à l'étrier et, comme elle se hissait sur sa monture d'un mouvement mal assuré, Shpazhinski la prit par la taille et la déposa dans la selle sans paraître y mettre le moindre effort.

— Ne soyez pas si nerveuse, dit-il avec un sourire épanoui, vous allez rendre le cheval nerveux aussi.

— Je m'excuse, fit Jeanne, se sentant rougir malgré elle, je n'ai pas monté un cheval depuis l'âge de douze ans...

— Eh bien, faites semblant d'avoir douze ans ! Avec un peu de pratique ça revient très vite, vous verrez.

Il disparut de nouveau dans les profondeurs de l'écurie et en sortit avec une magnifique jument alezane haute sur pattes, au port altier, qu'il enfourcha aussitôt.

— Lara, dit-il en guise de présentation. Elle est très nerveuse. Malheureusement, elle a été malmenée pendant les deux ou trois premières années de sa vie. Florence me l'avait donnée à dresser, parce qu'elle n'aimait pas la monter.

Il prit les devants et s'engagea dans le sentier qui menait derrière l'étable, passé le manège, puis à travers champ, vers les bois. Jeanne le suivait dans une sorte de recueillement, sous l'empire de l'étrange élixir de sensations que distillaient la chaleur délicieuse du soleil, le vent doux qui soulevait ses cheveux et caressait sa nuque, le rythme puissant et souple de son cheval, la vue panoramique de la ville en contrebas, et cet homme dont la présence excitait chez elle un appétit inavoué de bonheur. Une fois dans le champ, elle le rattrapa. Ils chevauchaient à présent côte à côte.

— Vous savez, quand j'ai quitté la Russie je ne pensais jamais que ce serait pour de bon. J'ai eu de la chance de trouver quelque part où je peux me sentir chez moi. C'est tellement grand ici. En Europe l'horizon est si proche, on étouffe, presque pas un kilomètre carré qui ne soit habité, cultivé, façonné, partout la main de l'homme... Ici en hiver, quand je me promène dans les bois, je peux presque imaginer que je suis chez ma mère à la campagne et qu'un de mes jeunes frères va surgir du sentier dans son petit traîneau...

Jeanne l'écoutait avec envie, consciente de l'impénétrable solitude du souvenir, de l'insuffisance de la parole à évoquer la plénitude d'un passé intimement vécu, mais elle admirait la langue qu'il parlait, un français châtié, riche, grammaticalement pur.

— Lorsque j'étais enfant, poursuivit-il, je passais le plus clair de mon temps dans les bois à dessiner. Le soir, je reprenais mes esquisses de la journée, en rajoutant la couleur...

— C'est vrai, mon amie Éloïse m'a dit que vous êtes peintre, n'est-ce pas ?

— Oh ! plus maintenant, dit-il en passant de nouveau devant elle sur l'étroit sentier qui disparaissait dans les bois.

— Avez-vous encore de la famille en Russie, Monsieur Shpazhinski ? demanda-t-elle en maudissant la gêne qui semblait lui vider la tête chaque fois qu'elle ouvrait la bouche.

— De grâce, de grâce, je m'appelle Vladimir ! s'écria-t-il, droit devant elle. (Puis, comme elle le rattrapait de nouveau :) Mon père est mort quand j'étais enfant. Cela vaut probablement mieux pour lui, ajouta-t-il.

— À cause de la révolution, vous voulez dire ?

— En fait, non. Mon père était le fils d'un homme qui possédait de vastes terres et qui avait été gouverneur d'une province où il y avait beaucoup de Polonais. Après la révolte polonaise de 1830, que les autorités ont brutalement réprimée, mon grand-père a démissionné de dégoût et s'est retiré dans un des domaines qu'il possédait en Ukraine. La répression des Polonais continua de le hanter à tel point que par acquit de conscience il finit par libérer tous ses serfs, y compris ses domestiques, dont il ne garda que ceux qui voulaient rester, moyennant un salaire. Je ne vous endors pas avec ma généalogie ? dit-il en se retournant vers Jeanne et en lui souriant d'un air contrit qui l'enchanta. Ayant perdu toute sa main-d'œuvre, mon grand-père fut donc forcé de vendre la majorité de ses terres, et mon père et ses frères ont dû gagner leur vie par eux-mêmes. Mon père est entré dans l'armée, où il fut fait officier et à vingt-quatre ans écuyer du tsar Alexandre II, celui qui rendit aux serfs leur liberté.

Ses responsabilités l'amenèrent à Saint-Pétersbourg, où il rencontra ma mère, l'épousa et avant de mourir lui donna quatre enfants. S'il avait vécu, c'est ce mariage qui, tôt ou tard, l'aurait perdu.

Jeanne, grisée de confidences, l'écoutait dans un état de transport. À mesure que le sentier grimpait vers le sommet de la montagne, elle sentait Pouchkine qui travaillait de plus en plus fort des épaules, actionnant son grand cou comme un levier contre le frein de la pesanteur.

— Ma mère, dont il était fou, poursuivit-il, était une catastrophe pour sa carrière, car elle était une adversaire passionnée de l'absolutisme. Elle n'aurait jamais daigné considérer un écuyer du tsar comme prétendant si ce n'avait été du fait que mon père était le fils d'un homme qui avait commis un crime impardonnable contre sa classe. À ses yeux à elle, fille blasée et rebelle d'un haut fonctionnaire du ministère de l'Intérieur, mon père, en plus de l'attrait que lui conféraient son physique, son caractère, sa naissance et son éducation, avait la séduction irrésistible d'être perçu avec méfiance dans la société de Saint-Pétersbourg, dont elle méprisait la frivolité et l'obséquiosité courtisane. Son père à elle avait de puissants amis dans la police et, aussi longtemps qu'il vécut, il la protégea, et mon père avec. Elle était belle, intelligente, cultivée, parlait quatre langues et aimait s'entourer d'artistes de toutes sortes. Elle tenait un salon très couru par tout ce que Saint-Pétersbourg avait de plus progressiste et donc de plus étroitement surveillé par la police du tsar. L'été elle recevait tout ce beau monde au domaine familial, dont mon père avait hérité en Ukraine. Tenez, ceci vous intéressera, dit-il avec autorité, comme s'il la connaissait de longue date, et Jeanne se prit à se demander s'il était parfois arrivé à Florence de lui parler d'elle.

— Elle fréquentait les Davidov, reprit le Russe, qui possédaient aussi des terres dans la région, et leur rendait parfois visite chez eux à Kamenka. Un jour, lors d'une de ces visites, notre calèche croisa un homme barbu, à cheveux blancs, qui marchait seul, d'un pas rapide, sur le bord du chemin, et je me souviens de la vénération avec laquelle ma mère me l'avait indiqué. C'était Piotr Ilitch Tchaïkovski, dont les grands esprits de la capitale refusaient encore de reconnaître le génie...

La pente s'adoucit en approchant du sommet et se mit à longer une petite clairière.

— Mais ma mère, poursuivit Shpazhinski, fréquentait également des gens fort dangereux politiquement et, après l'assassinat d'Alexandre II, la vie dans la capitale devint impossible. La police secrète et leurs espions étaient partout. Les arrestations, les exécutions se multipliaient. Mon père était mort du choléra, à trente-cinq ans, c'est-à-dire quatre de moins que je n'en ai maintenant, vous vous rendez compte. Ma mère se retira à la campagne et ne retourna plus jamais à Saint-Pétersbourg. Mais pour répondre à votre question, non. Ma mère est morte, mes trois frères ont été tués à la guerre, et mon pays est en train de se noyer dans le sang de son peuple.

Sans prévenir, il prit de nouveau les devants et Jeanne suivit, interloquée par ce brusque accès d'amertume. Bientôt le sentier s'élargit en chemin de terre entre les arbres.

— Mais je ne comprends pas, dit Jeanne en le rattrapant au bout d'un moment, intimidée par son silence mais désireuse de ne pas rompre le fil de l'extraordinaire monologue qu'il lui livrait depuis tout à l'heure. Si vous avez été élevé en adversaire du régime, pourquoi êtes-vous parti ?

— J'étais si jeune, dit-il avec un léger haussement d'épaules, le regard perdu droit devant lui.

Lorsque, remontant le fil tortueux de ses souvenirs, il explorait de la sorte le labyrinthe de sa mémoire, il paraissait oublier sa présence, la laissant libre de l'observer à satiété. Il avait un profil généreux, moins dominé par la mélancolie des yeux que son visage, vu de face, ne l'était.

— C'était en 1905, poursuivit-il. J'étudiais les beaux-arts à Saint-Pétersbourg, où je m'ennuyais royalement et où je languissais dans cette atmosphère de répression, hostile aux idées nouvelles, viciée par la surveillance policière, où des étudiants pouvaient être arrêtés uniquement parce qu'ils marchaient à plusieurs dans la rue. L'avenir nous paraissait sombre. Nous étions en train de perdre la guerre contre le Japon, une guerre que tout le monde avait été si sûr de gagner haut la main. Et puis, dans le froid d'un dimanche de janvier, une manifestation pacifique qui comptait des centaines de milliers d'ouvriers sans défense et sans armes a tourné au massacre. Des centaines d'hommes, de femmes et d'enfants ont été abattus en pleine rue. En réaction, des centaines de milliers d'ouvriers d'un bout à l'autre de la Russie se sont mis en grève. Beaucoup d'universités ont simplement fermé parce que les professeurs et leurs élèves étaient tous dans la rue.

« En avril, après l'anéantissement de la flotte russe par les Japonais dans le détroit de Tsushima, des émeutes ont éclaté partout. En juin, il y eut une insurrection majeure à Odessa, sur la mer Noire, une sorte de guerre civile locale entre les ouvriers, les étudiants et les révolutionnaires d'une part, et la police de l'autre. Deux mille morts plus tard, la saignée prenait fin, mais les assassinats politiques se multiplièrent. Cet été-là, ma mère, une passionnée d'histoire qui n'était que trop au fait de la barbarie et des excès sanguinaires de la Révolution française, devint persuadée qu'une révolution sanglante était imminente et que les gens réfléchis, raisonnables et soucieux du sort de leur prochain, comme elle et la plupart de ses amis, allaient être engloutis par un raz de marée de haine vengeresse, pour faire place à Dieu seul savait trop quoi. En août, alors que nous étions tous chez elle en Ukraine pour les vacances d'été, elle fit nos bagages et nous emmena à Paris, où elle m'inscrivit à l'École des beaux-arts et plaça mes frères dans une bonne école. En octobre, la Russie tout entière se mit en grève. Dans bien des parties de l'empire, les paysans se livrèrent au saccage et à la violence. Finalement, le tsar céda et accorda au peuple une part des libertés que vous, les Canadiens, prenez pour acquises et ne chérissez pas suffisamment, et surtout il donna à la Russie une assemblée consultative élue, la *Duma*, que des libéraux comme ma mère avaient longtemps revendiquée. Sur le coup ma mère exulta. Sous le fouet de l'impulsion, elle commença les préparatifs d'un retour immédiat, mais bientôt les nouvelles en provenance de Russie la persuadèrent de demeurer à Paris jusqu'à ce que le calme revienne.

« Pendant deux semaines en décembre, Moscou fut en proie à une violente insurrection. La révolte était de mauvais augure, car le gratin de la société moscovite était connu pour ses sympathies subversives, même au point de financer les révolutionnaires. La rumeur courait que les troupes de la garnison de Moscou étaient démoralisées et peut-être même capables de passer aux rebelles. La révolte fut finalement écrasée, mais pas avant qu'un millier de personnes ne soient mortes dans les rues, de nombreuses autres exécutées, et des quartiers entiers de la ville ravagés par les bombardements d'artillerie. Pendant ce temps, à Paris, nous recevions constamment des dépêches décrivant la brutalité de la répression, d'un bout à l'autre du pays, les exécutions, les pendaisons par milliers. La pacification se poursuivit pendant les premiers mois de 1906. Finalement à la fin d'avril, alors que nous étions à Paris depuis déjà huit mois, la *Duma* fut inaugurée officiellement et ma mère, renonçant à toute prudence, dans un débordement de joie, remballa ses biens, ses domestiques, les deux plus jeunes de mes frères et rentra dans son pays, pour assister, croyait-elle, à l'aube d'une ère nouvelle.

— Vous ne l'avez pas suivie ?

— Mon frère Maxim et moi sommes restés en arrière. Lui avait des examens à subir et avait déjà décidé de passer l'été chez des amis dans le Midi avant de rentrer en Russie à l'automne. Quant à moi, je n'avais aucun désir de quitter Paris. Il me semblait qu'une vie entière ne me suffirait pas pour voir tout ce qu'il y avait à voir, pour apprendre tout ce que j'avais à apprendre. J'y ai passé quatre années dans une sorte de transe, buvant beaucoup trop et peignant beaucoup trop peu. Je fréquentais là toute une coterie d'artistes, beaucoup plus iconoclastes et audacieux que moi, dont les exploits d'expérimentation m'intimidaient autant qu'ils m'exaspéraient. Ils me semblaient obsédés par la forme des choses alors que pour moi l'art s'apparente plutôt à l'astronomie. Un artiste, comme un astronome, regarde l'infini et doit se contenter de rendre compte à ses semblables des merveilles qu'il a observées avec le peu de moyens dont il dispose. Il me semblait que ces brillants esprits étaient trop absorbés par la mathématique de leur interprétation et ne se souciaient plus de rien communiquer de ce qu'ils voyaient.

Il appuya sur le mot, en se tournant vers elle pour s'assurer d'avoir été bien compris.

— Peut-être étais-je tout simplement jaloux... Si Dieu était juste, je serais né musicien. La musique a ce caractère immédiat, cette capacité de transformer l'humeur, de bouleverser les émotions ; elle comble l'esprit, elle inonde le cœur, de joie, de douleur, de tristesse, de triomphe, non pas par procuration, comme l'écriture, mais en réquisitionnant directement, sans intermédiaire, notre sens le plus intime, la voie d'accès la plus secrète à notre conscience profonde. Prenez Tchaïkovski, précisa-t-il, sur le ton d'un maître parlant à son élève. Personne n'a exprimé plus éloquemment le tourment de l'amour, l'âpreté du désespoir, la violence de vivre. Il y a des gens qui ne l'aiment pas, qui trouvent sa musique outrée. Mais la vie est outrée, outrancière, elle n'est faite que d'extrêmes de joie et de peine, de beau et de laid ! Un artiste n'est pas simplement un illusionniste, mais un oracle, un médium à travers qui une partie de la réalité se révèle. L'artiste qui n'exprime qu'une réalité strictement individuelle, dans des termes que d'autres humains ne peuvent comprendre, est un égoïste dont les œuvres sont vouées à l'oubli. Celui qui ne vit que pour lui ne se survit pas. Évidemment il y a des affinités qui font que l'on aime tel peintre, tel écrivain, tel compositeur plutôt qu'un autre. Quand cette sympathie se manifeste, la communion a lieu, autrement c'est comme essayer de trouver son chemin dans un pays dont on ne parle pas la langue. Il n'y a pas de doute que la langue que parlait Tchaïkovski était d'abord le russe.

Il était difficile à suivre, dans les méandres et les

brusques raccourcis de sa pensée, mais jamais personne, même pas Florence, n'avait parlé à Jeanne de la sorte. Elle était suspendue à ses lèvres, et plus elle buvait ses paroles, plus elle avait soif de l'entendre.

— Vous aimez votre pays, n'est-ce pas, monsieur... (L'homme lui lança un regard interrogateur.) Je veux dire Vladimir.

— La Russie que j'aime se meurt, dit-il d'un ton morose, peut-être est-elle déjà morte.

— Un soir, l'hiver dernier, j'ai dîné chez une cliente de mon mari, une femme très riche qui mène un grand train de maison. Son majordome a attiré mon attention...

Shpazhinski fit mine d'être choqué.

— Ne vous moquez pas de moi, dit-elle d'un petit air pincé, qui eut le don de le faire éclater de rire. Ce majordome ne semblait pas à sa place, il était trop distingué, trop... aristocratique. La maîtresse de maison nous a par la suite expliqué qu'il était un prince de la maison des Romanov, qui avait dû fuir la révolution, était arrivé ici sans le sou, et s'était vu obligé de se faire domestique pour gagner sa vie. Savez-vous de qui je veux parler ?

— Il doit s'agir de Dimitrov, la vieille fripouille. Il a été officier dans la première armée de volontaires Blancs, c'est un anachronisme, un monarchiste, un réactionnaire. Entre les gens de sa sorte et les Bolshéviki, la Russie va être saignée à mort. Les tsaristes veulent arrêter le temps, alors que les Bolshéviki arracheraient l'Histoire par la racine, s'ils le pouvaient. Les uns comme les autres ne se soucient pas plus des vrais besoins du peuple que de leur première chemise, et pourtant les uns comme les autres prétendent parler au nom de la Russie. Seule la Russie peut parler pour la Russie, et sa voix n'a jamais été entendue... Vous voyez, ironisa-t-il, à force de radoter je tourne en rond.

Ils avaient en effet fait le tour de la montagne et étaient revenus à leur point de départ au bout du champ qu'ils avaient traversé en sens inverse à l'allée. Jeanne éprouva un serrement de cœur en constatant que leur tête-à-tête tirait à sa fin. Devant l'écurie, il l'aida à descendre de cheval.

— Alors, dit-il en la regardant d'un air amusé, ce n'était pas si difficile que ça, on dirait que vous montez à cheval depuis toujours.

— Je vous remercie, j'ai beaucoup apprécié, Vladimir Sergeievitch.

Elle rougit profondément en prononçant le patronyme.

— Vous voyez, ce n'est pas si difficile à dire non plus, dit-il en la contemplant attentivement. Il faudra revenir, à votre retour de vacances.

— Avec plaisir, balbutia-t-elle, en perdant ce qu'il lui restait de moyens.

— Ne vous inquiétez pas, dit-il, la prochaine fois sera beaucoup plus facile.

Il la regarda reculer par à-coups l'énorme McLaughlin Buick à laquelle Mick, comme tant d'autres avocats et hommes d'affaires qui habitaient au cœur de la ville, préférait le tramway pour se rendre au bureau. Finalement, la voiture fit une sorte de bond en avant et démarra dans un crépitement de gravier.

Eaux-fortes

1.

Juin 1919

De Valera était à New York. La nouvelle était parvenue à Mick une quinzaine de jours plus tôt. Le député irlandais, président du *Sinn Fein* et de l'Assemblée nationale irlandaise nouvellement constituée, ayant quitté l'Irlande clandestinement, avait gagné l'Amérique, afin de mobiliser des appuis au mouvement indépendantiste et d'assurer la reconnaissance éventuelle d'une Irlande indépendante. Pour Michéal O'Neill la nouvelle ne venait pas une minute trop tôt. Sa vie était devenue un purgatoire depuis le matin où, deux semaines plus tôt, il s'était réveillé tout habillé sur le divan de la bibliothèque, avec un mal de tête à tout casser et, perdu dans l'épais brouillard de la nuit précédente, un vague sentiment de culpabilité dont il *savait* que sa femme était l'objet. Par contre, il ne se rappelait que trop bien la scène qu'il avait surprise la veille chez le sénateur, les joues empourprées et l'air extasié de Jeanne écoutant le boniment du Russe, et l'expression de surprise et de crainte qui était passée dans ses yeux quand il avait annoncé sa présence. Il se rappelait la colère qui s'était emparée de lui et qui l'avait tenaillé tout l'après-midi — mais de ses actes, aucun souvenir précis ne subsistait. Quoi qu'il en fût, la mine terrorisée de Gabrielle quand il l'avait croisée dans l'escalier l'avait fait renoncer à l'envie de petit déjeuner, et il était parti sans une parole à personne. Depuis lors, Jeanne était devenue plus distante que jamais envers lui. Lui, qui avant cet incident venait à peine de recommencer à visiter sa couche, se heurtait désormais à une porte close lorsqu'il montait se coucher et, penaud, devait se contenter d'un lit de fortune dans la bibliothèque. Sa femme semblait s'être profondément repliée sur elle-même, et paraissait constamment sur ses gardes. L'orgueil de Mick avait été mis à rude épreuve depuis quelque temps, et en chargeant les valises sur l'*Ocean Limited* il ne pouvait s'empêcher de se féliciter du répit que ce départ lui procurait. Le temps, se disait-il, finirait par atténuer les détails d'un incident que leur silence mutuel et l'irritation constante de se voir tous les jours ne faisaient qu'exacerber pour le moment. Une séparation tombait à point nommé pour laisser le temps faire son œuvre. Ayant décidé de se rendre à New York, où il avait convenu de rencontrer les gens de De Valera, il avait en effet annulé ses vacances de deux semaines au bord de la mer avec sa femme et son enfant, et ce soir raccompagnait Jeanne, Gabrielle et le bébé à la gare pour les mettre dans le train pour Carleton, où elles devaient passer le reste de l'été.

S'attardant sur le quai inondé d'or par le soleil couchant, il aperçut Gabrielle à la fenêtre du wagon-lit, qui tenait Catherine dans ses bras. L'enfant se tortilla de plaisir en apercevant son papa, et celui-ci, riant doucement, lui adressa un sourire attendri.

— Bye, Kit ! fit-il, en l'appelant par le surnom gaélicisé qu'il avait de longue date substitué au prénom choisi par sa femme.

Le train siffla, et la locomotive se mit puissamment en marche. Comme l'engin s'ébranlait, Jeanne se montra à la fenêtre, et les deux époux, sachant qu'ils n'allaient pas se revoir de longtemps, se sourirent, lui pour se convaincre que les choses allaient se replacer, elle pour mieux lui cacher l'état de son esprit.

Depuis deux jours elle vivait dans le trouble exquis où l'avait plongée sa visite au chemin Shakespeare, et qu'elle tâchait de prolonger en se remémorant sans cesse quelqu'une des innombrables impressions qu'elle en avait gardées. Son imagination saisissait un détail de l'après-midi passé en compagnie de Shpazhinski et s'y accrochait comme un chien à un os, léchant et mordillant, en extrayant tout le suc, jusqu'à ce que la saveur s'en émoussât et qu'un détail nouveau, fraîchement resurgi des profondeurs de sa mémoire, vînt accaparer toute son attention. Le souvenir mouvant du visage de Shpazkinski était sans cesse devant ses yeux, insaisissable superposition d'impressions fugitives, furtivement glanées. Les sensations les plus fortes de ce regard d'homme qui la débusquait, la dépouillait, de ces mains lestes le saisissant à la taille au moment de monter en selle, lui procuraient une jouissance si fine qu'elle se retenait de trop les évoquer, soucieuse d'en conserver intacte toute l'intensité. La parole, dont Shpazkinski avait été si prodigue, offrait le filon le plus riche de tous à sa rêverie. Fouillant sans relâche les moindres recoins de sa mémoire, elle découvrait encore des pans entiers de ses propos, qu'elle passait et repassait ensuite dans son esprit avec l'application d'un acteur répétant ses répliques.

Comme le train quittait la gare, elle regarda la silhouette de Mick reculer peu à peu jusqu'à l'insignifiance. Elle avait hâte de goûter la solitude de la maison de Florence, où elle avait prévu de passer tout le mois de juillet, loin de Carleton et de ses mondanités. Florence dans son testament avait précisé qu'elle souhaitait que sa maison fût mise à la disposition de sa nièce pendant un mois chaque été, et Jeanne lui savait gré de pouvoir pendant quelques semaines se soustraire à la fréquentation de sa famille, avant de réintégrer la maison de son père pour toute la durée du mois d'août. Un peu plus tard, comme le train traversait le pont Victoria pour atteindre la rive sud du Saint-Laurent, les rayons obliques du couchant allumèrent de mille feux les riches demeures sur le flanc ouest du Mont Royal, baignant d'ombre la ville répandue à son pied. Le cœur de Jeanne se contracta. Quelque part sous l'épaisse verdure de la montagne, dans le silence des bois, grimpait le sentier ombragé qui avait abrité leur promenade.

2.

Le lendemain à l'aube, Jeanne se réveilla comme Catherine commençait à s'agiter dans son moïse en osier. Elle la prit avec elle et, tirant l'épais rideau vert de sa couchette, lui donna le sein. Tout dormait encore dans le pullman. À Matapédia on changea de train pour suivre le chemin de fer de la Gaspésie, celui-là même que son père avait promis, et livré, à ses électeurs, ainsi que ses militants ne manquaient jamais de le leur rappeler à chaque élection. Comme le train enfilait la vallée en direction de la côte, Gabrielle laissa soudain échapper un petit cri de joie.

— Madame ! s'exclama-t-elle. La mer ! La sentez-vous ? Vous permettez que j'ouvre la fenêtre un peu plus grand ?

Elle s'exécuta, et alors Jeanne aussi sentit le mordant de cette odeur de sel, qui piquait ses yeux et les remplissait de larmes avant même qu'elle n'eût pleinement reconnu la vague d'émotion qui déferlait sur elle. Car ce que la brise marine avait si inopinément réveillé, avec les odeurs oubliées de son dix-huitième été, était le souvenir assoupi de ses espoirs d'alors. Son cœur, si longtemps engourdi depuis la mort de Florence, revenait à la vie dans un soubresaut de chagrin. Ce fut le moment que choisit le bébé, perché à la fenêtre dans les bras de Gabrielle, plissant le nez de plaisir dans le vent qui ébouriffait ses cheveux duveteux, pour y aller d'une série d'éternuements, ponctués de gloussements et de sourires à l'intention de sa mère. *Ce que le Seigneur vous enlève d'une main, il vous le donne de l'autre,* lui murmura à l'oreille la voix compatissante du père Jobin, qui l'avait éclairée dans les mois de noirceur, à Saint-Boniface. L'amour de son enfant était si pur, si naïf, qu'il l'arracha à la détresse dans laquelle elle croyait sombrer un instant plus tôt. Bientôt elles aperçurent au loin l'océan qui miroitait sous le soleil d'été. Florence était partie pour toujours, mais quelque mystérieuse parcelle de son amie survivait en ce bébé, qui lui ressemblait autant qu'elle-même. Elle prit l'enfant dans ses bras et la tint contre elle, l'embrassant et la caressant, jusqu'au terme du voyage.

À la gare de Carleton les attendait Théo, un frère aîné de Gabrielle, costaud gaillard d'une vingtaine d'années que celle-ci adorait. Ce dernier le lui rendait bien, et leurs retrouvailles furent aussi bruyantes que joyeuses. Après avoir chargé leurs valises sur le siège du cocher de la calèche qu'il avait achetée d'occasion dans l'espoir de tirer quelque profit de la saison touristique, il se mit en route avec ses passagères pour la maison de Florence qui se trouvait à quelque distance de là, entre les villages de Carleton et Bonaventure en suivant la côte. Dès qu'ils s'engagèrent dans la longue allée qui menait à la maison, Jeanne et Gabrielle reconnurent la silhouette blanche sur la galerie, qui agitait un mouchoir avec la dernière énergie. Rose n'avait pas vu sa fille depuis le mois de septembre précédent, alors qu'elle était partie, sous la protection de Florence, pour avoir l'enfant dont personne ici ne devait jamais soupçonner l'existence. Depuis il s'était passé bien des choses, et Rose avait enduré de longs silences, interrompus en rafales par des nouvelles désastreuses en provenance de Montréal. D'abord la mort de Florence, annoncée en chaire par le curé, puis la lettre de Gabrielle contenant l'allusion voilée mais incontournable à « Lisette, la pauvre fille que je t'ai dit », qui avait perdu son bébé à cause de l'épidémie de grippe. Elle n'avait même pas eu la consolation de pouvoir réconforter sa propre fille, et son chagrin avait été d'autant plus lourd à porter qu'il n'y avait personne auprès de qui elle eût pu s'en décharger, pas même — et dans ce cas surtout pas — le curé de la paroisse. Depuis Noël, Dieu merci, les nouvelles étaient surtout bonnes, et elle éprouvait une reconnaissance sans bornes envers Jeanne d'avoir extirpé sa fille de la fâcheuse situation où elle se fût certainement trouvée, sans son aide, à la mort de sa maîtresse. Maintenant enfin, après huit longs mois à se morfondre en cachette, la façade de sang-froid qu'elle s'était si péniblement érigée s'écroula d'un coup en voyant sa plus jeune fille descendre de la calèche de Théo avec un bébé dans les bras.

3.

Le bruit de la mer ressemblait au souffle profond et régulier d'un dormeur. Les vagues se brisaient en longs soupirs sur le sable grossier dont les grains les plus gros étincelaient au soleil. La plage ce matin était encore humide et molle sous les pas, sa surface criblée de minuscules cratères laissés par la pluie, que le vent ne tarderait pas à effacer. Depuis leur arrivée le rythme de la mer avait peu à peu imprégné son âme. La vie de Jeanne était devenue lisse et nette comme le sable, et les gens et les événements qui la peuplaient lui apparaissaient maintenant à une grande distance, comme le bleu d'encre de l'océan au lointain horizon. Ses journées suivaient le cours paisible de leurs longues marches le long de la plage lorsqu'il faisait beau, ou de leurs randonnées dans les champs quand le vent soufflait trop fort, et des heures tranquilles où la petite faisait la sieste et Gabrielle aidait Rose dans la cuisine, un régime qui n'était pas très différent de celui sous lequel Florence avait aimé vivre. Deux fois la semaine, Théo passait chercher sa mère et sa sœur pour les emmener au marché, et Jeanne avait Catherine et la maison à elle toute seule pour la journée. Assise dans la bergère à la fenêtre de sa chambre, bercée par le doux claquement du store dans la brise, Jeanne contemplait le parfait petit visage de Catherine, assoupie contre sa poitrine, ses paupières presque diaphanes, délicatement veinées, ses longs cils noirs, sa peau lisse et veloutée comme un pétale de rose. Elle n'avait jamais eu l'occasion ni, jusqu'à tout récemment, le besoin d'étudier de si près un autre visage que celui de son bébé. Maintenant elle se rappelait l'impérieux désir qui l'avait poussée à regarder Shpazkinski, à s'emplir la vue de son image, jusqu'à ce que l'empreinte en demeurât, indélébile, sur sa mémoire et sur ses sens. Après les semaines passées ici, même les images qu'elle avait le plus fidèlement entretenues s'étaient fanées, et le plaisir qu'elles lui avaient procuré s'était émoussé. Elle s'y était résignée, et son cœur depuis avait trouvé une certaine paix.

Jeanne déposa le bébé dans son berceau et descendit au salon, d'où l'on apercevait la mer. Comme toujours l'absence de Florence était palpable, dans cette pièce comme dans toutes les autres. Dans cette maison où tout demeurait exactement tel qu'elles l'avaient laissé en septembre, les meubles peu à peu perdaient la patine familière que leur conférait le souvenir. Malgré le réconfort de ce lieu où elle avait jadis goûté au bonheur, il n'offrait plus de refuge contre la solitude qui lui évidait le cœur. Jeanne erra de pièce en pièce, cherchant des yeux une trace, un indice du passage de la morte, laissant courir ses doigts sur les surfaces inanimées, que ses doigts peut-être avaient jadis caressées. Dans le minuscule studio ensoleillé, encombré de toiles et de matériel d'artiste, il lui sembla pénétrer dans une chapelle remplie de saintes reliques de celle qu'elle avait aimée. Contre le mur s'entassaient des tableaux, jamais encadrés, qui témoignaient de l'amour de leur auteur pour ce coin de pays. Combien de matins n'étaient-elles pas parties ensemble, ces deux derniers étés, émues par une certaine qualité de la lumière, ou en mal de sublime, un jour de grand vent. Florence avait étudié la peinture pendant deux ans avant de se marier, et ses tableaux avaient une élégance naïve, une clarté dans les couleurs qui rendaient admirablement la beauté de ces lieux. Parmi le bric-à-brac de vieux tubes de peinture, les gerbes de pinceaux debout dans leurs vieux pots de grès, les tablettes où se bousculaient les livres sur l'art, la poésie et les voyages, se dressait son chevalet, auquel était suspendu le vieux peignoir maculé de peinture de Florence, accroché là à la hâte, comme si celle-ci avait dû s'absenter momentanément.

Dans un coin de la pièce dormait la vieille armoire en pin où Florence rangeait ses fournitures. Jeanne l'ouvrit et y découvrit une profusion de crayons, pastels, fusains, gouaches, encres, huiles, linges, peaux de chamois, pots de toutes sortes, bien rangés sur les rayons, et, tout à fait à l'arrière, un vieux carton à dessins qu'elle voyait pour la première fois. Il était couvert en cuir brun, à coins renforcés, et attaché sur trois côtés avec du ruban de soie noir. L'une des faces intérieures portait une inscription dont l'encre était presque effacée, et qui à première vue paraissait curieusement illisible jusqu'à ce qu'elle s'aperçût qu'elle était écrite en caractères cyrilliques. Jeanne eut tôt fait de déchiffrer le nom du propriétaire. Elle passa sa main sur le cuir usé de la couverture. Le papier de la face intérieure du carton était jauni par les ans. Elle se demanda s'il datait du temps où Shpazkinski était étudiant à Saint-Pétersbourg. Elle éprouva une sorte de révérence devant ce témoin égaré de son passé, ce compagnon perdu de ses jeunes années. Il y avait quelque chose de curieusement émouvant dans ce reliquaire oublié qui languissait au fond d'une armoire dans un coin reculé de la côte gaspésienne. Le simple fait que Florence l'ait eu en sa possession en disait cependant long sur l'amitié qu'elle partageait avec celui à qui il avait appartenu. Il avait fallu qu'elle fût beaucoup plus pour Shpazkinski qu'une simple connaissance pour qu'il lui fît un cadeau de cette nature.

Toutefois, dès qu'elle se mit à feuilleter le contenu du carton, Jeanne constata que les aquarelles et les croquis au fusain qu'il contenait n'étaient pas de Florence, bien qu'elle en fût le sujet. Il y avait même une série d'esquisses du mystérieux portrait qui ornait maintenant le mur du salon de la rue Université. Mais le plus saisissant était que près de la moitié des dessins étaient des nus, d'une sensualité, d'une tendresse qui la bouleversèrent. Il lui sembla que jamais un corps de femme n'avait été dépeint de façon plus audacieuse, plus charnelle, et elle se sentit de nouveau effleurée par ce regard qu'elle avait surpris, là-haut sur la terrasse, chez le sénateur. Contrairement au sombre nocturne du portrait, la femme qu'il célébrait dans ces dessins avait toute la douceur, la gaieté que Jeanne lui avait connues, et qu'elle reconnaissait maintenant comme celles d'une femme aimée. Avec quel aplomb, quelle sérénité n'avait-elle pas habité ce corps, désormais livré aux indignités du tombeau. En regardant ces nus, languissamment vautrés dans le doux désordre d'un lit défait, Jeanne fut tour à tour saisie d'admiration, d'envie, de tristesse, de jalousie, de désespoir, de honte, et de bien d'autres sentiments qu'elle n'osait s'avouer. Elle se méprisait, elle se faisait pitié.

Florence, Florence, se lamentait-elle, je n'ai personne d'autre. Comment ai-je pu m'immiscer ainsi dans ton passé ? La paix fragile à laquelle j'étais parvenue, pratiquement par osmose, depuis mon arrivée ici vient de voler en éclats. Le besoin me poursuit, je suis hantée de questions. L'aimais-tu ? Étiez-vous amants ? Je suis honteuse, comme si je vous avais épiés par le trou d'une serrure, comme si j'avais écouté à la porte de votre chambre. Est-il possible d'être aussi radieusement soi-même devant un homme ? Pourquoi ne vois-je pas d'impudeur, seulement une belle vulnérabilité dans l'idée qu'il a de toi ? Si c'est ainsi qu'il te voyait, je ne t'en aime et ne t'en admire que plus encore qu'avant. Ainsi tu as aimé, tu as été aimée. Dieu sait combien tu le méritais. Mais alors pourquoi, si tu en connaissais les joies, ne m'as-tu pas déconseillé d'épouser quelqu'un que je n'aimais pas ? Jamais je ne me résignerai à croire que tu n'avais pas mes intérêts à cœur. Mais à quoi donc pensais-tu ? Ayant aimé, ayant été aimée, semble-t-il, ne me souhaitais-tu pas un bonheur comparable ? Maintenant, si longtemps après que tu m'as quittée, je me sens abandonnée. Quel secret jalousement gardé pourrait expliquer cette pénible énigme et rétablir la paix dans mon cœur, au moins en ce qui te concerne ? Le sait-il ? Me le dirait-il ? Tous ces après-midi passés avec toi, chez toi, et jamais la plus petite allusion à lui. Pourquoi ? Ne me pensais-tu pas digne de ta confiance ?

Il n'y avait plus rien à dire. Jeanne était épuisée, vidée. Restait à savoir quoi faire avec sa trouvaille. Instinctivement elle reconnut qu'il ne fallait pas laisser le carton ici, où il pouvait être découvert par quelque pieux et bien-pensant parent du défunt mari de Florence, compte tenu du fait qu'elle s'était donné tant de mal pour garder ses relations avec Shpazkinski, quelles qu'elles fussent, secrètes de son vivant. Il n'y avait rien d'autre à faire que de les rendre à leur propriétaire avec le moins de cérémonie possible. Il n'y avait aucune raison que son mari ou qui que ce soit d'autre soit informé des détails intimes de la vie amoureuse de sa tante. La principale difficulté était la grosseur du carton. Il serait impossible à dissimuler et serait tout de suite remarqué parmi ses bagages, à moins qu'elle n'en fît carrément étalage. Si sa mère ou Mick la questionnaient, elle n'avait qu'à répondre que Florence le lui avait donné des années auparavant, mais le gardait dans sa maison au bord de mer en prévision de leurs excursions estivales. Par mesure de sécurité elle alla jusqu'à insérer quelques aquarelles de son cru, en plus d'une bonne épaisseur de grandes feuilles vierges, à l'avant et à l'arrière du carton, et le rangea soigneusement dans l'armoire de la chambre à coucher de Florence, qu'elle occupait depuis son arrivée.

4.

New York, juillet 1919

La porte du logement s'entrebâilla et un visage d'homme apparut, dont les yeux considéraient le visiteur avec circonspection.

— Oui ?

— Michéal O'Neill, de la section de Montréal.

La chaîne tomba et la porte s'ouvrit tout à fait.

— Entrez, entrez, nous vous attendions. Je m'appelle Sean Lynch, dit l'homme, qui parlait avec un fort accent new-yorkais.

Mick pénétra dans une grande pièce au fond de laquelle deux longues tables avaient été mises bout à bout. Un tricolore irlandais, vert, blanc et orange, ornait le mur.

— L'adjoint de M. de Valera s'embarque pour Dublin cet après-midi. Il devrait arriver incessamment.

Presque aussitôt, on frappa à la porte. Lynch alla ouvrir et fit les présentations.

— Liam O'Neill, Michéal O'Neill, de la section de Montréal.

— O'Neill, vous dites ? fit le nouveau venu en serrant la main de son homonyme.

C'était un jeune homme dans la vingtaine, grand et puissamment bâti, avec une bonne poignée de main.

— Savez-vous d'où votre famille est originaire ?

— De Cork, répondit Mick. Mon grand-père venait de là.

— Figurez-vous, moi aussi je viens de là, s'écria le jeune *Sinn Feiner* dont le très fort accent, bucolique et chantant, épata son homonyme canadien. Quand votre grand-père est-il arrivé au Canada ?

— Il a quitté l'Irlande pendant une des famines, en 1832.

— Intéressant, ça. Mon propre grand-père a fait le voyage cette année-là, mais il n'est pas resté. Il avait pris le bateau avec son frère, mais ils se sont querellés à bord pendant le voyage. Une fois arrivés de l'autre côté, ils se sont séparés, et mon grand-père a fini par revenir au pays. Ironiquement il est mort pendant la Grande Famine.

— C'est incroyable, s'exclama Mick. Il y a de fortes chances pour que votre grand-père et le mien aient été frères : le mien a fait la traversée dans des circonstances identiques. On s'est toujours demandé dans la famille ce qu'il était advenu de cette branche-là.

En parlant les deux hommes s'étaient dirigés vers la table du fond, où Mick venait de déposer la serviette en cuir qu'il transportait depuis son départ de Montréal, la veille au soir.

— Je suis heureux de pouvoir vous remettre, au nom de la communauté irlandaise de Québec et de Montréal, une première contribution de 20 000 dollars au Fonds républicain irlandais, déclara Mick en remettant la serviette entre les mains de son « cousin », qui en examina le contenu avec un petit sifflement admiratif.

— C'est Mick Collins, le ministre des Finances, qui va apprécier ! C'est une magnifique contribution. L'Irlande vous en sera éternellement reconnaissante.

— Comment vont les choses, là-bas ?

— L'armée britannique accroît sans cesse ses effectifs sur le terrain, et les arrestations se multiplient. La Couronne britannique n'a rien d'autre à offrir aux Irlandais que l'occupation armée. Le gouvernement est en train de radicaliser l'opinion au point que *Sinn Fein* n'a jamais joui d'autant d'appuis dans la population. Même les prélats de l'Église catholique ont déclaré le mois dernier que la seule façon de résoudre le conflit était de mettre fin à la domination armée de l'Irlande, en réclamant qu'on laisse les Irlandais choisir eux-mêmes le gouvernement sous l'autorité duquel ils souhaitent vivre. Et dire qu'en 1916 presque personne ne nous appuyait...

5.

Bonaventure, août 1919

Comme chaque été, la maison était pleine de nonnes, quatre cette année, que Madeleine Langlois avait réussi à attirer hors de leur couvent d'Ottawa pour lui servir de dames de compagnie pour les vacances. Tôt chaque matin on les entendait bruire dans l'escalier, en route pour la messe, et leur présence divertissait à ce point la maîtresse de maison qu'elle laissait les autres membres de la famille dormir jusqu'à leur retour de l'église. En plus des religieuses, de Jeanne, de la petite Catherine et de Gabrielle, la maison cette année-là comptait également une nouvelle pensionnaire. Elle se nommait Claire et, bien qu'elle eût quatorze ans bien sonnés, on ne lui en eût guère donné plus de dix. Elle était pâle et chétive et prématurément voûtée, et son petit visage cireux était couvert de cicatrices. Enfant elle avait été constamment battue par son ivrogne de père, et plus tard, quand celui-ci avait finalement déserté la famille, elle avait été abandonnée sur les marches du cloître des religieuses des Cinq Plaies à Ottawa, une congrégation avec laquelle la mère de Jeanne entretenait des liens, par les bons offices du père Plantin. C'est là qu'à l'âge de huit ans on l'avait retrouvée, recroquevillée dans un coin du portail. Par la suite, il avait été suggéré à Madeleine Langlois qu'elle pouvait s'acquitter d'une bonne action retentissante en adoptant l'orpheline. Ce qu'elle avait fait avec l'empressement d'un politicien qui vous fait une faveur, moyennant tôt ou tard un retour d'ascenseur. Dans ce cas la dette lui serait remboursée plus tard, par Dieu Lui-même. Ce calcul comptable expliquait en partie la façon dont elle traitait la fillette. Dès l'instant où celle-ci était entrée chez elle, elle ne s'était jamais lassée de lui rappeler sa dette envers sa mère adoptive et la société tout entière. La pauvre fille, élevée au régime le plus strict de travail et de prière, occupait dans la maisonnée un rang bien inférieur à celui de la plus humble servante qui, au moins, touchait des gages. Néanmoins, la vue de l'enfant trouvée peinant constamment à la tâche, lavant, frottant, astiquant, récurant, blanchissant, amidonnant, repassant, reprisant, ne constituait aux yeux de sa bienfaitrice que l'éloquent éloge de sa propre vertu, et ne suscitait jamais de la part des religieuses en visite qu'une appréciation admirative : « La petite est en train de se mériter une place en paradis », murmuraient-elles d'un ton approbateur lorsqu'elles la croisaient en s'en allant à la plage. On les y voyait souvent, voiles au vent, leurs longs habits remontés autour des mollets, pataugeant dans les vagues et riant comme des fillettes en montant dans le petit bateau de pêche qui les emportait pour l'après-midi. Leur présence bénigne et discrète ne dérangeait personne, et Charles Langlois lui-même ne voyait pas d'inconvénient à ce que sa maison fût convertie chaque année en monastère de fortune. Elles tenaient Madeleine occupée, ce qui la rendait heureuse, de sorte qu'elle le laissait en paix — la plupart du temps.

— Avec tout le respect que je vous dois, disait Mick d'un air contrarié, je suis sûr que je n'ai pas besoin d'énumérer les raisons pour lesquelles je n'assisterai pas.

Il offrit une cigarette à son beau-père et lui lança un regard franc et direct. Les deux hommes étaient debout sur la véranda et, en parlant, contemplaient la mer.

— Je comprends très bien, Mick, lui répondit son beau-père avec indulgence, mais je te conseillerais, si tu me permets, de ne pas trop en faire état. Tu conviendras, je crois, que ce genre d'opinions peut nuire à tes ambitions politiques. Trouve un prétexte crédible et tiens-t'en à cette explication. Ce ne sera pas de tout repos, tu sais. Toute la ville va se faire voir à cet événement. Les absents seront remarqués.

— Charlie ! Ça sent le tabac ici ! retentit une voix féminine à l'intérieur de la maison.

— Viens, allons nous asseoir sous la pergola. Il y a une bonne brise cet après-midi.

Mick O'Neill avait toujours admiré la dignité tranquille que parvenait à préserver son beau-père dans ces situations. Malgré le harcèlement dont il faisait l'objet, il demeurait infroissable, comme son costume d'été d'un blanc immaculé, toujours parfaitement pressé même les jours de grande humidité. Il se déplaçait sans hâte, avec une majesté de géant, comme si l'idée de sortir prendre l'air à ce moment-là lui était venue tout naturellement. Ils se dirigèrent vers le petit abri tout parfumé de rosiers grimpants. Le député prit place dans une berceuse en rotin face à la mer, et fit signe à son jeune collègue de s'asseoir.

— Dieu seul sait pourquoi une ville française comme Montréal voudrait se mettre en frais pour voir le prince de Galles, maugréa le jeune homme ; c'est un comportement de peuple conquis qui baise les bottes du conquérant, même pas, de ses descendants.

— Tu sais aussi bien que moi, répondit Charles avec son équanimité coutumière, que c'est la Couronne qui est notre meilleure protection contre les racistes et les bigots. C'est elle qui garantit nos droits linguistiques et religieux, c'est elle qui nous sert de rempart, tant contre les Orangistes que contre les Américains. Les gens d'ici le savent, et ils veulent s'assurer de bien rappeler au futur roi les devoirs et les responsabilités très spécifiques dont il héritera en ce qui les concerne.

— Qu'à cela ne tienne, répliqua son gendre avec sarcasme, je reviens de New York où j'ai eu l'honneur de m'entretenir avec des gens qui ont une longue expérience de la Couronne et de sa magnanimité. Elle vient d'en donner une preuve de plus en interdisant l'Assemblée nationale dûment élue par le peuple irlandais.

— Tu as droit à tes idées, Mick, et tu sais que je les respecte. Mais suis mes conseils et garde tes convictions pour toi. L'opinion publique en ce moment est très enthousiaste et favorable à cette visite et à ce prince. Le Canada français a beau avoir refusé la conscription, le fait demeure que la guerre est finie, et que nous l'avons gagnée. Les Canadiens français sont nombreux à avoir donné leur vie pour défendre une cause que l'histoire déclarera juste. Notre pays est encore dans sa petite enfance. Il va avoir besoin d'hommes intelligents et passionnés comme toi pour le mener à maturité, mais d'hommes qui auront suffisamment de vision et de compassion, qui seront capables de voir suffisamment loin pour sortir nos peuples des ornières de leur passé, pour les aider à transcender les limites qui leur ont été imposées par la tradition et les accidents de l'histoire. Il importe assez peu, en fin de compte, que tu sois présent ou non, le 2 septembre. Cette escale à Montréal a été rajoutée plutôt tardivement, à la demande expresse de Son Altesse Royale le prince lui-même. Il semble avoir plus de flair politique, en dépit de sa jeunesse et de son inexpérience, que nos propres fonctionnaires chargés du protocole, puisqu'il a jugé malavisé d'omettre Montréal dans l'itinéraire de son voyage dans l'ouest, même s'il est prévu qu'il doit y repasser plus tard. D'ailleurs, lorsqu'il reviendra, il y aura des cérémonies publiques auxquelles toi, en tant que mon gendre, et Jeanne, en tant que ma fille, serez invités. Ce que tu ne veux pas, c'est que dans dix ans quelque obscur Orangiste de l'Ontario mette en doute ta loyauté envers la Couronne en évoquant une vétille vieille d'une décennie. En politique, comme tu sais, mieux vaut ne rien laisser au hasard.

Mick tira une puissante bouffée de sa cigarette et répondit, sur un ton moins belliqueux toutefois :

— Je vous remercie de vos conseils. Je peux vous assurer

que je ne les prends pas à la légère. Je me ferai un plaisir de lire vos discours dans les journaux.

— Un jour, mon garçon, c'est peut-être à toi qu'on demandera de prononcer un discours pour accueillir un futur roi dans la métropole. En attendant, essaie d'éviter de perdre de vue tes objectifs à long terme. Et Jeanne, est-ce qu'elle prévoit d'y aller, sais-tu ? ajouta Charles Langlois avec un geste en direction de la plage jonchée d'algues où sa fille lisait, à l'abri d'un parasol.

— Elle est libre de faire comme il lui plaît. J'imagine qu'elle ira. Elle n'est pas nécessairement au courant de tous mes faits et gestes, ajouta-t-il avec raideur.

— C'est peut-être mieux ainsi. Bon. En tout cas, si elle vient, elle sera certainement vue. Regarde-la. Qui ne la remarquerait pas ? dit Charles Langlois avec fierté.

Mick hocha la tête en signe d'assentiment, mais l'idée l'en importuna, comme sa vieille blessure les jours de pluie.

Sortilèges

1.

Le 2 septembre 1919, une aube grise et brumeuse se leva sur Montréal, dont la population s'apprêtait à accueillir le prince de Galles, lors de sa brève escale avant de repartir pour l'Ouest canadien. Il y avait de l'enthousiasme dans l'air pour ce vainqueur, au nom duquel tant de Canadiens s'étaient si vaillamment battus. L'euphorie de la victoire ne s'était pas complètement dissipée, et dans tous les quartiers, le long du parcours de quarante miles que devait suivre le cortège princier, les maisons arboraient fièrement l'*Union Jack*, ainsi que les autres drapeaux alliés. Longtemps avant neuf heures une foule immense se massait déjà devant la gare Windsor, tandis que le carillon de l'église Saint-George toute proche jouait des airs patriotiques. À dix heures précises le train du prince de Galles, avec son énorme locomotive ornée à l'avant de ses armoiries et, de part et d'autre, des deux étendards royaux, entra lentement en gare. L'on ouvrit les grilles et le maire de Montréal, accompagné de dignitaires civils, militaires et religieux, remonta le quai. Le prince, jeune et svelte, en *sack suit*[1] gris et feutre mou assorti, apparut à la porte de son wagon particulier et, les apercevant, en descendit aussitôt. L'on procéda aux présentations d'usage...

---

1. *Sack suit :* costume en tweed, de voyage ou de détente, à veston non ajusté.

2.

La cour de l'écurie était déserte. Jeanne descendit de voiture, ramassa le carton à dessins, hésita, puis le coucha de nouveau sur la banquette et ferma la portière. Une torpeur profonde régnait sur les bâtisses trapues dans la chaleur exubérante de cette fin d'été. L'air silencieux vibrait de chants d'insectes. La porte du petit bureau était ouverte, mais il n'y avait personne à l'intérieur. De l'entrée de la sellerie elle entendit le doux reniflement des chevaux dans les box avoisinants. Elle pénétra dans la fraîcheur de l'écurie, et ses yeux, privés de la lumière éclatante du dehors, lui firent momentanément défaut. Avançant à tâtons dans la demi-obscurité, elle remonta lentement la rangée de box, où l'on devinait l'imposante présence de chevaux silencieux. Peu à peu elle distingua, venant du fond de l'écurie, un chuchotement, ponctué d'un frottement rythmé. Elle frissonna. Shpazhinski occupait depuis si longtemps une telle place dans ses pensées qu'au moment de se retrouver physiquement devant lui une sorte de terreur s'emparait d'elle. Tout l'été durant elle avait répété la scène dans son esprit, mais, maintenant qu'il s'agissait de passer aux actes elle se rendait compte, trop tard, que, contrairement à ces mises en scène imaginaires, la réalité était volatile et totalement imprévisible.

Le dos tourné, il était en train d'étriller la jument alezane, en la flattant et lui parlant tout bas d'une voix câline. Jeanne recula imperceptiblement. Le box était éclairé d'un jour poussiéreux qui entrait par une petite fenêtre carrée. L'odeur puissante et riche de cheval et de paille fraîche, d'avoine, de cuir et de crottin lui monta à la tête. Elle resta quelques instants de plus à l'observer tandis qu'il passait ses mains le long du flanc et de la croupe de l'animal, qui frémissait imperceptiblement à son toucher.

— Vous les pansez toujours vous-même ? dit-elle enfin d'une voix vacillante, de peur qu'il ne la surprît en train de le dévisager.

Shpazhinski se retourna et lui lança un regard interrogateur, mais se dérida aussitôt en la voyant rougir jusqu'à la racine des cheveux.

— Seulement Lara, répondit-il, de bonne humeur. Ça lui calme les nerfs avant de sortir.

— Je m'excuse, je suis un peu en avance, je...

— Mais non, venez, dit-il.

Ses yeux, qu'il avait aussi grands que ceux d'un enfant par rapport au reste de son visage, avaient une profondeur mélancolique, même quand le rire les éclairait. Jeanne ne pouvait en soutenir très longtemps le regard.

— Vous me tiendrez compagnie pendant que je la selle, renchérit-il. Vos vacances ont été bonnes, j'espère ?

— Reposantes, oui, répondit-elle, la gorge nouée par la timidité. Et vous ?

— Tenez, j'ai lu le discours de votre père, ce matin, dans *La Presse.*

— Il n'a pas pu le prononcer, vous savez. Le temps a manqué. Le défilé dans les rues de Montréal a mis plus longtemps que prévu, à cause des foules, si bien que finalement il n'y a eu de temps que pour le discours du maire.

— C'était un excellent discours tout de même. Vous devez être fière de lui.

— Oui, il faisait partie des dignitaires qui ont participé au lunch en l'honneur du prince, au chalet du Mont Royal. Je suis allée à la gare Windsor le matin, juste pour le plaisir. Papa était sur le quai avec le maire et les autres, pour accueillir le train.

— Et vous avez rencontré Son Altesse Royale ?

— Oh non ! Je ne faisais pas partie de la délégation, j'étais dans la rue comme tout le monde ! Vous auriez vu la foule, c'était incroyable, on criait, on se bousculait, rien que pour apercevoir le prince le temps qu'il monte dans sa Rolls-Royce, surtout quand la grande majorité des gens qui étaient là a voté contre la conscription. D'après tout ce que j'ai lu et entendu, c'était du délire partout où il est allé.

— Les gens ont besoin d'avoir des dieux, dit Shpazhinski en glissant délicatement le mors dans la bouche de la bête. Même les Bolshéviki le comprennent très bien. Ils se sont débarrassés du tsar, faillible petit dieu de chair et d'os, et ils l'ont remplacé par l'Histoire, une divinité bien plus cruelle et inexorable mais, selon eux, merveilleusement prévisible. Grâce à elle, la tyrannie se porte de nouveau très bien en Russie...

Il fronça les sourcils et, paraissant momentanément se désintéresser de leur conversation, se mit à caresser le nez de velours de la jument. Puis, laissant là l'alezane, il alla chercher Pouchkine qui attendait dans son box, déjà tout harnaché, resserra sa sangle, ajusta les étriers. Lorsque Jeanne le vit revenir, menant le grand cheval gris par la bride, son silence commençait à lui peser. Pourtant l'instant d'après, l'aidant à monter en selle, il lui adressa un regard dont l'audace fondit comme un épervier sur son cœur.

Ils se mirent en route et aussitôt Jeanne se sentit assaillie de sensations délicieuses : la chaleur du soleil qui pétrissait son dos, le chant stridulant, hypnotique des cigales, le sifflement d'un oiseau à la lisière du bois, le rutilement d'un tremble, tout frissonnant dans la brise chaude, puis, passant du trot au galop à travers champs, la puissance de la bête entre ses jambes, et, comme une clameur qui montait de son sang, le tonnerre des sabots sous elle, martelant la terre de sa joie.

— J'ai passé le mois de juillet dans la maison de Florence, hasarda la jeune femme en se rangeant derrière son compagnon sur le sentier qui menait dans le bois.

— Ah ? dit-il, sans tourner la tête.

Jeanne devina de nouveau la zone d'ombre où elle entrait chaque fois qu'il était question de sa tante.

— Il a fait un temps superbe, poursuivit-elle bravement. J'ai trouvé un exemplaire de *L'Idiot* sur les rayons de la bibliothèque. C'était la première fois que je lisais du Dostoïevski.

— Ah ! le prince Mychkine, et Rogozhine, déclama Shpazhinski avec sarcasme. Le saint et la brute, les deux extrêmes qui se disputent l'âme russe. C'est le pays au monde où l'idéalisme le plus noble côtoie la barbarie la plus vile, ajouta-t-il, morose.

Ils poursuivirent leur promenade en silence, en file indienne dans le sentier ombragé. Shpazhinski paraissait soudain de mauvaise humeur, et Jeanne resta derrière, en attendant que le moment passe.

— Vous avez bien connu ma tante, n'est-ce pas, Vladimir Sergeievitch ? demanda-t-elle enfin, de but en blanc, en le rattrapant comme ils atteignaient le bord de la petite clairière.

— C'est exact, répondit-il en la regardant calmement dans les yeux.

Jeanne se sentit rougir de plus en plus. Elle baissa la tête et empoigna plus fermement les rênes, consciente de l'énormité de l'indiscrétion qu'elle était sur le point de commettre. Puis soudain elle atteignit le point de non-retour dans son esprit : sa question en était une à laquelle seule Florence eût pu répondre.

— Elle me manque encore tant, dit-elle, levant les yeux pour rencontrer les siens.

— Elle vous était très attachée, répondit-il, sur ses gardes, retranché dans quelque avant-poste de sa mémoire.

Il pressa son cheval qui prit de nouveau les devants. Ils débouchèrent sur le chemin de terre qui ceinturait le sommet de la montagne. Le chemin s'élargissait et l'enchevêtrement de branches au-dessus de leurs têtes s'éclaircissait, laissant apercevoir le bleu du ciel. Jeanne sentit l'anxiété qui opprimait sa poitrine se dissiper au soleil glorieux de septembre.

— Saviez-vous, fit Shpazhinski en se retournant vers elle, que le compositeur que Tchaïkovski admirait entre tous était Mozart ?

— Mais leur musique est si différente... Celle de Tchaïkovski est si...

— Chargée d'émotion ? Tchaïkovski était un homme qui souffrait, et il a déversé ses souffrances dans sa musique. Pour lui la musique était une façon de se purger de son mal. Celle de Mozart est comme une vision platonique de la perfection. Tchaïkovski aussi était amoureux de la beauté, mais il ne jouissait pas comme Mozart d'une relation intime avec elle. Tchaïkovski était tourmenté, tyrannisé par son idéal, qui le poussa même à détruire certaines de ses œuvres au complet, tant elles lui faisaient horreur. Alors que Mozart composait tout d'un trait, sans jamais changer une seule note... Tenez, quand nous rentrerons, ajouta-t-il en désignant de la tête le groupe de bâtiments tapis au bas du champ qui s'ouvrait devant eux, j'ai quelque chose à vous montrer qui vous intéressera.

Jeanne tressaillit en repensant au carton à dessins. Elle se demanda si elle oserait le lui donner, en même temps que le secret qu'il renfermait et qu'elle révélerait du même coup avoir violé. De retour à l'écurie, ils descendirent de cheval et laissèrent leurs montures s'abreuver au grand bac en bois près de la porte. Tandis que Shpazhinski disparaissait dans son bureau, Jeanne demeura dans la cour. Le soleil tapait. Elle était en nage, et la poussière, soulevée par un vent brûlant, lui collait à la peau. Bientôt Shpazhinski reparut, tenant un grand livre carré sous le bras.

— Tenez, dit-il en le lui tendant. Je vous le prête. C'est un cadeau qu'on m'a fait, j'y tiens beaucoup. Je sais que vous saurez l'apprécier.

C'était un album de disques de gramophone intitulé *Les Grands Chefs-d'œuvre — Tchaïkovski — Les Dernières Symphonies.*

— Merci, Vladimir Sergeievitch... balbutia-t-elle.

Elle leva les yeux et fut tout de suite happée avec tant de force par son regard qu'elle eut un instant l'impression de perdre pied. Alors, rassemblant tout le courage qui lui restait, elle parvint à poursuivre :

— Vladimir Sergeievitch, moi aussi j'ai quelque chose à vous remettre... dans ma voiture... Je ne sais pas si j'ai bien agi, mais je l'ai trouvé cet été dans le studio de Florence et... j'ai pensé que vous voudriez le ravoir.

Il reçut ce renseignement avec la plus complète impassibilité. Son regard parut refluer en lui-même, bien que son expression n'eût rien de voilé ou de dissimulateur. C'était comme s'il avait élevé entre eux une paroi de verre. Il semblait pouvoir se cacher tout en demeurant complètement à découvert. La capote de la voiture était baissée et Jeanne n'avait qu'à tendre le bras pour ramasser le carton à dessin sur la banquette. Elle avait la bouche sèche, l'estomac contracté. Elle eût voulu disparaître sous terre. Mais Shpazhinski avait déjà aperçu le carton.

— Vous permettez ? lança-t-il pour la forme, le saisissant lestement et commençant à en dénouer les attaches.

— Elles sont très belles, murmura-t-elle tandis qu'il examinait le contenu du carton.

Il leva brusquement les yeux, comme s'il avait momentanément oublié sa présence, et sourit.

— Vous pensez vraiment ? dit-il en l'attrapant par le menton d'une main légère.

— Oui, murmura-t-elle, complètement désemparée.

Il la libéra et lui tapota doucement la joue.

— J'ai... aussi, bredouilla-t-elle, le portrait que vous avez peint d'elle... Elle l'a laissé à mon père, mais il me l'a donné... Je n'avais aucune idée... Il n'était pas signé... Si vous le voulez je vous le rendrai avec...

— Vous ne l'aimez pas ? dit-il, en maintenant son regard fermement rivé sur le sien.

— Mais si, protesta-t-elle faiblement, en baissant les yeux, je vous assure, je l'ai toujours trouvé si mystérieux, si peu comme la Florence que j'ai connue, et en même temps si ressemblant...

— Je suis content que vous le voyiez comme ça, dit-il, à l'évidence amusé par ses commentaires, mais sans condescendance. C'était une plaisanterie. Elle voulait un portrait d'elle en femme fatale, alors vous voyez, j'ai peut-être réussi à exaucer son vœu. Mais gardez-le, ajouta-t-il pour l'encourager, si vous l'aimez je suis heureux.

Il n'avait l'air ni bouleversé, ni irrité, ni de lui en vouloir, ni même mal à l'aise, ainsi qu'elle se l'était tour à tour imaginé chaque fois qu'elle avait essayé de prévoir sa réaction quand enfin elle lui rendrait son carton à dessin. Ayant survécu indemne à l'ordalie de la confession, Jeanne éprouvait un immense soulagement de ce qu'il lui pardonnât si facilement cette intrusion dans son passé. Prenant congé, elle lui tendit la main, qu'il attrapa au vol et ne relâcha pas immédiatement.

— C'est très gentil à vous de vous être donné ce mal, dit-il enfin en désignant le carton qu'il tenait sous son bras.

Elle monta dans sa voiture.

— Revenez vite ! lui lança-t-il.

3.

En la regardant lentement s'éloigner, le visage de Shpazhinski retrouva l'expression grave, voire mélancolique qui lui était naturelle au repos, et qu'il avait rarement dans ses conversations avec d'autres, grâce à l'exceptionnelle mobilité de ses traits. Cette fille le remuait. Le chagrin du deuil l'avait condamné au célibat pour la première fois en vingt ans. Depuis sa prime jeunesse il y avait toujours eu des femmes dans sa vie. Jeanne O'Neill, à cause de son innocence, de sa naïveté, lui faisait penser à ses vingt ans. Il évoqua le souvenir de Nadia, sa première maîtresse, une redoutable beauté pour qui l'amour n'était qu'un passe-temps bourgeois et sans intérêt, et dont toute la passion et toutes les énergies étaient consacrées à faire la révolution. Leur liaison s'était terminée par une violente dispute, peu de temps après quoi il avait été arrêté et questionné par des agents de l'Okhrana. Dieu merci, et à son éternelle honte, son grand-père avait tiré des ficelles au ministère de l'Intérieur et promptement obtenu sa libération... Mais il n'y avait chez Jeanne aucune dureté. Elle était innocente et pure, et en même temps elle débordait de passion contenue. Elle lui faisait penser à un fruit mûr, qui tombe de lui-même si personne ne le cueille. Pourquoi ne le cueillerait-il pas ? Il n'avait qu'à tendre la main, qu'à la toucher pour qu'elle lui tombe dans les bras. Elle n'était encore qu'une jeune fille, hésitant sur le seuil de sa vie de femme. Ce n'était certainement pas son petit roquet de mari qui aurait su éveiller sa sensualité. Il connaissait bien ce genre d'homme — dur à cuire, ambitieux, fondamentalement dérouté par les femmes, ne les trouvant pas suffisamment intéressantes pour se donner la peine de comprendre celle qu'il avait épousée. Mais assez soupçonneux et jaloux, il l'avait lui-même constaté, pour ne pas rester là comme un empoté à regarder son bien le plus cher, entraîné par la seule attraction de la pesanteur, lui choir des mains dans les bras d'un autre. Pour Jeanne O'Neill il ne pouvait être question d'une de ces liaisons discrètes, sur laquelle le mari offensé ferme tacitement les yeux, tant pour sauver les apparences que pour ne pas avoir à se compliquer la vie. On n'était pas ici dans le grand monde cynique et blasé de Saint-Pétersbourg mais au Québec, bastion des curés et du catholicisme inquisitorial, où l'amour physique était un péché honteux dont on ne chuchotait que dans le secret du confessionnal, ou alors, une fois sanctionné par le mariage, la nécessaire indignité à laquelle une femme devait se soumettre pour mériter la joie d'avoir des enfants. Où le moindre relent de scandale entraînait une sentence définitive d'ostracisme. Même Florence, qui selon les normes sociales en vigueur était une veuve d'un âge respectable, avait été obligée de prendre des précautions draconiennes pour protéger leur liaison des commérages qui leur eussent à toutes fins pratiques interdit de se voir. Ils n'avaient d'ailleurs jamais réussi à passer beaucoup de temps seuls ensemble, songea-t-il, le souvenir de leurs rendez-vous furtifs lui revenant, doux-amer. Ils n'avaient bénéficié que de rares occasions d'assouvir leur besoin l'un de l'autre, toujours à son appartement dans un quartier anonyme de la ville. Elle posait pour lui et lui, jetant son filet de traits et de lignes, tentait de capturer l'insaisissable. Le carton à dessins avait ressuscité en lui le souvenir encore vif d'un après-midi d'hiver. Il se revit étendu dans ses bras, le corps engourdi par le plaisir, le visage blotti contre cette épaule fragile, tout entier lové dans l'étreinte de ses longues jambes fines, dans la chaleur de son sexe, tout imprégné de son parfum de femelle, ivre d'elle... Comme elle lui avait manqué, depuis presque un an déjà... Et maintenant cette jeune biche, qu'elle chérissait et qu'elle eût voulu protéger, cette Jeanne qui lui ressemblait comme une jumelle, il se voyait très bien perdant la tête pour cette enfant — il avait soif d'ivresse, par ennui, comme on a envie de vodka. Vingt ans plus tôt il eût joyeusement vidé cette bouteille-là sans une arrière-pensée, mais tout était changé maintenant, les règles du jeu étaient si différentes ici, il ne pouvait en résulter qu'un grand malheur. Il soupira profondément et refoula ces pensées jusqu'au fin fond de son esprit.

4.

Jeanne agrippait le volant dont le cuir glissait dans ses mains moites. Des gouttelettes de sueur lui dégoulinaient entre les omoplates, l'émotion lui crispait le ventre. Elle n'était que vaguement consciente de la route devant elle et tressaillait violemment chaque fois qu'elle revenait à l'instant présent et se rendait compte qu'elle ne prêtait pas la moindre attention à ce qu'elle faisait. Elle assistait sans le savoir à la naissance d'un sentiment pour lequel elle ne possédait d'autre point de référence que les sombres prédictions, tant de fois rabâchées, du châtiment qui attend ceux qui succombent au péché. En elle le désir avait couvé si secrètement qu'elle n'avait jamais pensé à lui donner un nom, encore moins à en peser les conséquences, jusqu'à aujourd'hui. Shpazhinski à présent trônait comme un saint, comme une icône sacrée dans la chapelle ardente de son imagination, et les disques de gramophone qu'il lui avait prêtés étaient ses reliques, ses talismans, dotés du pouvoir de le faire apparaître. Son cœur battait d'allégresse : il existait, il vivait, Dieu était bon. La Providence l'avait mis sur son chemin, le lui avait envoyé. Comment expliquer autrement l'élévation du sentiment qu'elle ressentait, la gratitude envers le sort dont son cœur débordait ? Elle se rendait compte que jusqu'à ce jour elle n'avait jamais vraiment cru profondément en quoi que ce soit. Maintenant elle était persuadée du caractère sacré de ce qu'elle éprouvait, et cette croyance était aussi dépourvue de doute et de honte que la foi d'un hérétique. D'ailleurs, l'idée d'hérésie lui plaisait, à cause de la solidarité qu'elle ressentait soudain à l'égard de ceux que la société a maudits. Shpazhinski l'exilé était de ceux-là, et l'idée de se découvrir, même obscurément, un lien commun quelconque avec lui la galvanisait. Le temps perdait toute cohésion : une moitié d'elle-même s'accrochait à ce passé tout neuf, s'y attardait, cherchant à en prolonger le sortilège, tandis que l'autre partie d'elle-même fuyait en avant, aiguillonnée par la curiosité et le pétrifiant espoir de le revoir.

5.

Jeanne dut attendre avant de pouvoir mettre le talisman de Shpazhinski à l'épreuve, car il était déjà tard lorsqu'elle rentra. Il fallait se dépêcher d'enlever son habit d'équitation, de se baigner à cause de l'odeur de cheval sur son corps et dans ses cheveux. Pour une fois elle remercia le Ciel de l'âcre relent de fumée de cigarette qui imprégnait en permanence la maison. Un silence bienfaisant régnait. Gabrielle n'était pas encore rentrée de sa promenade quotidienne avec le bébé, et Georgette allait bientôt commencer à préparer le dîner. En montant dans la longue baignoire à pattes, Jeanne se rappela les misérables bains de sa jeunesse, qu'il fallait prendre en chemise de nuit sur les ordres de sa mère, de crainte qu'elle n'aperçût quelque partie de son propre corps. Elle n'avait pas non plus oublié combien elle grelottait en tentant de son mieux de s'essuyer, puis d'enfiler des sous-vêtements secs sous l'étoffe trempée et glaciale qui lui collait à la peau. Elle se rappela la première fois qu'elle avait osé se dévêtir et entrer nue dans l'eau, et l'anxiété qu'elle en avait éprouvée. Elle avait mis des semaines avant de pouvoir se détendre dans son bain, avant de surmonter la crainte absurde qu'on la prît sur le fait, même avec la porte fermée à double tour. Elle réagissait encore instinctivement en cherchant son peignoir si d'aventure quelqu'un passait dans le couloir pendant qu'elle se baignait. Mais pas aujourd'hui. Jamais sa nudité ne lui avait paru aussi saine, jamais elle n'avait eu autant l'impression de communier avec l'eau, de s'y fondre, sans plus savoir où celle-ci finissait et où son propre corps commençait. Le sentiment de sa propre existence était si fort en elle qu'à cet instant elle eut le sentiment que la mort ne pouvait en être que l'affirmation suprême, désincarnée, transparente, illimitée. Elle flottait, portée sur un bonheur fragile, répétant tout bas le beau diminutif russe qu'elle avait trouvé, inscrit d'une main qu'elle connaissait bien, sur la pochette de l'album qu'il lui avait prêté : *Pour Volodya, tendrement, F.* Beau comme le nom d'un fleuve ou d'une chanson, le nom secret dont elle baptisait son obsession, l'incantation par laquelle désormais elle exorcisait sa solitude.

6.

Le talisman que Shpazhinski lui avait confié était d'une puissance redoutable. L'attirant malgré elle à des profondeurs insoupçonnées, il l'entraînait dans de sombres sous-bois peuplés de maléfices et de noirs pressentiments, la livrait sans défense aux affres de l'absence, au supplice de l'espoir qui du fond des ténèbres surgissait, vision lancinante de bonheur impossible, qui planait un moment, mélancolique et solitaire, et brutalement retombait sous les coups d'assommoir d'une fatalité assassine...

Au bout de chaque séance, Jeanne sortait lentement de la transe où la plongeait la musique. Son cœur débordait de pitié pour le compositeur, dont l'angoisse insoutenable revivait dans sa musique. Elle se rappela les paroles de

Shpazhinski — *personne n'a su comme lui décrire le tourment de l'amour...* — Le pouvoir de cette musique relevait effectivement du sortilège. Dès les premiers accords, le son grêle du Victrola s'estompait, submergé par une onde sonore qui semblait provenir des profondeurs mêmes de son propre cerveau, tant les émotions dont elle la pénétrait lui étaient intimement familières. Un puissant talisman, en effet, car il lui suffisait de fermer les yeux pour qu'apparaisse le beau visage de Shpazhinski. Cette magie exigeait un abandon de soi aussi total que celui que l'on attendait d'elle à Saint-Boniface, mais auquel son âme d'alors, malgré tous ses efforts, s'était obstinément refusée. La musique lui ouvrait un autre monde, où l'esprit planait, où les sens exultaient, loin des regards indiscrets et des reproches d'autrui, où elle pouvait se livrer tout entière sans retenue et sans honte, et ouvrir les écluses qui depuis tant d'années endiguaient sa nature, où le jugement de Dieu n'était plus à redouter puisque la musique, comme le savaient les Anciens, était la voix même du Créateur. *Manitoba.* La voix de Dieu...

Quelqu'un toussa discrètement, la tirant brusquement de sa rêverie. Gabrielle était debout dans le corridor à la porte du salon, tenant la petite Catherine dans ses bras. Les joues du bébé étaient roses, ses paupières lourdes de sommeil. Ses grands yeux bleus avaient l'expression sérieuse qu'ont les enfants au moment du réveil. Jeanne se leva et l'embrassa tendrement.

— Je vais lui faire faire sa promenade aujourd'hui, Gabrielle, vous pouvez prendre votre après-midi, dit-elle en prenant la petite dans ses bras.

Elle s'approcha du Victrola et, d'une main, souleva soigneusement l'épais disque noir du plateau tournant recouvert de velours, et le glissa dans sa pochette. Puis elle monta à sa chambre avec le bébé et cacha l'album dans un tiroir de sa commode, sous une pile de chemises de nuit, et sortit.

7.

Par pudeur, Jeanne attendit avant de céder au désir de plus en plus impérieux de revoir Shpazhinski. Le talisman qu'il lui avait confié exerçait sur elle un pouvoir tyrannique. Bientôt elle ne vécut plus qu'aux heures où, par la magie incantatoire de la musique, elle pouvait s'abandonner à des débordements d'imagination dont son innocence eût rougi peu de temps auparavant. La musique, par la plénitude sensuelle et émotive dont elle inondait son être, mais aussi par le manque et les souffrances qu'elle lui infligeait quand l'heure arrivait de ranger les disques jusqu'au lendemain, agissait sur elle comme un stupéfiant. Elle remerciait le ciel de ce qu'en lui donnant ce poison puissant Shpazhinski lui avait aussi donné son antidote : ce bien lui était précieux, elle était tenue de le lui rendre. Il lui fournissait donc le parfait alibi pour rechercher sa compagnie, tout en lui murmurant qu'il guetterait son retour. Cette fois cependant elle n'avait pas le luxe d'un été entier pour donner le temps à son souvenir de s'émousser. Au contraire, par cet habile stratagème Shpazhinski avait trouvé le moyen de forcer la fleur d'un sentiment naissant, de sorte que lorsque Jeanne fut enfin de nouveau devant lui, la toxine qui s'était introduite en elle par les sens avait fait tant de chemin qu'elle avait investi son cœur et que, malgré son extrême pudeur, seule une vraie brute, en la regardant, ne s'en fût pas rendu compte.

8.

Jeanne ne parvint pas longtemps à s'astreindre à ne lui rendre visite qu'une fois la semaine : un mois plus tard elle avait triplé la dose. Par une des plus belles journées de l'automne, elle trouva Shpazhinski dans la cour de l'écurie, penché sur un objet noir affublé d'une espèce de museau en accordéon, qu'il tenait entre ses mains. Il leva les yeux vers elle et, lui souriant d'un air de triomphe, la laissa s'approcher sans mot dire.

— Jeanne, lança-t-il enfin.

Le cœur de la jeune femme cessa de battre. Il y avait des semaines qu'il ne l'appelait plus « Madame O'Neill », mais elle ne lui avait encore jamais entendu prononcer son prénom. Ce fut tout à coup comme s'il venait, sans prévenir, de faire un pas vers elle et qu'il fût soudain assez près pour la toucher.

— J'ai un grand service à vous demander, dit-il, sourire aux lèvres, tout en examinant attentivement l'appareil photographique. Celui-là date de mon séjour à Paris. Il y a longtemps que je ne m'en suis pas servi, mais j'ai décidé de me remettre à la photographie...

Ses manipulations produisirent une série de déclics qui parurent le satisfaire. Finalement il leva les yeux et lui sourit espièglement.

— Me laisseriez-vous prendre quelques portraits parfois, quand vous viendrez pour la promenade ?

— De moi, vous voulez dire ? demanda Jeanne, interloquée.

Avec le temps Shpazhinski acquérait à ses yeux l'aura d'un oracle mystérieux et omniscient, aux pieds duquel sa crédulité se prosternait, et dont elle accueillait le moindre témoignage d'intérêt avec des paroxysmes de bonheur. Elle avait déjà oublié que c'était lui qui lui avait écrit ce mot l'invitant ici, et que chaque fois qu'elle le quittait il renouvelait l'invitation (il n'avait jamais été question de leçon entre eux) et elle avait envie de lui baiser les mains. Son amour pour lui était celui du pauvre pour l'étranger qui le fait entrer dans sa demeure et l'invite à partager sa table. En même temps sa pudeur, sa timidité et son orgueil conspiraient à l'affliger d'une telle terreur d'exposer ses sentiments qu'à certains moments elle aurait pu passer pour simple d'esprit. Mais Shpazhinski, qui agissait envers elle de la même façon qu'il l'eût fait avec un poulain rétif, n'était pas dupe pour autant.

— Je ne vous demande pas la permission de photographier le paysage, fit-il, taquin. Ne faites pas cette moue, un jour vous saurez ce qui fait votre charme, et cela vous ruinera. Allez, partons, dit-il en désignant les chevaux qui attendaient.

C'était une de ces journées d'automne à couper le souffle, où l'orgie des couleurs est à son comble, où le plus pâle érable, ruisselant de lumière, s'effeuille lentement au vent encore chaud, pour se répandre en flaques d'or sur l'herbe alentour. La douceur de l'air cachait déjà cette âpreté qui préfigure les grands froids des longs mois à venir. C'était une journée qui donnait envie de profiter du présent, de voler les dernières heures glorieuses de la saison mourante, avant que le vent du nord n'effiloche sa riche tapisserie. Shpazhinski prit quatre photographies ce jour-là, et à l'assurance avec laquelle il choisit le site, la pose, et l'angle de chacune, Jeanne devina qu'il l'avait composée dans sa tête, jusqu'au moindre détail, longtemps auparavant. Au début elle fut intimidée par cet œil scrutateur posé sur elle, mais bientôt elle apprit à confier à la peu attrayante boîte noire des pensées qu'elle laissait à Shpazhinski le soin de décoder plus tard, dans la solitude de sa chambre noire, une fois qu'elle ne serait plus là pour en éprouver de l'embarras ou de la honte. Il avait ouvert une fenêtre sur son âme, et chaque fois qu'il y plongeait le regard elle le lui rendait sans vergogne, l'invitant en silence à l'intérieur des murs.

9.

L'hiver n'attendait plus qu'un simple changement dans la direction du vent. Les jours gris et froids eurent tôt fait d'arriver. Un après-midi que la neige tombait en tourbillons, avant-coureurs d'un vent cinglant en provenance du nord-ouest, Shpazhinski vint à sa rencontre en tenant à la main une magnifique toque en lynx, qu'il lui mit sans cérémonie sur la tête, en ébouriffant le poil comme on frotte affectueusement la tête d'un enfant.

— C'est un cadeau que ma mère m'a fait quand j'ai quitté la maison, dit-il, pour me protéger contre les grands froids de Saint-Pétersbourg. Je vous le prête pour la photo. Elle vous donne l'air d'une tsarina...

Jeanne lui lança un regard perplexe. Il lui avait un jour décrit l'impératrice de Russie en des termes peu flatteurs, en lui imputant ainsi qu'à son confident, le redoutable Raspoutine, le blâme d'avoir précipité la révolution. Celle-ci, disait-il, eût connu une issue bien différente si elle avait pu se produire d'une manière démocratique et constitutionnelle.

— Rassurez-vous, c'est un compliment, dit-il sur un ton de douce raillerie.

Jeanne enfourcha sa monture. Shpazhinski, en tenant la bride de l'animal, laissa machinalement errer son regard au-delà de la cour d'écurie. Son expression se figea imperceptiblement. Il venait d'apercevoir l'automobile noire, garée au bord du chemin Shakespeare, à cent cinquante yards de l'entrée de la propriété, dont l'apparition coïncidait pour la troisième fois cette semaine avec la présence de Jeanne.

— Qu'est-ce qui ne va pas, Vladimir Sergeievitch ? lui demanda-t-elle en remarquant sa mine assombrie.

— Comment ? fit-il distraitement. Pas beaucoup de lumière aujourd'hui, dit-il en scrutant le ciel bas. Tant mieux, cela donnera un portrait sombre et dramatique ! Mais hâtons-nous, les jours raccourcissent...

Sur cette note urgente ils se mirent en route à travers champs vers le versant dépouillé de la montagne, hérissé çà et là de sapins noirs. Les sabots des chevaux, en s'enfonçant dans la terre humide du sentier, résonnaient dans le silence des bois comme les pas du fidèle sous la voûte caverneuse d'une église. Les arbres s'élançaient vers le ciel muet comme les piliers de pierre vers le ciel peint des cathédrales, sauf qu'il y avait, dans le majestueux élan de leurs branches vers l'éther, un jallissement vital semblable à la prière, qu'aucune construction humaine ne pouvait émuler. Comme ils approchaient de l'Observatoire, que Shpazhinski contournait d'ordinaire de façon à éviter les promeneurs qu'on y rencontrait par tous les temps, soudain la montagne entière explosa de coups de canon. Shpazhinski consulta sa montre.

— La ponctualité est la politesse des rois, dit-il.

Vingt et un coups de canon ! Bien sûr ! Le train royal était attendu à la gare Windsor à deux heures trente, mais pendant que le reste de la population se pressait et se bousculait le long des rues de la ville en attendant de voir passer le cortège princier, Jeanne, dont le propre père était sur place pour accueillir le retour du prince dans la métropole, avait oublié quel jour on était. En se levant ce matin-là, elle avait su seulement qu'on était un lundi, et le lundi était un des jours pour lesquels elle vivait toute la semaine durant.

— Votre père est en ville ? lui cria Shpazhinski, devant elle sur le sentier grimpant.

— Oui ! répondit-elle, il est là pour toute la semaine. Il m'accompagne au bal, jeudi soir...

Elle se tut. Shpazhinski avait ralenti sa monture pour l'attendre. Leurs regards se croisèrent et Jeanne, prise d'une confusion incontrôlable, baissa le sien en rougissant de honte. Car ce détail en apparence bien innocent cachait l'indécent espoir que, sachant où elle serait ce soir-là en l'absence de son mari, il s'arrangerait pour s'y trouver aussi. Shpazhinski ne répondit pas et poursuivit son chemin quelque temps en silence, scrutant les alentours à la recherche d'un site convenable pour la photo qu'il avait en tête.

— Là-bas, lança-t-il en gesticulant vers la droite.

Il partit au petit trop et eut vite fait de sauter à bas de son cheval avant qu'elle ne le rejoignît.

Comme elle se laissait glisser de sa monture, il l'attrapa par la taille pour l'aider à descendre. Elle sentit la pression de ses pouces juste au-dessous des côtes, à couper le souffle. Il la retint un moment captive, subjuguée par son regard, vidée de sa volonté comme une huître de sa chair. Puis il la relâcha avec le grognement comique d'un homme qui convoite un mets que son foie lui interdit, et qu'il doit se contenter de dévorer des yeux. Jeanne ressentit comme une brûlure le retrait de ses mains. Shpazhinski partit à grands pas dans la côte, avec Jeanne à sa suite. Leurs pas en foulant le tapis de feuilles humides froissaient le silence comme un bruit d'aviron fendant les eaux calmes d'un lac. Près du sommet, il lui indiqua un bouquet de bouleaux blancs dont l'écorce se détachait ici et là en rouleaux couleur de chair. Jeanne prit la pose devant les arbres. Shpazhinski, qui était allé se percher sur un rocher à quelques mètres plus haut, en descendit d'un bond et la rejoignit en quelques enjambées. D'un geste lent et délibéré, il modifia l'angle de la toque de lynx sur la tête de Jeanne puis, lui posant les deux mains sur les épaules, la poussa mollement contre le tronc lisse du bouleau le plus proche et lui sourit d'un air gourmand.

— Maintenant, murmura-t-il en la prenant par le menton, re-gar-dez-moi.

Il remonta vers son perchoir, ajusta son appareil.

— Vos yeux, Jeanne, vos yeux, exhorta-t-il en actionnant le mécanisme.

Il lui avait appris à demeurer parfaitement immobile après la première pose, le temps de se rapprocher et de reprendre exactement la même de beaucoup plus près. Pendant ce temps, Jeanne demeurait figée comme sous l'effet d'un envoûtement, le regardant approcher, le cœur battant, les sens en éveil, comme une biche surprise à découvert. Mais ce n'était pas la peur qui lui contractait les entrailles.

— Re-gar-dez-moi. Bien !

Il leva les yeux de son appareil. L'air froid condensait son haleine. Il avait le nez, les joues et le pourtour des yeux rouges, et ses yeux pâles étaient d'un bleu liquide. Il était très près d'elle à présent, si près qu'il n'avait qu'à faire un pas et tendre le bras pour atteindre l'écorce lisse du bouleau contre lequel elle s'appuyait. Sa main se posa doucement à deux doigts de sa joue.

Subitement un bruit de voix résonna quelque part sous la voûte dégarnie des arbres. Shpazhinski tourna la tête dans la direction d'où venait le bruit et redescendit sans mot dire la côte jusqu'à l'endroit où il avait laissé les chevaux. Il n'était pas inhabituel de rencontrer dans ces bois d'autres cavaliers, ou même des promeneurs à pied, que Shpazhinski reconnaissait parfois et saluait au passage. Mais quelque chose dans son attitude aujourd'hui présageait un danger. Le vent glacé fouettait le visage de Jeanne, ses paumes fourmillaient d'appréhension. Quand Shpazhinski reparut enfin, elle grelottait.

— Ce n'est rien, dit-il, d'un air néanmoins préoccupé, des cavaliers, un que je connais. Ils sont repartis.

Il la prit presque rudement par la main et la remorqua d'autorité en direction des chevaux.

— Qu'y a-t-il ? demanda-t-elle, un peu haletante, sans trop savoir si elle devait s'amuser ou s'alarmer de son étrange comportement.

Shpazhinski ne répondit pas. Il marchait d'un air sombre et déterminé qui était juste assez exagéré pour qu'elle continuât de se demander si elle devait en rire. Lorsqu'ils eurent rejoint leurs montures, il la hissa à bout de bras sur son cheval et se retourna vers Lara qui piaffait nerveusement en exhalant par ses naseaux de grands jets de buée blanche dans l'air cru.

— Êtes-vous fâché, Vladimir Sergeievitch ? lui demanda-t-elle enfin d'un air navré.

— Nous parlerons plus tard. D'abord il faut que vous voyiez de vos yeux, dit-il avant de lancer son cheval devant elle dans le sentier.

Jeanne le suivit docilement, décontenancée par son brusque changement d'humeur, timidement accrochée à l'espoir que tout lui serait vite expliqué et qu'elle se retrouverait bientôt dans ses bonnes grâces. Il entra au pas dans la cour de l'écurie, un peu en avant d'elle, ce qui lui donna le temps de descendre de cheval non pas au milieu de la cour comme il en avait l'habitude, mais juste devant la porte de l'écurie, qui n'était pas visible de la route. Jeanne, comme il l'avait anticipé, fit de même.

— Ne vous alarmez pas, dit-il en prenant Pouchkine par la bride et en la regardant avec une gravité qui lui serra le cœur et l'inquiéta, au contraire, profondément. Je n'ai rien dit tout à l'heure parce que je ne voulais pas que vous regardiez. Mais quelqu'un vous suit.

— Les cavaliers ? s'exclama-t-elle après un bref silence atterré.

— Non, non. Faites très attention en partant de ne pas regarder. Dans le chemin, un peu plus haut, il y a une voiture noire. La même que la dernière fois que vous êtes venue ici, et que la fois d'avant. Garée au même endroit. Ce n'est pas une coïncidence.

— En êtes-vous sûr, Vladimir Sergeievitch ?

Une vague d'effroi se propagea le long de sa colonne vertébrale. Le froid lui fouettait les yeux.

— Je ne vous le dirais pas si je n'en étais pas convaincu. Au chapitre des filatures, j'ai plus d'expérience que vous, dit-il avec le plus grand sérieux.

C'était comme un piège qui se refermait. Elle se sentait aussi perdue qu'on peut l'être sur une plaine à découvert à l'approche d'un blizzard.

— Il ne faut pas rester. Cela créerait une mauvaise impression, dit-il.

Son ton s'était radouci.

— Mais, Vladimir Sergeievitch, que va-t-il se passer ? Que dois-je faire ?

Elle n'essaya même pas de contenir sa détresse. Pour une fois, elle souhaitait presque qu'il sût à quel point elle était bouleversée.

— Laissez, que je vous aide à descendre. Venez mercredi, dit-il en la déposant, et la retenant pour la première fois dans ses bras. Comme d'habitude. Nous irons nous promener, comme toujours, et nous en parlerons à ce moment-là. En attendant, faites comme si de rien n'était.

Il se détacha d'elle, lui ôtant à regret la toque en lynx qu'elle avait toujours sur la tête, et lissa ses cheveux décoiffés. Puis, la prenant fermement par les épaules, il la fit tourner sur ses talons.

— Maintenant, partez, murmura-t-il en la poussant doucement vers sa voiture, d'une voix qui n'admettait pas de réplique.

Une fois engagée dans le chemin Shakespeare, Jeanne

constata avec affolement la présence de la voiture que Shpazhinski lui avait décrite. Bouleversée par la tendresse avec laquelle celui-ci l'avait étreinte quelques instants auparavant, elle eut toutes les peines du monde à conserver son sang-froid. Le pied sur la pédale de l'accélérateur, résistant de toutes ses forces à l'envie de déguerpir au plus vite, les mains crispées sur le volant, elle conduisait comme un mousse inexpérimenté, seul au gouvernail en pleine tempête.

10.

Jusqu'à mercredi donc. Jeanne se blottit dans cette promesse comme un oiseau qui gonfle ses plumes pour se protéger du froid. Mais la vie devait lui tendre un de ces guet-apens dont la banalité n'a d'égale que l'ampleur du malheur qui s'ensuit. Les mardis pour elle étaient des temps morts, des pierres sans relief dans le courant, qui ne servaient qu'à passer d'une rive à l'autre de sa vie partagée par l'absence. Dans l'après-midi sa couturière était venue pour le dernier essayage de la robe qu'elle devait porter au bal en l'honneur du prince de Galles. Il y avait eu des problèmes nécessitant un ultime essayage, mercredi. La couturière, débordée parce qu'elle travaillait également pour plusieurs autres clientes ayant la même échéance, n'avait pu s'engager à venir à une heure précise autre que « dans l'après-midi », et par ce verdict imprévu avait condamné la jeune femme, pour qui elle se surpassait pourtant, à passer vingt-quatre heures dans les affres de l'incertitude. Le mercredi était un jour où Shpazhinski était rarement libre avant trois heures. Pour cette raison, et contre tout espoir, elle retarda le plus longtemps possible le moment d'annuler leur rencontre. Pour compliquer les choses, sa mère et son père venaient dîner ce soir-là, alors que, quoi qu'il advînt, elle aurait plus que jamais besoin de solitude. Mais l'horaire de son père depuis son arrivée d'Ottawa ne lui laissait qu'une soirée inoccupée, toutes les autres étant consacrées à des cérémonies officielles, auxquelles Mick refusait d'assister. Le mercredi était donc le seul soir où les deux hommes pouvaient se voir.

Dès sa descente du train, le dimanche soir, Charles Langlois s'était rendu directement à une réunion avec le maire et son conseil exécutif dont, à titre d'échevin, il était membre. La première moitié de lundi s'était écoulée en préparatifs pour la visite royale, qui avait débuté sur le coup de deux heures trente, exactement à l'heure prévue, lorsque le train du prince de Galles était entré dans la gare Windsor, salué par le carillon de l'église Saint-George, de l'autre côté de la rue. Son Altesse Royale, apparaissant à la porte de son wagon privé à l'arrière du train, avait carrément sauté sur le quai, vêtu de l'uniforme des Welsh Fusiliers, tandis que la fanfare militaire jouait les six premières mesures du *God Save The King* et que les canons de l'Observatoire du Mont Royal tonnaient vingt et une fois. Comme le maire Martin, paré de l'hermine et des insignes de sa charge, venait à sa rencontre, le prince s'avança vers lui en souriant et lui tendant sa main gauche, sa main droite étant hors d'usage par suite des milliers de poignées de main qu'il avait dû donner depuis le début de sa tournée dans les provinces de l'Ouest. Le prince manifestait le même enthousiasme bon enfant qui avait séduit les Montréalais de toutes les classes sociales, des personnalités les plus en vue aux simples badauds, lors de sa brève escale de septembre. Voilà un membre de la famille royale, avait pensé Charles Langlois tandis que le jeune homme lui serrait la main en lui exprimant tout le plaisir qu'il avait de le revoir, voilà un prince qui prenait à cœur son travail et faisait plus pour promouvoir la bonne volonté de la population envers la Couronne que tous les ambassadeurs du roi réunis.

— Vous imaginez, poursuivait le père de Jeanne en relatant ses impressions du visiteur à sa fille et à son gendre deux jours plus tard, comme il doit être fatigué à la fin de cette tournée exténuante de deux mois...

On était réuni au salon des O'Neill. Les hommes sirotaient leur apéritif. Jeanne était heureuse de revoir son père, mais le mutisme condescendant de sa mère l'exaspérait plus que jamais. Elle se demandait même pourquoi celle-ci avait pris la peine de quitter Ottawa, étant donné qu'elle se tenait résolument loin de toutes les cérémonies officielles auxquelles son mari était convié, et passait tout son temps retirée dans la maison de Notre-Dame-de-Grâce, qui leur servait de pied-à-terre lorsqu'ils étaient à Montréal, à prier et à réciter son rosaire. La présence de Mick par contre l'agitait bien davantage. Le souvenir sinistre de la voiture noire la hantait, et l'hostilité latente qu'elle ressentait depuis longtemps à l'égard de son mari était à présent infectée par la crainte. Pour elle, qui avait appris dès sa plus tendre enfance à endurer stoïquement les contraintes les plus absurdes, l'interminable attente de l'après-midi, qui s'était finalement soldée par l'arrivée de la couturière au moment même où elle décrochait le téléphone pour appeler l'écurie, avait enfin eu raison de ses nerfs. Se débattant intérieurement dans la camisole de force que lui imposaient les convenances et la politesse de salon, elle menaçait à tout moment de basculer dans l'hystérie. Son cœur battait trop fort, elle respirait trop vite pour endiguer longtemps la marée de pleurs qui montait implacablement en elle.

— Mais, disait son père, vous pouvez m'en croire, ayant passé le plus clair des deux derniers jours en sa compagnie, Son Altesse Royale semble avoir une capacité presque illimitée de s'amuser. Aussi ennuyeuse et insignifiante que soit la tâche, il est toujours plein de bonne grâce, réussissant à donner l'impression à la personne à qui il parle, ou qu'il salue tout simplement en passant, qu'il est sincèrement enchanté d'être là. C'est un don rare, croyez-moi. Les soldats en particulier ont un gros faible pour lui, d'abord parce qu'il s'est battu en France comme eux, mais aussi parce que, chaque fois qu'il s'en trouve sur son chemin, il s'arrête pour leur parler de façon très personnelle. Lundi par exemple, avant de quitter la gare, en dépit du fait qu'une foule énorme le réclamait à l'extérieur, il a pris le temps de bavarder avec quelques-uns des First Canadian Grenadier Guards qui formaient sa garde d'honneur. La police estime qu'il y avait probablement cent mille personnes dans les rues pour voir passer le défilé, et l'enthousiasme de ces gens, tout au long du parcours, était quelque chose d'extraordinaire. Il y a même un groupe d'étudiants de Laval qui ont accompagné sa voiture au pas de course presque tout le long. Quand on est arrivé à l'hôtel de ville, ils se sont mis à chanter, et bientôt toute la foule chantait avec eux le *Ô Canada* et le *God Save the King* sous les fenêtres du bureau du maire. La sérénade a duré tout le temps que nous étions à l'intérieur, et le prince est réapparu devant la foule dans un tonnerre d'acclamations. Ensuite, après une courte pause au Ritz pour se restaurer, Son Altesse a repris le collier, cette fois pour accueillir la dizaine de milliers de citoyens qui ont fait la queue pour lui serrer la main lors de la réception officielle à l'hôtel de ville. L'idée initiale était que chaque citoyen lui soit présenté par le maire à mesure qu'on défilerait devant lui, mais il y avait tant de monde qui attendait que la police eut fort à faire pour qu'ils avancent dans l'ordre, en rangs de quatre. Pour sa part le prince est resté debout tout le temps, souriant gracieusement, saluant les gens à mesure qu'ils défilaient devant lui. Aussi fatigué qu'il ait pu être, il ne s'est jamais...

— Il ne s'est jamais assis une seule fois ! interrompit Madeleine Langlois d'un ton péremptoire. Je ne comprendrai jamais pourquoi tu t'es donné tout ce mal pour leur prêter ce fauteuil et le faire transporter d'Ottawa, rien que pour faire rire de toi par ce garçon qui n'a même pas daigné s'en servir !

Charles Langlois lança un regard furtif du côté de sa femme.

— Chère, cela a si peu d'importance, dit-il de son air le plus pacifique.

— C'est exactement comme la dernière fois qu'il est venu, insista-t-elle, son visage basané noircissant d'indignation contenue, quand ils ont rayé ton discours du programme, au déjeuner sur le Mont Royal.

— Mais, Madeleine, voyons, répondit son mari d'un ton

cajoleur, tu sais bien que c'était parce qu'on était très en retard. N'oublions tout de même pas que le prince avait un train à prendre, ce jour-là.

— Qu'à cela ne tienne, Charles. Les journaux français ont tous rapporté ton discours, et même dans la plupart des cas l'ont reproduit, exactement comme si tu l'avais prononcé comme prévu. *La Gazette* est le seul quotidien qui ne t'a pas cité, n'a même pas mentionné ta présence, toi un membre du Parlement du Canada et du Conseil privé du roi, un ancien président de la Chambre des communes et un citoyen très en vue de la métropole ! Et tu leur prêtes pour l'occasion le fauteuil du président de la Chambre, qui a orné les Communes de 1908 à 1911, et ils ne trouvent rien de mieux à faire que de se conduire comme de parfaits...

— Mais, maman, interrompit Jeanne, excédée, le discours de papa qu'il a fait hier a été rapporté dans *La Gazette* de ce matin. On a même dit que c'était un « discours gracieux ».

— Très gracieux, ajouta Mick qui durant cet échange avait gardé un silence attentif et délibéré, qui chez lui préfigurait le caractère litigieux de l'opinion qu'il se préparait à émettre. Mais je me demande si le mot naïf n'est pas celui que je choisirais pour décrire la réponse de Son Altesse à vos propos.

— Mon cher ami, dit le député en renvoyant allègrement à son gendre la balle qu'il venait de lui lancer, vous conviendrez certainement que son discours était exceptionnellement inspiré. Je dirais même audacieux, par sa façon d'aborder la question, fondamentale dans ce pays, de la coexistence anglo-française. J'ai trouvé remarquable, venant de quelqu'un de si jeune, le tact extrême avec lequel il l'a fait.

Les yeux perçants de son gendre se fermèrent à demi, son regard se durcit.

— Inspiré, plein de tact, très certainement. Mais avec tout le respect que je vous dois, poursuivit Mick avec une retenue qui faisait penser à un fauve s'apprêtant à bondir, il fait preuve d'une extraordinaire naïveté lorsqu'il se lance dans l'éloge de ce qu'il appelle la politique d'unité raciale au Canada, basée selon lui sur le modèle britannique de la liberté de parole, la liberté linguistique et le respect mutuel. On est obligé de se demander si l'héritier du trône nous prend tous pour des crétins ou s'il n'est pas lui-même simple d'esprit quand il nous félicite d'avoir atteint le même nirvana politique que celui qui prévaut dans sa patrie, alors que son propre gouvernement mène actuellement une campagne sordide et sanglante pour écraser la démocratie en Irlande. Je vous rappelle l'interdiction, il y a à peine quelques semaines, martela-t-il, du Parlement irlandais démocratiquement élu. Je vous rappelle l'état de siège imposé tous les jours aux Irlandais dans leur propre pays, gouverné par une puissance étrangère et son armée d'occupation. Mais ce n'est pas le pire. Est-ce que le prince a récemment complété une tournée des nuages pour revenir ici nous parler de liberté de parole, de liberté linguistique, et de respect d'autrui ? Est-ce qu'il ne sait pas, ou pense-t-il que nous ignorons, que le plus récent jugement du Conseil privé de Londres sur la question des écoles françaises en Ontario, un sujet qui comme chacun sait vous a toujours tenu particulièrement à cœur, que ce jugement, dis-je, maintient et confirme une politique qui ne vise que l'assimilation des Canadiens français par l'interdiction de l'enseignement de notre langue dans nos écoles à l'extérieur du Québec, et ce en dépit de nos droits constitutionnels les plus sacrés ?

Mick n'avait pas élevé la voix, mais son regard et toute sa physionomie brûlaient d'une ardente indignation.

— Dois-je en déduire que tu n'es pas d'accord avec l'approche plus didactique du *Devoir*, qui choisit plutôt de prendre les paroles du prince comme un rappel de ce qui *devrait être* ? répliqua calmement son beau-père, qui adorait les débats politiques.

— Il faut dire que dans le climat d'adulation où baigne non seulement le prince mais par association le roi et l'Angleterre même, nonobstant notre âpre combat contre la conscription et en dépit des fleuves de sang inutilement versés, *Le Devoir* dans son éditorial est allé aussi loin qu'il l'osait pour exposer l'inconscience ridicule du prince sur la question de la race. Qu'a-t-il bien pu voir du pays, en effet, de sa succession de wagons privés et de suites d'hôtel de luxe et de réceptions officielles soigneusement orchestrées...

— Enfin, Mick, interrompit son beau-père dont le visage se colorait visiblement, tu ne crois pas sérieusement que des dizaines de milliers de personnes peuvent être « orchestrées » comme tu le prétends ? Est-ce que tu veux vraiment suggérer que les foules immenses qui se sont manifestées jour après jour, partout où il est passé à Montréal, n'étaient composées que de loyaux sujets canadiens anglais triés sur le volet ? Bien sûr que nous avons des problèmes dans ce pays, de graves problèmes, je te le concède, poursuivit-il avec le ton délibéré qui exprimait mieux que n'importe quelle avalanche de mots la conviction passionnée qui avait guidé toute sa vie politique, des problèmes qui sont inextricablement tissés dans notre histoire et dont seule une volonté politique acharnée aura un jour raison. Pour ma part je n'ai jamais été en faveur de les balayer sous le tapis. Ma position sur toute cette question se trouve en toutes lettres dans le *Journal des débats*, et je n'en ai jamais dérogé depuis tout le temps que je m'y intéresse. Mais je crois fermement que nous avons le devoir de façonner nous-mêmes notre avenir, plutôt que de nous laisser obnubiler par le passé. S'insurger contre l'injustice ne suffit pas. Cela ne fait qu'exacerber les divisions, alors que nous devrions consacrer tous nos efforts à nous en guérir. La passion que tu ressens, Mick, tu devrais l'investir à construire ce pays, à le rendre meilleur...

C'est alors que Gabrielle parut à la porte du salon dans son uniforme empesé, tenant dans ses bras la petite Catherine en chemise de nuit blanche, toute rose après son bain. À la vue du bébé les quatre adultes s'extasièrent, et Jeanne remercia le ciel de cette diversion inespérée, sachant que l'agressivité de son mari augmentait avec la quantité d'alcool consommée. N'ayant pas l'habitude d'assister à leurs discussions politiques, elle était loin de se douter que les deux hommes prenaient un plaisir aussi vif à jouter verbalement que d'autres avaient à jouer au tennis ou au hockey, et que sauf en présence de ces dames, et en particulier de sa femme, son père aussi appréciait une bonne rasade de boisson avec sa rhétorique. Mais Mick était encore relativement à jeûn, et de toute façon, quand sa fille apparaissait, le reste du monde cessait d'exister. Il tira une longue bouffée de sa cigarette et, les yeux voilés par la fumée, observa attentivement l'enfant souriante de neuf mois que Gabrielle remit entre les mains de sa mère. Quand vint le tour de Madeleine de tenir le bébé, une chose étrange se produisit, que Jeanne, dans l'état de distraction où elle s'était trouvée tout l'été, ne se rappelait pas avoir jamais remarquée auparavant. Un changement s'opéra dans la physionomie de sa mère, une transformation aussi complète que celle que subit un paysage lorsqu'une soudaine éclaircie dans les nuages l'inonde momentanément de soleil. Ses yeux se mirent à pétiller, et la tendresse qui se répandit sur son visage offrit une vision fugitive de la sombre beauté qui avait ensorcelé le jeune journaliste qu'avait autrefois été son père. L'enfant réagit instantanément en se blottissant contre sa grand-mère avec un gloussement de plaisir.

Les pensées de Jeanne partirent à la dérive, comme des feuilles mortes dans le courant, pour s'abîmer aussitôt dans les rapides du désir. Le sentiment d'intense privation dont elle souffrait depuis qu'elle avait été empêchée de voir Vladimir ce jour-là était comparable à ce qu'éprouverait un voyageur dans le désert qui arrive dans une oasis pour trouver le puits à sec, sachant que la prochaine est à deux jours de marche. Vendredi était la prochaine oasis, et ce soir-là elle lui paraissait à l'autre bout du monde.

Un bal

1.

Vladimir Sergeievitch Shpazhinski, esq.
est cordialement invité au
Bal des Citoyens
en l'honneur de
Son Altesse Royale
le prince de Galles
le jeudi treize octobre
mille neuf cent dix-neuf
à neuf heures
à l'hôtel Windsor

R.S.V.P. *Cravate noire*

Vladimir fixait le carton gaufré de l'invitation qui traînait depuis des semaines parmi les vieilles photos, les boutons de manchettes et les papiers qui encombraient le bureau qui lui servait de commode. La seule pensée de la revoir le faisait bander comme un collégien. Je retombe en adolescence, se dit-il en haussant les épaules. Il leva son verre de vodka et le vida d'un trait. Toute sa vie d'homme il avait toujours eu des femmes, à aimer ou à posséder brièvement, avec qui partager de l'affection, à qui se confier. Trouver un exutoire pour sa libido n'avait jamais été un problème — même maintenant, ainsi qu'il se le disait chaque matin en recensant les cheveux blancs qui commençaient à poindre dans sa chevelure, comme les premières feuilles jaunissantes d'un érable qui, sous nos latitudes, signalent la fin de l'été. Son dilemme résidait plutôt dans le fait que son désir avait dépassé le stade où il eût pu s'en soulager auprès d'une autre. Il s'était attaché, comme un chien perdu qui trouve enfin un maître. Lui-même était soudain comme un jeune garçon affligé d'une passion adulte, et dépourvu de tout moyen de l'assouvir. Hier après-midi, le tourment inattendu qu'il avait éprouvé à attendre en vain qu'elle apparût avait tout clarifié. Il désirait cette femme, et personne d'autre n'avait pour lui la moindre attraction. L'ardeur qu'il ressentait, même si elle lui causait des souffrances, lui procurait un vif plaisir, peut-être parce qu'il avait trop souvent été victime de dépression chronique, comme tout déraciné obligé de survivre dans un désert affectif, et peut-être aussi parce qu'il savait que Jeanne ne demandait qu'à se donner... Elle vibrait à son contact comme les cordes d'un piano dont on caresse les touches. Mais il y avait plus qu'un simple besoin physique dans ce qu'il éprouvait pour elle. S'il n'y avait eu que cela, il se fût probablement servi depuis longtemps. Et ce n'était pas non plus un reste de loyauté envers Florence qui l'empêchait de passer aux actes avec elle. Il y avait chez cette petite quelque chose de pur, d'intouché, comme la neige qui lorsqu'elle vient de tomber vous fait hésiter à en entamer la blancheur, et en même temps vous invite à y laisser votre empreinte ; quelque chose d'entier et de fragile à la fois qui faisait que celui à qui elle se donnerait la posséderait tout entière. En elle, il recherchait plus qu'un baume pour sa solitude : un acte de reddition volontaire et pleinement assumé. Un amour où se perdre totalement. Il était en train de tomber amoureux d'une enfant, et ses sentiments étaient empreints d'une urgence, d'une violence qu'il n'avait pas connues depuis vingt ans. Malgré toute la tendresse et la volupté qu'il avait partagées avec Florence, il n'avait jamais perdu la tête pour elle comme il était en voie de le faire pour cette petite. Et il n'y avait aucun doute que, malgré toute la liberté dont il jouissait maintenant dans ce pays, les prêtres et leurs agents étaient aussi omniprésents ici que la police secrète et ses délateurs l'avaient été en Russie. D'ailleurs la voiture qui la suivait signifiait qu'il n'y avait désormais plus aucun répit à attendre. Elle signifiait que, quelles que fussent les précautions qu'ils pourraient prendre pour essayer de préserver le secret de leur liaison — à supposer qu'il fût possible d'empêcher leur secret d'être éventé et mis en péril par l'ardeur grandissante de leur besoin l'un de l'autre —, un jour viendrait inévitablement où son mari serait en possession de preuves irréfutables. Alors non seulement leur histoire connaîtrait-elle une fin brutale, mais Jeanne serait ostracisée par la société, qui cesserait de voir en elle autre chose qu'une femme adultère, une mère dénaturée, une source de déshonneur et de honte pour son mari, ses parents, ses amis et elle-même. Il ne pouvait même pas s'offrir le luxe de prétendre qu'elle lui résisterait. Il savait qu'il n'avait qu'à la toucher...

Il arracha la cravate noire qu'il tentait de se nouer autour du cour depuis un quart d'heure et la jeta sur le lit avec humeur. Il se versa un autre verre de la bouteille à moitié vide qu'il avait posée sur le bureau, à côté de la photo fanée de sa mère et de ses trois frères dans son cadre en vieil argent. Ils l'avaient appelé *Volodya.* Il les entendait encore qui criaient joyeusement son nom en dégringolant les marches de la maison à sa rencontre, chaque fois qu'il revenait de Saint-Pétersbourg pour les vacances. Il regarda tour à tour chacun de leurs visages chéris, maintenant effacés à jamais, mis à part quelques vestiges tels que celui-ci : sa propre mère, si belle, qui avait perdu l'un après l'autre chacun de ses fils, et vu le pays qu'elle aimait tant ravagé par l'ouragan de la guerre puis convulsé par la révolution ; le brave, le courageux Maxim, vu pour la dernière à Paris où il avait passé ce trop bref printemps de sa vie avant de retourner en Russie ; qui, suivant les traces de leur père, et à l'inconsolable désespoir de leur mère, avait investi sa jeunesse dans une carrière militaire qui ne lui avait valu que d'être fauché sur la ligne de front, à la tête de ses hommes, avec toute sa génération de sous-officiers de l'armée, dès les premiers mois de la guerre ; et les deux petits, Pasha et Aliosha, qui avaient refusé de profiter de l'exemption de service militaire à laquelle leur rang social leur donnait droit et dont tant de leurs congénères s'étaient allègrement prévalus ; qui avaient jeté leurs vies dans les mâchoires béantes du monstre et avaient été consumés comme des brins de paille dans un brasier gigantesque... *Volodya*, l'appelaient-ils, et rien n'incarnait mieux pour lui la solitude de son long exil que ce nom par lequel plus personne ne l'appelait jamais. Florence, dans un moment de tendresse, lui avait un jour demandé le diminutif russe de son nom, et l'avait parfois évoqué dans ses lettres, mais il ne lui était jamais venu très naturellement aux lèvres... *Volodya*. Le nom qu'il avait laissé là-bas avec tout le reste... Que de spectres ! Sa vie ne laissait que des fantômes dans son sillage. Il balaya du regard les murs de sa chambre qui, comme dans les autres pièces de l'appartement, étaient presque entièrement couverts de dessins et de photos, les plus récents, tous de Jeanne, ayant graduellement envahi l'espace jadis occupé par une pléiade d'amis, d'anciennes amours et de connaissances. Il constata le désordre de son lit défait. Tout cela, pensa-t-il sardoniquement, aura au moins eu son utilité. La souffrance est bonne pour l'âme russe ! se déclama-t-il rageusement à lui-même. Il alluma une cigarette, déboutonna le faux col de sa chemise, et saisissant la bouteille à la gorge, s'affala morosement sur son lit grinçant. Puis, renversant la tête, il porta le goulot à ses lèvres et but comme un homme qui s'administre un calmant avant de s'extirper une balle du corps avec son couteau.

2.

Au moment où Jeanne et son père descendirent de leur limousine devant l'hôtel Windsor, une grande clameur s'éleva de la foule attroupée pour guetter l'arrivée du prince de Galles. Illuminant le ciel au-dessus de leurs têtes, une gigantesque effigie de Son Altesse Royale, parée des emblèmes de la feuille d'érable et de la fleur de lys, venait d'être projetée des flancs du Mont Royal et s'épanouissait comme une fleur dans la nuit étoilée. Sous les yeux ébahis des badauds, l'image incandescente s'estompa peu à peu puis fondit en traînées lumineuses qui retombèrent en pluie d'étincelles vers la terre. À peine cette première configuration se fut-elle résorbée qu'une seconde explosion embrasa le ciel, y gravant cette fois le blason du prince de Galle avec, en lettres de feu, *Ich Dien,* la devise du prince Noir, et les mots *Welcome* et *Bienvenue.*

Immobile au côté de son père sur le trottoir, Jeanne contemplait le ciel en réchauffant son cœur inquiet à une minuscule flamme d'espoir. Où qu'il fût dans la ville ce soir, Vladimir avait dû entendre le staccato assourdissant du feu d'artifice et à ce moment même, peut-être, comme elle, contemplait le ciel. Il était devenu le principal point de repère dans sa vie, et le besoin qu'elle éprouvait de le voir était si pressant qu'elle le retrouvait dans tout ce qu'elle voyait et que tout ce qu'elle voyait ne lui parlait, directement ou indirectement, que de lui. Même les battements de son propre cœur, dont elle avait depuis quelque temps une conscience démesurée, étaient un symptôme du mal qui la rongeait. Son absence lui infligeait de tels sévices qu'elle avait parfois l'impression de sortir d'elle-même. Elle passait de longs moments à essayer de s'imaginer le monde à travers les yeux de Vladimir, au point qu'elle en venait presque à être lui, jusqu'au moment où la réalité se mêlait d'interrompre cette illusoire communion. Comment en effet pouvait-elle avoir la prétention de savoir, de deviner, ou même de soupçonner comment un être tel que lui voyait le monde, elle qui n'avait rien vécu ? Par contre, si elle se fustigeait de ne pouvoir partager sa perception des choses, elle n'avait qu'assez abstraitement conscience du fait que ses pensées dépassaient les bornes étriquées de la morale conventionnelle. Ce n'étaient après tout que des pensées, aussi inoffensives par rapport aux actes qu'elles présageaient que le spectacle pyrotechnique de ce soir ne l'était par rapport à celui qui illuminait chaque soir les tranchées pendant la grande guerre : son obsession avait beau embraser son âme, elle ne changeait rien au terne quotidien de son existence.

— Quelle soirée extraordinaire, s'exclama le père de Jeanne comme ils entraient dans le hall de l'hôtel. Un petit chef-d'œuvre de feu d'artifice. Il va falloir que je félicite les gens de la compagnie Hand, en Ontario. Ils se sont surpassés !

Une fois dans le hall feutré de l'hôtel, Jeanne fut envahie par un sentiment de futilité. Bien qu'elle sût qu'il y avait à Montréal ce soir des milliers de jeunes femmes qui eussent payé n'importe quel prix pour le privilège d'assister à ce bal, elle-même l'eût troqué sur-le-champ pour la chance de s'enfuir dans la nuit et de passer les prochaines heures avec Vladimir. Pourtant, même si l'occasion s'en était présentée, Jeanne se rendait compte qu'elle n'aurait pas su où le trouver. Elle ne figurait pas dans sa vie, n'y tenait aucune place, alors que Florence... Le souvenir des nus qu'il avait peints, de l'intimité de leurs relations que ceux-ci trahissaient, restait fiché dans son cœur comme une flèche empoisonnée.

À l'entrée de la salle Windsor, le pouls de Jeanne s'accéléra. « Madame Michael O'Neill, l'Honorable Charles Langlois », venait-on d'annoncer. Tous ses sens soudain se mirent en éveil. Quelque part dans cette salle de bal, Vladimir peut-être l'attendait. Quelque part parmi ces centaines d'hommes et de femmes... Mais l'angoisse la guettait, tapie dans le plus sombre recoin de son esprit. Toute la haute société montréalaise était ici ce soir. Les plus belles femmes de Montréal, les plus jolies débutantes, vêtues de leurs plus riches atours, étaient au rendez-vous. Jeanne scrutait la foule sans relâche. Elle éprouvait une jalousie larvée chaque fois qu'elle apercevait une femme particulièrement séduisante — et elles étaient nombreuses ce soir, coiffées à ravir, qui d'une aigrette, qui d'un diadème, dans leurs robes de grand couturier commandées longtemps d'avance spécialement pour l'occasion, ornées de perles, de paillettes ou de guirlandes de roses, parfois agrémentées d'une traîne, en soie ou en satin, en velours, taffetas ou mousseline, en charmeuse, en tulle ou en dentelle, de toutes les couleurs de l'arc-en-ciel allant du rose pâle au vieux rose, corail, crevette, saumon, chair, turquoise, vert Nil, œuf-de-rouge-gorge, héliotrope — avec leurs éventails en plumes d'autruche aux couleurs assorties. Jeanne ne pouvait s'empêcher d'imaginer que, si Vladimir était ici ce soir, tant de beauté ne le laisserait sûrement pas indifférent.

Tandis que Jeanne évoluait docilement au bras de son père, souriant distraitement aux amis et connaissances auxquels il la présentait, l'orchestre au fond de la salle attaqua un air. Les couples qui s'étaient immobilisés devant l'estrade pendant la pause se reformèrent et recommencèrent à danser, tandis que de nouveaux arrivants se joignaient à leur nombre.

— Allons voir les autres salles, demanda-t-elle à son père d'une voix presque suppliante, car elle redoutait à présent la rencontre qu'elle appelait de tous ses vœux quelques instants auparavant.

L'idée de se retrouver devant Vladimir tenant dans ses bras une ravissante inconnue n'était pas supportable.

— Mais, Jeanne, chère, tu ne veux pas danser ? lui demanda son père tout surpris.

— Voyons, papa, tu sais bien que je ne sais pas danser. Je te ferais honte..., dit-elle.

Elle ne mentait qu'à moitié, car Florence ne lui avait appris que le tango.

— Qu'est-ce que tu me racontes là, chérie ? Tu as tout intérêt à apprendre, et vite, avant que le prince n'arrive. Et s'il t'invite à danser ? Tu serais obligée d'accepter, tu sais, dit-il, souriant avec indulgence, en la prenant par la main.

Il y avait des années qu'elle n'avait pas tenu sa main, mais elle lui parut aussi énorme que lorsqu'elle était enfant.

— Viens, ajouta-t-il en la conduisant vers la piste, laisse-moi te montrer.

Ils en étaient à leur troisième numéro quand Jeanne sentit une main légère sur son épaule. Son cœur fit un saut violent dans sa poitrine.

— Salut, vous autres !

La voix chantante d'Éloïse fit irruption dans sa conscience.

— Mon doux, Jeanne, on dirait que tu viens de voir un revenant !

— Je te demande pardon, bredouilla Jeanne, tu m'as fait peur.

— Ma chère Éloïse, quelle élégance ! fit Charles Langlois lorsque celle-ci l'eut embrassé.

Elle portait un long fourreau en soie vert émeraude, avec un bandeau de satin vert orné d'une aigrette blanche dans ses cheveux roux. Sans s'en douter, elle venait de déclencher chez Jeanne une nouvelle crise d'angoisse. Éloïse, qu'elle ne s'était pas attendue à rencontrer ici (y avait-il donc si longtemps qu'elles ne s'étaient parlé ?), y était pourtant. Vladimir pouvait donc, lui aussi, apparaître devant elle à tout moment ! Machinalement, et sans trop s'en rendre compte, elle se remit à fouiller la salle des yeux.

— Eh ho ! répéta Éloïse, je te trouve bien distraite, ce soir !

Jeanne s'aperçut que son amie lui parlait, et qu'elle n'avait pas compris un traître mot de ce qu'elle venait de lui dire.

Il était presque onze heures quand les trois orchestres, dans le *Windsor Room*, le *Rose Room*, et le *Ladies'Ordinary* se turent, signalant l'arrivée imminente de l'invité d'honneur, et que les danseurs désertèrent leurs pistes de danse pour se rassembler dans la salle de bal. Celle-ci avait été décorée avec faste pour l'occasion, dans les rouge, blanc et bleu de la Grande-Bretagne. Les drapeaux des alliés étaient suspendus au plafond, tandis qu'on avait drapé les espaces entre les hautes fenêtres de banderoles rouge, blanc et bleu, avec les armoiries de la ville de Montréal arborant la devise *Concordia salus* — le salut dans la concorde. Au-dessus de l'estrade où l'orchestre se préparait à jouer de nouveau, les armoiries du prince, avec la légende *God Bless Him*, étaient encore une fois à l'honneur. Parmi les invités, qui maintenant faisaient la haie de part et d'autre de la grande porte de la salle de bal, le murmure des conversations reprit discrètement à mesure que la nouvelle se répandit que Son Altesse venait d'arriver d'un autre bal au *65th Armory*, organisé par la Grande Armée du Canada, *Vimy Post nº 4*, et qu'il était monté directement à sa suite, à l'invitation du comité d'accueil.

— J'ai été invitée au bal militaire, mardi soir, chuchotait Éloïse à Jeanne. Tu l'aurais vu entrer sous la fanfare des trompettes dans son magnifique uniforme, entre deux rangées d'officiers en tenue d'apparat, ma chère, c'était de toute beauté !

Le grincement des cornemuses au bout du corridor mit fin aux bavardages. Le prince de Galles fit son entrée, aux côtés du maire Médéric Martin, suivi du comité d'accueil ainsi que des membres de son propre entourage, tandis que l'orchestre attaquait avec ferveur le *God Save the King*. Jeanne le regarda remonter la salle entre les deux rangées d'invités qui applaudissaient à tout rompre. Elle fut frappée par son extrême jeunesse et l'étonnante ingénuité de son sourire. Sa carrure étroite, son mince visage, la pâleur de son teint qu'accentuait une légère coloration des joues, lui prêtaient un air de vulnérabilité que l'on n'eût pas ordinairement associé à quelqu'un de son sang. En même temps il semblait parfaitement à l'aise dans le rôle que le destin lui avait attribué. Sa performance était aussi impeccable et, en apparence, dépourvue d'effort que celle d'un maître acrobate. Il était aussi naturel qu'il était possible de l'être, même si le père de Jeanne lui avait longuement expliqué que ce naturel extrême était le résultat d'une discipline imposée dès le berceau. Si son appartenance à une antique noblesse le plaçait dans une catégorie à part du commun des mortels, ce n'était pas en vertu de cette hauteur native et séculaire qui distancie l'aristocrate du plébéien, mais plutôt, semblait-il, d'une solitude stoïque, pleinement assumée. Pourtant, au dire de tous, le prince manifestait le même appétit de vivre et de s'amuser que n'importe quel autre très jeune homme à l'issue de cette guerre effroyable. On comprenait facilement pourquoi la presse, suivant son penchant réducteur et banalisateur, multipliait les allusions au Prince charmant. Parvenant à la piste de danse au bout de la double file d'invités, l'héritier du trône choisit pour partenaire une jeune femme vêtue de satin rose, tenant un éventail en plumes d'autruche de couleur assortie, dont on disait qu'elle avait été amoureuse de Talbot Papineau, le défunt futur Premier ministre du Canada, dont la mort à Passchendaele en 1917 avait brisé tant de cœurs.

3.

La maison est silencieuse. Les deux servantes sont montées se coucher, et la petite Kitty dort à poings fermés depuis longtemps. Mick O'Neill est assis dans son fauteuil, une carafe de cristal à portée de la main sur le guéridon. Une bête hideuse lui dévore le cœur. Jusqu'ici il n'a en main que des preuves indirectes, mais non moins compromettantes. Pour quelle autre raison rencontrerait-elle cet homme trois fois par semaine, beau temps, mauvais temps ? Une petite couventine est une proie facile pour un homme comme lui, avec son maudit accent français et ses grands yeux de veau, sans parler de sa réputation. Mais est-ce qu'il ne commence pas à être un peu trop vieux pour chasser un gibier aussi jeune ? Qu'est-il donc, après tout, sinon un anachronisme ambulant ? Le monde dont il vient a cessé d'exister. Que peut-il bien avoir à offrir à une femme ? Il n'a qu'un passé. Pas d'avenir, rien devant lui qu'une vieillesse mélancolique. Et pourtant. La première fois qu'il les a vus ensemble, chez le sénateur, il a su, l'a senti, comme un chien flaire le danger. Avec le temps cependant le souvenir s'en était estompé, et il n'avait eu aucune raison de poursuivre plus loin cette piste jusqu'au jour, il y a quelques semaines, où il est rentré déjeuner à l'improviste, en apportant des fleurs à sa femme comme cela lui arrive de temps à autre depuis la naissance de la petite. Il s'est fait dire que *madame* était sortie pour l'après-midi. Puis, en réponse à ses questions, que *madame* sortait effectivement souvent l'après-midi. Tous les lundi, mercredi et vendredi à vrai dire. Où va-t-elle ? a-t-il demandé — et quel mari ne demanderait pas où sa femme disparaît avec une telle régularité ? — *Madame* ne l'a pas dit ? Mais elle était habillée pour *l'équitation* ? Cette révélation l'a atteint comme un coup de poing en plein visage. Jour après jour il a attendu, espéré que *madame* s'expliquerait d'elle-même, ou à tout le moins ferait quelque allusion, si anodine fût-elle, à cet intérêt dévorant qui est le sien. Mais son silence complet sur la question lui en a dit plus long qu'il n'eût souhaité en savoir. La décision de la faire suivre est une mesure radicale, mais sa femme est encore si jeune, si innocente ; il l'a fait autant pour la protéger que pour en avoir le cœur net. Cela dit, gronde-t-il intérieurement, le whisky rallumant sa colère, cette fille est une sotte, niaise et impulsive, qui ne fait aucun effort pour mesurer les répercussions que sa conduite risque d'avoir sur sa réputation et l'honneur de sa famille, sur la carrière de son mari, ou l'avenir de leur petite Kitty. Une vague de rancœur l'envahit alors, irrépressible comme la nausée, mais plus odieuse, lui brouillant la vision en même temps que l'esprit. Brusquement, son humeur change. Se souvenant que le Russe était un proche de Florence, une personne pour qui il avait la plus haute estime, et invoquant sa propre impression somme toute favorable du personnage avant que Jeanne ne fût en cause, il ne voit plus tout à coup dans sa femme qu'une femelle en chaleur tournant autour du mâle, l'importunant de ses visites, se couvrant de ridicule ainsi que son mari qui s'est montré incapable de la tenir en laisse. Et dire qu'elle ose lui fermer la porte de sa chambre ! Un instant plus tard, confronté à une vision grotesque, surgie des vapeurs de l'alcool, de sa femme et du Russe dans la frénésie de l'accouplement, une autre émotion le saisit à la gorge. La haine s'empare de lui, lui arrachant le piètre vestige d'amour-propre auquel il s'était jusqu'alors accroché. La carafe sur le petit guéridon à côté de lui est vide, ayant dégorgé son mauvais génie. Peu à peu il se sent gagné par un calme étrange, comme si quelqu'un avait soulevé un lourd fardeau de ses épaules. Une espèce d'engourdissement s'empare de son cœur. Il ferme les yeux et paraît s'assoupir.

4.

Sur le coup de minuit le souper fut servi. Une fois que le prince se fut retiré dans un salon privé, le *Oak Room*, pour souper en petit comité en compagnie de quelques privilégiés, les autres invités se dispersèrent entre le *Rose Room*, le *Green Room* et *Peacock Alley* où les attendait un buffet, le service étant assuré par les invités masculins dont l'inexpérience à la tâche, ou dans certains cas le degré d'ébriété, produisaient à l'occasion des résultats aussi désastreux que comiques. Jeanne assistait en somnambule à toute cette scène, qui n'avait à ses yeux pas plus de consistance qu'une illusion d'optique projetée sur un écran. Les sons lui parvenaient assourdis, lointains, comme ils le font sous l'eau. Vladimir ne viendrait pas, et le manque qu'elle en ressentait était à la limite du tolérable.

Le bal reprit après le souper et tous les yeux se tournèrent de nouveau vers le jeune prince qui tourbillonnait de partenaire en partenaire, de fox-trot en one-step, tandis que l'orchestre jouait des airs qu'on disait être de ses favoris, comme *Johnny's in Town* ou *Smiles*. Après avoir réservé les premiers tours de piste aux dames dont il avait déjà fait la connaissance, le prince demanda à être présenté à d'autres jeunes femmes, dont il connaissait le compagnon ou dont la beauté ou la virtuosité sur la piste de danse avaient retenu son attention. C'est ainsi que Jeanne se retrouva soudainement face à face avec le jeune homme, qui salua son père avec le même empressement chaleureux qui le faisait instantanément aimer de tous ceux qui le rencontraient.

— Monsieur Langlois, quel plaisir de vous voir ici, dit-il d'une voix langoureuse et nasillarde, en tendant comme d'habitude la main gauche. Je me demande si vous auriez la bonté de me présenter à cette ravissante jeune personne, ajouta-t-il avec un sourire béat à l'intention de Jeanne. Je serais enchanté si vous me faisiez l'honneur de m'accorder cette danse, mademoiselle, poursuivit-il après qu'elle se fut très distinctement entendue présenter comme *madame* Jeanne O'Neill. J'adore danser, je vous préviens.

Les yeux de Son Altesse brillaient d'un curieux éclat. Il avait en parlant une légère tendance à avaler ses mots, et ses joues étaient plus rouges qu'à son arrivée, mais il dansait avec plus d'aplomb et de grâce que tous les autres partenaires que Jeanne avait eus ce soir. Il avait une légèreté remarquable dans les mouvements, et était aussi facile à suivre que sa bonne humeur était contagieuse. Il paraissait complètement absorbé par le rythme de la musique, et se mouvait avec une grâce nonchalante et la tension subtile qui dénote la concentration dans le plaisir.

— Je ne me suis jamais autant amusé, continua-t-il dans le registre monotone de l'aristocratie britannique. Je n'ai pas du tout envie de rentrer. *Mamââ* est une telle rabat-joie...

Jeanne, interloquée, saisit d'instinct que son partenaire, ayant depuis le début de la soirée consommé une quantité impressionnante de boisson, décochait ses pensées intimes comme on fait ricocher à la surface d'un étang des galets qui ensuite vont s'enfouir dans la vase au fond de l'eau. Elle eût commis un faux pas considérable en lui répondant de quelque façon que ce fût, mais elle remarqua que, lorsqu'il ne souriait pas, ses yeux mélancoliques et sa petite bouche triste lui donnaient un air pathétique. Contrairement à Shpazhinski dont le magnétisme suggérait et sous-tendait une vie intérieure intense, le prince paraissait un être frivole, tout en surface, et qui, comme un fruit trop tôt cueilli, n'atteindrait jamais son plein mûrissement. Il lui faisait pitié sans pour autant éveiller sa curiosité ou exciter chez elle une sympathie qui lui eût donné envie de mieux le connaître. Elle était à mille lieues de subir en sa présence le supplice d'amour-propre réservé ce soir-là à tant de jeunes débutantes rendues muettes et gauches par la timidité.

Le morceau se termina, le prince prit congé, Jeanne lui fit la révérence comme elle l'avait fait en lui étant présentée, puis le regarda s'éloigner de sa démarche lisse, presque glissante, vers Madeleine Taschereau, ravissante dans sa robe de mousseline blanche ornée de broderies roses et vertes, avec qui il avait déjà dansé deux fois avant le dîner. Au moment où il la rejoignait cependant, un de ses aides de camp lui glissa la main sous le coude et lui parla discrètement à l'oreille. Le prince répliqua avec humeur, puis s'excusa auprès de la jeune femme et suivit son adjoint qui de toute évidence lui avait déjà choisi une autre partenaire. C'est alors que, sans raison apparente, Jeanne se sentit brusquement étranglée par les sanglots.

— Je suis si fatiguée, papa, je t'en prie, ramène-moi à la maison, dit-elle en se tournant vers son père et fixant délibérément le mur derrière lui afin d'éviter son regard.

— Quoi, déjà ? Mais il n'est qu'une heure — tu veux vraiment partir ?

L'air perplexe de son père la fit se ressaisir. Pourquoi l'inquiéter par un comportement incongru ? Quelle jeune femme saine d'esprit demanderait à quitter les lieux, quelques instants à peine après avoir dansé avec un futur roi ? Quel meilleur moyen d'éveiller les soupçons ? Jeanne respira profondément et, regardant enfin son père avec des yeux secs, lui sourit.

— Là, dit-elle. Je me sens mieux maintenant. J'ai cru que j'allais m'évanouir. On étouffe ici.

— Tu es sûre ? Nous pouvons partir tout de suite si tu ne te sens pas bien, dit son père avec prévenance, la perplexité s'estompant peu à peu de son regard.

— Non, restons. Je me sens beaucoup mieux.

5.

Les lumières étaient encore allumées dans la maison de la rue Université lorsque Jeanne et son père rentrèrent vers trois heures ce matin-là. Quand Charles Langlois raccompagna sa fille, grelottante sous son châle de satin noir, jusqu'à sa porte, le seul son qui froissât le silence était le bruissement des feuilles mortes le long des pavés, qu'un vent froid balayait. Déclinant l'offre qu'elle lui fit d'entrer à cause de l'heure tardive, il embrassa sa fille qui le regarda, à la lumière du réverbère, remonter dans sa voiture et s'éloigner dans la rue obscure. Jeanne referma la porte d'entrée, et voyant les lumières allumées au salon, était sur le point de les éteindre quand elle aperçut soudain son mari, parfaitement immobile dans son fauteuil devant le feu éteint. Elle tressaillit violemment. Il était bien éveillé et très pâle.

— Mon Dieu, Mick, bredouilla-t-elle, le cœur contracté de frayeur, tu n'es pas couché ! Il est trois heures passées.

Les yeux de ce dernier se rétrécirent. Il se pencha en avant, tête baissée sans la quitter des yeux, la regardant par en dessous comme un animal qui flaire la crainte, juste avant de bondir.

— Je n'ai pas besoin de toi pour me dire l'heure qu'il est, gronda-t-il.

— Je vais monter me coucher, je suis morte de fatigue, hasarda-t-elle d'un ton qui se voulait anodin, en se retirant à reculons de la pièce.

— Ainsi madame est fatiguée, répéta-t-il.

Jeanne était au pied de l'escalier. Mick, s'élançant de son fauteuil, parut traverser la pièce d'un seul bond. Il se précipita sur elle, l'attrapant par le poignet. Jeanne poussa un cri de frayeur.

— Dans les bras de qui nous sommes-nous amusée ce soir ? Avions-nous arrangé un rendez-vous secret, croyant que personne ne nous verrait ?

— Tu deviens fou ! protesta Jeanne avec véhémence.

Il lui serrait le poignet si fort qu'il lui faisait mal. La douleur qu'il lui infligeait décuplait la colère qu'elle éprouvait d'être aussi injustement accusée d'un crime qu'elle désirait si ardemment avoir commis.

— Tu sais que j'ai passé la soirée avec papa. Pour l'amour du ciel, arrête, tu me fais mal ! s'écria-t-elle tout en tentant en vain de se libérer.

— Tu penses que je te crois, menteuse...

— Mick ! Arrête ! Tu es soûl...

— Tais-toi ! rugit-il. Tu oses me parler ! Tu oses me regarder !

Il la poussa rudement dans l'escalier. Elle gravit précipitamment les marches, en trébuchant dans son empressement de se soustraire à ses représailles. À partir de cet instant il se tut, refoulant la rage qui se déversait, sans filtrage préalable par la pensée ou par la voix, dans son corps. Il la poussa de force dans la chambre puis, violemment, sur le lit. Fini les reproches, les réprimandes, il n'y avait plus que ses mains brutales, et cette force surhumaine que l'alcool lui donnait. Jeanne eut beau se débattre, se cabrer, mordre, il était aveuglé par une folie meurtrière qui le rendait insensible à la douleur. Il mit longtemps à se décharger en elle, au bout d'une longue frénésie qui laissa Jeanne à vif, dans ses chairs, dans son âme. Puis il se releva, et sans même boutonner son pantalon, sortit sans se retourner, sans un regard pour elle, sans prendre la peine de fermer la porte derrière lui, ce qui outragea Jeanne encore plus que s'il l'avait claquée de toutes ses forces. Lorsque celle-ci parvint à se relever, ses mains tremblaient si fort que, dans un instant de panique, elle crut qu'elle n'arriverait pas à pousser le verrou.

6.

Mick se réveilla comme d'habitude sur le coup de sept heures, avec l'impression d'avoir reçu un coup violent à la tête. Pendant quelques secondes avant que ses yeux ne s'ouvrissent sur la grisaille d'un froid matin de novembre, il s'attarda en rêve dans une rue déserte détrempée par la pluie. Dans la noirceur la plus totale, son petit frère Arthur l'appelait quelque part du fond de cette nuit, mais sa voix n'était pas celle du garçon de dix-sept ans qu'il avait vu pour la dernière fois l'année où la typhoïde lui avait enlevé la vie. C'était une voix surgie de son enfance, un appel tant de fois entendu... quand, un dimanche de Pâques, âgé de cinq ans, Arthur s'était enfoncé jusqu'aux genoux dans la boue argileuse d'un chantier où ils s'étaient aventurés, loin de la maison paternelle, et n'avait pu se dégager tout seul, ou quand une de leurs farces se retournait contre eux et que la victime en courroux se lançait à leurs trousses, Arthur comme d'habitude courant un peu moins vite que lui... Peu à peu un mal de tête lancinant envahit sa conscience. Il s'assit lentement et regarda sa montre. Le souvenir de la nuit précédente, avec son paroxysme sauvage, était planté comme un éclat de verre dans son esprit. Il eut un mouvement de révulsion et de honte en pensant à ce qu'il avait fait, mais son remords s'atténua à mesure que les flammes de la jalousie se ranimaient et se remettaient à lécher son âme. Il serra les poings, et le sang qui cognait à ses tempes lui remplit à nouveau la tête de ressentiment et de hargne. Il chercha ses cigarettes et se leva précautionneusement. Son cerveau endolori avait soif de clarté. Il alluma une cigarette, se demandant s'il devait suivre son impulsion qui lui dictait d'oublier le café que son corps déshydraté réclamait, et de sortir ni vu ni connu dans l'air tonifiant de l'automne. Il détestait ces « lendemains de la veille » avec leurs relents de dégoût et de doute de soi. Comme toujours son instinct était de tourner la page et de laisser là ce qu'il ne pouvait pas changer. Il serait toujours temps de tourner la situation à son avantage, quand tout ce qu'il s'efforçait de bâtir pour l'avenir commencerait à profiter à sa femme de façon plus tangible — et que ce ridicule béguin lui serait enfin passé. Les directives qu'il avait données au détective privé qui l'avait en filature étaient d'être discret mais visible. À l'heure qu'il était, son ami ne pouvait plus nourrir d'illusions quant à la viabilité de leur petite idylle.

La sentence est la même

1.

Lundi surprit Jeanne presque au dépourvu, tant elle avait été incapable, depuis le soir du bal, d'envisager ses retrouvailles avec Vladimir autrement que la mort dans l'âme. Abrutie, les nerfs si fragiles qu'elle craignait de fondre en larmes à la vue de son mari, elle avait pris tous ses repas dans sa chambre et passé tout le week-end à fuir son contact. C'était se donner beaucoup de mal pour rien car, muet et renfrogné derrière son journal ou enfermé dans son cabinet de travail avec ses dossiers, il avait soigneusement évité de la rencontrer. Le dimanche après-midi, elle emmitoufla Kitty dans son landau et l'emmena se promener dans le parc de l'université McGill. Les six jours qui s'étaient écoulés depuis la dernière fois qu'elle avait vu Vladimir, depuis qu'il l'avait prise dans ses bras et qu'elle avait compris qu'elle courait au-devant de quelque cataclysme, avaient miné sa détermination, paralysé sa volonté.

Le lundi donc, au lieu de sortir en tenue d'équitation comme elle le faisait d'ordinaire, elle plia son habit de tweed, qu'elle fourra dans une grosse boîte à chapeau, et ses bottes en cuir souple qu'elle dissimula dans une autre plus petite, et les porta l'une et l'autre à sa voiture juste avant le déjeuner. Elle descendit en ville, suivie à distance par l'inconnu que son mari payait pour la surveiller, gara sa voiture dans la rue Union et entra chez Morgan's d'un pas déterminé avec ses deux colis sur les bras. Elle se dirigea vers les toilettes des dames, à l'autre bout du magasin, et se changea dans l'une d'elles. Son manteau d'automne étant beaucoup plus ajusté qu'elle ne se l'était imaginé, elle eut toutes les peines du monde à l'enfiler par-dessus son habit. Après quoi elle se dirigea, dans une sorte de panique, vers la sortie de la rue Sainte-Catherine. Elle était encore si ébranlée par les événements du soir du bal que l'humour de sa situation, et de ce subterfuge digne d'une gamine, lui échappa complètement. Son cœur battait trop fort, sous le fouet d'une anticipation dépouillée de l'allégresse qu'elle avait jusqu'ici toujours ressentie au moment de revoir Vladimir, et dont l'impatience sans joie lui contractait la poitrine. Elle héla un taxi et indiqua au chauffeur l'adresse du chemin Shakespeare.

Le trajet dans la cohue de midi, où équipages et automobiles se côtoyaient dans l'anarchie la plus complète, lui parut interminable. Il y avait des mois qu'elle n'avait pas été ainsi entravée dans son désir de le voir. Maintenant que le moment approchait, le temps ralentissait, la voiture dans sa longue ascension perdait de la vitesse, sa propre respiration semblait pratiquement suspendue. Enfin elle aperçut l'édifice en pierre grise qui abritait les chevaux. Le taxi remonta tranquillement le chemin en pente douce jusqu'à sa destination. Jeanne paya en vitesse, et sa pensée s'emballa, s'élança vers celui qui devait être là à l'attendre, vers l'instant où, le retrouvant, elle se retrouverait elle-même.

Le ciel d'un bleu délavé était barbouillé de nuages gris. Un vent froid rôdait en gémissant autour de l'écurie obscure. L'air à l'intérieur était chaud et lourd d'odeurs animales. Quand elle arriva à la hauteur des deux box du fond, elle trouva celui de Lara vide et dans l'autre Pouchkine qui mâchonnait son avoine, bien tranquille sous sa couverture, comme si elle n'était pas attendue du tout. La sellerie était déserte, et la porte du petit bureau, qui ordinairement restait ouverte, était fermée à clé. Elle jeta un coup d'œil inquiet à sa montre ; il était douze heures quarante-cinq. Quelle raison aurait poussé Vladimir à partir sans elle, sachant qu'elle arrivait d'habitude rarement avant midi trente, et parfois plus tard ? Elle n'y comprenait rien. Elle fit le tour de la grange, jusqu'à l'endroit où il avait coutume de garer sa voiture. Il n'y en avait pas trace. Soudain elle entendit des bruits provenant de l'autre côté de la grange, là où l'on entreposait l'avoine, le foin et les autres denrées destinées aux chevaux. Elle aperçut un homme en salopette en train de transporter, au moyen d'une fourche, du crottin mêlé de paille usée d'une brouette vers un gros tas de fumier. L'homme leva les yeux et toucha sa casquette en guise de salutation. Jeanne était certaine qu'elle le voyait pour la première fois.

— Excusez-moi, hasarda-t-elle d'une voix hésitante, est-ce que M. Shpazhinski est là aujourd'hui ?

— Oh non, Madame, répondit laconiquement le bonhomme, i'est parti.

— Parti ?

Le mot se logea comme une arête dans la gorge de Jeanne. Elle lutta pour préserver un semblant de calme.

— Quand l'attendez-vous ?

— Ah, je l'attends pas, Madame, puisque j'vous dis qu'i'est parti, fit l'homme sans bonne humeur.

— Pourrai-je le rejoindre ici demain, pensez-vous ?

— Mais non, Madame, i'... un instant, s'interrompit-il. Vous devez être Madame...

Il hésita, parut fouiller sa mémoire.

— O'Neill, j'ai rendez-vous tous les lundis...

— I' a dit de seller vot' cheval pour une heure. Faut croire qu'i'doit être à peu près cette heure-là, ronchonna-t-il en sortant sa montre de la poche de sa salopette.

Il planta sa fourche au pied du tas de fumier. Ses grosses mains étaient rouges de froid.

— Ça sera pas long.

— Vous avez bien dit qu'il ne viendrait pas, répéta Jeanne en tentant de masquer son incrédulité.

— Ben non, i'a appelé tous ses clients pendant la fin de semaine, répliqua l'homme par-dessus son épaule en s'éloignant en direction de l'écurie. I'a pas dû pouvoir vous rejoindre pa'ce qu'i'a laissé une lett'ici pour vous. E'est dans l'bureau, lança-t-il en s'engouffrant dans l'écurie.

Jeanne devint encore plus agitée, sachant que le bureau était fermé à clé.

— Excusez-moi, dit-elle en élevant la voix, mais l'homme n'en tint pas compte ou alors ne l'entendit pas.

Jeanne n'avait aucune envie de sortir à cheval seule. Elle avait hâte de rentrer, de crainte que son cerbère ne se lassât de l'attendre et ne vînt à sa recherche. Mais l'homme ressortit en moins de deux, menant Pouchkine par la bride. Jeanne était déjà beaucoup trop bouleversée pour vouloir risquer de contrarier le bonhomme en ayant l'air de changer d'idée à la dernière minute. Elle monta sur l'escabeau et se hissa en selle.

— Auriez-vous l'obligeance d'aller me chercher la lettre de M. Shpazhinski ? ajouta-t-elle avec un sourire forcé, en maudissant la nonchalance du gros homme.

— Une minute alors, bougonna ce dernier, en sortant de sa poche une blague à tabac et commençant à bourrer sa pipe en marchant.

Elle le regarda s'approcher du bureau à pas lents, mettre sa pipe dans sa bouche et, tenant celle-ci entre ses dents, tâter les diverses poches de sa salopette avant de trouver la clé. Finalement il revint vers elle sans se presser davantage, et elle dut se retenir de lui arracher la lettre des mains.

Jeanne remercia l'homme et compta mentalement jusqu'à dix, tout en réunissant les rênes et ajustant ses gants afin de ne pas paraître trop empressée, puis elle resserra les jambes autour de sa monture, qui partit au pas. Elle suivit le parcours habituel, à travers champs, le visage fouetté par la bise qui soufflait sans relâche, puis remonta le petit sentier abrité, tapissé de feuilles mortes. Un silence bienfaisant régnait dans le bois, que les oiseaux avaient depuis longtemps déserté, et où le bruit sourd des sabots se confondait avec les battements de son cœur. Arrivée à la petite clairière où ils avaient coutume de s'arrêter, elle immobilisa sa monture. Loin au-dessus d'elle, les cimes dénudées se balançaient en grinçant dans le vent. Jeanne sentit l'air froid sur son visage en décachetant l'enveloppe, de sorte qu'elle parvint presque à se convaincre que les larmes qui jaillirent de ses yeux lorsqu'elle reconnut l'écriture impatiente et volontaire de Vladimir étaient autant la faute du vent que de l'émotion qui s'empara d'elle en lisant.

2.

Ces derniers jours s'étaient écoulés de façon bien différente pour Vladimir Sergeievitch Shpazhinski. Vendredi matin, sa décision prise, il avait rendu visite à son employeur, lady Ashbourne, une amie de longue date qu'il avait eu la bonne fortune de rencontrer dès son arrivée à Montréal, avant la guerre. Il lui rappela des propos qu'elle lui avait tenus l'été précédent, au moment où l'offre lui avait été transmise. À l'époque il n'avait eu aucune raison de l'accepter, mais à présent il avait besoin de savoir, dans les plus brefs délais, si elle tenait toujours. Lady Ashbourne, la femme d'un riche commerçant qui avait été fait chevalier par le roi, avait écouté avec sympathie cette curieuse plaidoirie. Elle ne lui en dit rien, mais une rumeur lui était déjà parvenue depuis un certain temps le concernant, ainsi qu'une jeune femme qu'il voyait fréquemment. Cependant, même si elle avait tout ignoré des fréquentations de son ami, le connaissant comme elle le connaissait, elle eût vite fait de deviner la vraie nature des « raisons personnelles pressantes » qu'il invoquait. Néanmoins il lui parut soucieux. Ses joues creuses et ses yeux cernés, se dit-elle, trahissaient autre chose qu'une simple fatigue physique. Dans les circonstances, elle fut heureuse de pouvoir lui confirmer que la porte qu'on lui avait ouverte quelques mois auparavant ne s'était pas encore refermée. Elle lui souhaita la meilleure des chances, l'encouragea à donner de ses nouvelles dès qu'il le pourrait, et ne lui posa pas de questions.

Toute la fin de semaine, tandis qu'il complétait ses préparatifs, faisait ses valises et empaquetait le volumineux cumul des années passées à tenter de donner forme aux images qui hantaient son âme, il fut tourmenté par le besoin impulsif de circonvenir sa propre décision, de téléphoner à Jeanne, de lui donner rendez-vous quelque part, de lui dire lui-même ce qu'il allait faire, de lui expliquer pourquoi. En dépit de tous ses efforts, il ne parvint pas à se berner lui-même. Cette ligne de raisonnement visait un but, un seul : la revoir. Après quoi rien ni personne n'eût été en mesure de l'éloigner d'elle. C'était là précisément ce qu'il avait résolu d'empêcher, à n'importe quel prix. Jusqu'ici il ne lui avait fait aucun mal, même s'il savait qu'elle souffrirait, comme on ne peut souffrir qu'à dix-neuf ans : c'est-à-dire atrocement, mais pas longtemps. Quant à lui, les années de solitude ne faisaient qu'exacerber les effets du jeûne affectif qu'il s'imposait. Il tournait une fois de plus le dos à sa vie, éternellement condamné, sans pardon possible, semblait-il, à une forme d'exil ou une autre. Expiait-il la mort de ses frères, ou le meurtre de millions de ses compatriotes ? Ou ne faisait-il que satisfaire sa conscience, l'indéniable voix qui nous rappelle la responsabilité que l'on a de faire le bien, et qui est inséparable de l'amour ? Quel qu'en eût été le mobile, il lui avait écrit cette lettre. Il s'y était repris à deux, puis à trois fois, s'efforçant d'en expurger le sentimentalisme qui coulait de sa plume et qui banalisait son intention en flattant les émotions mêmes auxquelles il prétendait renoncer. Le poids qui opprimait son cœur s'était finalement allégé, ou peut-être seulement déplacé un peu, car aussitôt un autre mirage, tout rutilant d'espoir, avait surgi — la lui porter lui-même, lundi matin, une fois son mari parti... et toute de suite la futilité, la bêtise de ce scénario en avaient dissipé la séduisante illusion. Même si le bonhomme n'était pas là, il l'apprendrait tôt ou tard. Le but même de son départ, qui était de la protéger, serait trahi, et la culpabilité d'une innocente présumée sans plus de preuve. Il se contenta donc de passer devant chez elle dans la nuit. La maison était plongée dans l'obscurité à l'exception d'une pièce au rez-de-chaussée. Ses pensées s'étaient envolées vers elle alors, comme des oiseaux captifs qu'on libère. Il avait poursuivi seul son chemin dans la nuit froide, avec le sentiment de plonger lentement dans une eau noire, sans fond. Maintenant qu'il était à bord de ce train qui l'emportait contre son gré, il se rappelait le jour de juin où il l'avait vue pour la première fois, quand il l'avait surprise adossée au grand arbre, les yeux remplis de rêve, dans le jardin des Bertrand. Il revoyait la vulnérabilité, l'extraordinaire limpidité de son regard aux iris couleur d'aigue-marine, et la conviction de ne lui avoir fait aucun mal lui apporta un ultime réconfort... Le train roulait à toute allure vers le sud.

3.

« Jeanne,

Tout à l'heure je monterai dans un train à destination du Kentucky, où j'ai accepté d'entraîner des chevaux. Ne m'en veux pas de partir. Il n'y avait pas d'autre moyen. Hélas je ne tiens pas ton bonheur entre mes mains, seulement ton malheur, qui est aussi le mien. Je te laisse Pouchkine. Il t'appartient autant qu'à moi. Tu m'as apporté de grandes joies.

V. »

Plaisir cruel, souffrance exquise, quel étrange poison il la forçait à boire. La ciguë de l'adieu coupée de l'absinthe des aveux, avec la douceur de ce *tu*, intime comme un baiser, qu'il employait pour la première fois, au moment même où la finalité de son départ s'enfonçait comme un glaive dans son cœur. Elle lisait et relisait, dans un vertigineux accès d'ivresse et de douleur. Il venait d'un seul coup d'emporter tous ses espoirs, comme la bourrasque et la pluie arrachent les feuilles d'un arbre, laissant à nu le bois mort du souvenir.

Jeanne remercia le palefrenier en s'efforçant de bannir de sa voix et de son expression la désolation qu'elle ressentait. Chancelante de chagrin, elle ramassa ses deux encombrantes boîtes et marcha jusqu'au bout de la ligne de tramway au sommet du chemin Shakespeare, où les trams faisaient demi-tour et s'en retournaient vers la côte des Neiges. Par bonheur, le wagon était presque vide à cette heure du jour. Une fois dans la rue Sherbrooke, elle trouva un taxi pour la ramener chez Morgan's. S'étant changée et ayant retrouvé sa voiture, elle se demanda amèrement combien son mari mettrait de temps à apprendre la nouvelle et à rappeler son limier qui, incroyablement, était toujours assis derrière le volant de sa voiture en train de lire son journal. Maintenant que Mick n'avait plus le pouvoir de l'empêcher de voir Vladimir, elle ne le craignait plus. Même si son orgueil et sa bonne éducation la retenaient d'exprimer ce qu'elle ressentait à présent lucidement comme étant de la haine, celle-ci continua de couver, insensible aux manifestations, classiquement gauches et prévisibles, de bonne volonté de son conjoint, sans doute inspirées par la révélation du départ de son rival, telles que le manteau en phoque de la baie d'Hudson qu'il lui fit faire chez Holt Renfrew's, le fourreur le plus cher de Montréal, en l'honneur de ses vingt ans.

4.

À mesure que les jours gris et mouillés de novembre raccourcirent, Jeanne sombra dans une léthargie morose. Elle perdit son lait, assez brusquement, juste avant Noël, et fut forcée de sevrer complètement la petite Catherine, se privant ainsi de l'une des rares joies qu'elle éprouvait encore. Elle continua de monter à cheval, davantage par une espèce de loyauté envers Pouchkine, qui lui permettait de se consoler en ayant pitié de lui, que par un quelconque désir d'épargner à son mari la confirmation de ses soupçons. Au contraire, elle eût aimé lui infliger ses propres souffrances. À mesure que l'hiver l'isolait du monde, Jeanne perdit sa vitalité et son appétit, et se réfugia de plus en plus dans le sommeil. Ce ne fut que lorsque Gabrielle lui suggéra que sa condition avait peut-être une autre explication qu'elle fut enfin forcée de constater l'évidence. L'idée d'avoir à subir tant de mois d'inconfort, pour aboutir à l'orgie d'angoisse et de souffrance qui avait marqué la venue au monde de sa petite Catherine, l'horrifia. Plus détestable encore, cette grossesse était le résultat et en quelque sorte le prolongement d'un acte qu'elle avait tenté par tous les moyens de bannir de sa mémoire. Depuis tant de semaines qu'elle se désolait, elle s'était parfois laissée aller à penser que rien ne lui eût apporté plus de réconfort que de porter et de mettre au monde un enfant de lui. Voilà donc la rançon de mes pensées adultères ! Qu'importe que mes actes soient demeurés irréprochables, puisque la sentence est la même ? Elle n'avait qu'à se tapir davantage dans sa prison, qu'à souffrir, et se repentir ! Ainsi qu'il en avait toujours été, et sans doute qu'il en serait toujours, dans les siècles des siècles.

Plus sa grossesse avançait, plus elle devenait hantée par sa haine insensée pour l'enfant qu'elle portait. Lorsqu'elle le sentit enfin, presque imperceptiblement, remuer en elle, cette répudiation contre nature de sa propre chair l'épouvanta. La femme qu'elle était devenue à travers l'épreuve de son premier accouchement était avant tout une mère, la mère de Catherine, qu'elle aimait aussi farouchement qu'une louve aime ses louveteaux. Le combat que se livraient en elle la haine et le remords menaçait son équilibre mental, si bien qu'elle finit par se percevoir comme un monstre, aussi indigne de la vie qu'elle portait que de celle qui lui avait été donnée.

Sa condition par contre produisit chez Mick l'effet opposé. Délivré de l'emprise de la jalousie, il se prit sans trop s'en rendre compte à interpréter la grossesse de sa femme comme une forme de pardon, un cadeau non mérité qui ne lui inspirait que reconnaissance et une pleine et entière contrition. Son orgueil satisfait par la déroute de son rival et flatté par la perspective d'une seconde paternité, il ne se formalisa plus du silence maussade de sa femme. Dans sa vie professionnelle il avait commencé à acquérir la réputation d'un plaideur dont la connaissance quasi encyclopédique du droit et de la jurisprudence, alliée à un verbe incisif et brillant, le rendrait un jour pratiquement imbattable en cour. Il venait de gagner une cause difficile et, à vingt-quatre ans, d'être invité à devenir un associé à part entière dans son cabinet d'avocats. L'avenir lui appartenait. Bientôt sa jeune et ravissante épouse allait le récompenser d'un deuxième enfant, peut-être même un fils cette fois. Il pouvait se permettre d'être magnanime. L'année 1920, à en juger par ses débuts, s'annonçait excellente.

5.

Le mois de mars 1920 se termina par une de ces tempêtes de neige qui servent de point de comparaison à toutes celles qui suivent pendant des années à venir. Le vent avait amoncelé la neige contre la maison jusqu'à une hauteur telle qu'à sept heures le lendemain matin, lorsque Gabrielle descendit Catherine à la cuisine pour lui donner son petit déjeuner, les fenêtres du côté de la rue Université en étaient obscurcies. Lorsqu'elle ouvrit la porte d'entrée pour chercher le journal, elle se trouva devant un mur de neige dont l'opacité au jour grandissant du dehors indiquait qu'il était fort épais. Mick mit une bonne heure à pelleter un passage jusqu'à la rue puis, comme les tramways étaient paralysés pour la journée, chaussa ses skis et se rendit à son bureau de la place d'Armes à travers les rues désertes d'une blancheur immaculée. Au soleil la neige brillait d'un éclat éblouissant. Elle recouvrait la ville d'un épais manteau qui étouffait les sons et y faisait régner un silence arctique. À plusieurs endroits le long de sa route, des poteaux téléphoniques avaient été abattus par la tempête. Sur les artères principales, Sherbrooke, Sainte-Catherine, Dorchester[1], des équipes de déneigement pelletaient, leur tâche rendue plus ardue par le temps doux qui alourdissait la neige en la rendant collante, tandis que des chevaux de trait munis d'œillères tiraient les

1. Dorchester : aujourd'hui le boulevard René Lévesque.

gros traîneaux du département des travaux municipaux, avec leurs contenants en planches où s'empilaient de moyennes montagnes de neige.

Le soir venu, les trams parcouraient de nouveau les rues, quoique au ralenti, entre des bancs de neige hauts de douze pieds. À l'intérieur des wagons les passagers patientaient dans leurs vêtements humides, et chaque fois que quelqu'un se levait d'un des bancs en osier chauffés, on voyait la vapeur s'élever du siège qu'il venait de quitter. L'air y était lourd et sentait la laine mouillée. Quand Mick arriva chez lui, il fut accueilli à la porte par Gabrielle dont les yeux rouges et l'agitation évidente lui firent immédiatement comprendre que quelque chose n'allait pas.

— Que se passe-t-il ? lui demanda-t-il en piétinant énergiquement pour secouer la neige qui collait à ses couvre-chaussures.

— Madame ne va pas bien depuis ce matin, Monsieur, elle ne va pas bien du tout, balbutia la jeune fille en prenant le manteau que Mick lui tendit d'un geste automatique.

— Est-ce qu'elle est malade ? Qu'est-ce qu'elle a ? s'impatienta ce dernier. Pour l'amour du ciel, ne tournez pas autour du pot.

— Elle saigne, Monsieur, répondit Gabrielle, en écarquillant les yeux de gêne et de peur.

— Elle saigne ? Vous voulez dire...

— Oui, Monsieur, répéta-t-elle en se mordillant la lèvre pour ne pas fondre en larmes.

— Est-ce qu'on a appelé le docteur ?

— Ça fait plusieurs fois que j'essaye, Monsieur, mais il n'est pas chez lui.

— Pas chez lui ? Avez-vous laissé un message ?

Mick n'attendit pas la réponse.

— Où est-elle, en haut ? lança-t-il, déjà dans l'escalier.

— Dans son lit, Monsieur, répondit Gabrielle en courant derrière lui.

Il entra dans la chambre. Jeanne était couchée sur le flanc, le visage tourné vers le mur. Elle ne fit aucun mouvement ni ne manifesta aucune réaction indiquant qu'elle l'avait entendu entrer. Il fit le tour du lit et resta un instant figé sur place, comme s'il attendait un signal de sa part. Elle avait les yeux grands ouverts et regardait fixement droit devant elle.

— Jeanne, comment te sens-tu ? lui demanda-t-il d'une voix anxieuse.

Elle leva un instant vers lui un regard fiévreux, accusateur, et se mit à gémir faiblement. Son visage blême luisait de transpiration, l'angoisse contractait ses traits.

— Je vais appeler le docteur, marmonna Mick en sortant précipitamment de la pièce.

En entendant la sonnerie retentir à l'autre bout du fil, il remercia le ciel de ce que la tempête de la veille n'eût interrompu le service ni chez lui ni chez celui qu'il tentait de joindre. Ce dernier toutefois n'était toujours pas rentré. Son épouse lui expliqua qu'il avait été retardé dans ses visites, en raison de la lenteur de la circulation d'une part, mais aussi parce que la température avait empêché beaucoup de patients, surtout lorsqu'il s'agissait de jeunes enfants, de se rendre à son bureau, de sorte qu'il avait plus de visites à domicile qu'à l'accoutumée. Du ton posé et courtois d'une personne habituée à calmer les inquiétudes des patients et de leurs proches, elle lui affirma que son mari était attendu d'un moment à l'autre et qu'elle verrait personnellement à ce qu'il le rappelât dès qu'il rentrerait. En attendant, y avait-il quelque chose qu'elle pût faire pour l'aider ?

— Ici Michael O'Neill, cria-t-il dans le téléphone. Ma femme attend un enfant. Elle est très malade !

— Si vous voulez bien me donner une idée de ses symptômes, je vous promets de les lui transmettre. Il vous rappellera tout de suite en arrivant, répéta la bonne dame d'une voix compatissante.

— *Maudit*[1] ! s'exclama le malheureux, je ne vais pas rester ici à attendre pendant que ma femme saigne à mort !

1. *Maudit :* juron canadien français.

Dites-lui que je l'emmène au *Royal Vic*[1] et de m'y rejoindre le plus vite possible !

— Mais il ne voudra peut-être pas que vous la déplaciez...

Mick ne voulut pas en entendre davantage. Il sortit de la maison et courut à sa voiture. Il mit longtemps à la démarrer, mais l'air froid lui fit du bien. Retrouvant peu à peu son aplomb, il laissa tourner le moteur dans l'espoir que l'intérieur se réchaufferait un peu, et s'élança de nouveau vers la maison. Il en ressortit transportant les peaux de bison qu'il avait demandé à Gabrielle de sortir de l'armoire de cèdre, les étendit sur le siège avant, et se précipita à l'étage, en escaladant l'escalier quatre à quatre. Gabrielle éprouvait de la difficulté à envelopper Jeanne dans son manteau.

— Il ne faut pas qu'elle s'assoie, Monsieur. Il faut qu'elle garde les jambes allongées pour pas que ça empire.

En soulevant sa femme dans ses bras, il aperçut parmi les draps défaits l'amas de serviettes trempées de sang.

— Gabrielle ! cria-t-il du haut de l'escalier. Allez étendre les fourrures sur la banquette arrière ! Si je la mets devant, elle ne pourra pas s'allonger, ajouta-t-il, le souffle court, tandis que la jeune fille le dépassait en courant.

Mick n'était pas un homme de forte carrure, et Jeanne, malgré sa minceur et la finesse de son ossature, n'était pas une petite femme. Il la transporta avec peine jusqu'à la voiture, en faisant attention où il mettait le pied, sous l'éclairage insuffisant du réverbère. La température avait beaucoup baissé depuis la tombée de la nuit, et la neige qui avait commencé à fondre pendant la journée durcissait dangereusement sous ses pas. Il coucha sa femme avec précaution sur la banquette arrière et la recouvrit avec les fourrures que lui tendait Gabrielle, qui grelottait dans ses souliers blancs sur le sentier gelé qu'il avait taillé à coups de pelle dans le banc de neige le matin même. Les yeux de Jeanne s'étaient refermés,

1. *Royal Vic :* Hôpital Royal Victoria.

elle fronçait les sourcils de douleur et frissonnait si violemment qu'elle claquait des dents, mais elle ne disait toujours rien.

— Appelez l'hôpital tout de suite et dites-leur de préparer une civière pour la recevoir ! cria Mick en faisant au pas de course le tour de la voiture jusqu'à la portière du conducteur.

Ses paroles s'évaporèrent en buée blanche dans l'air glacial.

Il démarra en trombe pour prendre un maximum d'élan avant d'attaquer la pente raide de la rue Université, au sommet de laquelle s'élevait la masse sombre de l'hôpital Royal Victoria. À mi-pente la voiture commença à ralentir à mesure que les roues s'emballaient et glissaient sur la neige durcie. Il se mit à pomper l'accélérateur avec son pied. L'inquiétude, la frustration accumulée, l'effort qu'il s'imposait pour maintenir une pression douce et constante sur la pédale, éclatèrent, inondant de sueur son corps tout entier ramassé autour du volant. Brusquement les lourdes chaînes entourant les roues entamèrent bruyamment la glace et la voiture s'élança en avant. Lentement, opiniâtrement, tout entier concentré sur l'espèce de musique que son pied tirait de la pédale d'accélération, tentant de discerner d'après les variations tonales du hurlement des roues sur la glace quand appuyer plus fort et quand relâcher un peu afin de permettre aux chaînes de mordre, il remonta pouce par pouce la pente raide. Enfin la McLaughlin Buick parvint au sommet. Une fois traversée l'avenue des Pins, le restant du chemin jusqu'au pavillon des femmes de l'hôpital, encore que plus à pic que la côte qu'il venait de négocier, ne présenta plus de difficulté, ayant été sablé plusieurs fois pendant la journée pour assurer le libre accès aux ambulances. Dès que la voiture s'immobilisa devant l'entrée, deux infirmiers en sortirent avec une civière, ayant de toute évidence été avertis par le coup de téléphone de Gabrielle. La garde-malade qui les accueillit à la réception était elle aussi manifestement au courant de la situation.

— Nous vous attendions, madame O'Neill, dit-elle à

Jeanne d'un ton rassurant. Le docteur Stanley vient de téléphoner pour dire qu'il est en route. En attendant, le médecin de garde va vous prendre en charge jusqu'à son arrivée.

Elle se tourna vers Mick tandis que les infirmiers emportaient Jeanne.

— Si vous voulez bien monter à la salle d'attente, le docteur viendra vous parler dès qu'il le pourra, lui dit-elle.

Mick fit ce qu'on lui disait. Il avait une peur, une méfiance instinctives envers les hôpitaux ; il détestait tout particulièrement le sentiment d'impuissance, de perte de responsabilité qu'on y ressentait. Il avait toujours eu horreur d'avoir à remettre son destin entre les mains de qui que ce soit. Le fait que son propre père avait été médecin n'y changeait rien : malgré son grand savoir, il avait été incapable de sauver la mère de Mick lorsque l'un de ses collègues, conformément aux commandements de l'Église, l'avait laissée mourir en sauvant la vie de son dix-huitième enfant. Cet enfant, c'était Arthur, et lui non plus, aucun médecin n'avait été en mesure de le sauver.

La salle d'attente était vide, sans doute à cause de la tempête. Mick demeura crispé au bord de sa chaise à fixer l'horloge qui égrenait parcimonieusement les secondes et les minutes, s'efforçant de maîtriser l'émotion qui, comme un serpent enroulé qui se dresse à l'attaque, montait trop vite en lui. La porte qui s'ouvrit le fit sursauter. Un médecin qu'il ne connaissait pas, et qui paraissait à peine plus âgé que lui, entra dans la salle d'attente.

— Monsieur O'Neill ?

Mick se leva en acquiesçant de la tête.

— Je suis le docteur...

— Sauvez la mère ! s'écria l'infortuné en perdant toute maîtrise de soi et se précipitant sur son interlocuteur. Faites ce qu'il faut, mais, pour l'amour de Dieu, sauvez-la !

Ce n'est qu'alors qu'il se rendit compte qu'il tenait le jeune médecin par les revers de son habit d'hôpital. Celui-ci était beaucoup plus grand que lui et de plus forte carrure.

— Il ne s'agit pas de cela, lui répondit l'interne d'une voix qui se voulait rassurante. (Il ne tenta pas de s'extirper de l'emprise de Mick, ce qui donna le temps à ce dernier de recouvrer un peu de son sang-froid.) La grossesse de votre femme n'est pas assez avancée. Le fœtus n'a aucune chance de survivre. Votre femme a perdu beaucoup de sang, le docteur Stanley a décidé de l'anesthésier. Si vous voulez bien attendre, il viendra vous parler dès que ce sera fini.

Mick se rassit, abasourdi par le débordement d'émotion auquel il venait de succomber. Il voulait demander quelles étaient les chances de Jeanne, mais il se tut. Comment pouvaient-ils savoir si elle allait s'en tirer ? Une fois que le médecin eut quitté la pièce cependant, il parvint graduellement à se ressaisir. Peut-être que s'ils n'avaient pas à se préoccuper de sauver la vie du bébé... Pourtant, chaque fois qu'il fermait les yeux, le souvenir des draps souillés de sang le secouait comme une accusation.

6.

— Nous allons vous donner un peu d'éther, madame O'Neill. Quand vous reviendrez à vous, tout cela sera derrière vous, avait dit le docteur Stanley.

Les deux hommes en habit blanc se tenaient au-dessus d'elle — le plus vieux, au visage connu, à la manière paternelle et affable, et son collègue plus jeune, de plus grande carrure, dont les traits n'étaient empreints d'aucun « optimisme professionnel », mais invitaient néanmoins à la confiance. La garde-malade avait placé le masque recouvert de gaze sur le nez et la bouche de Jeanne. Elle s'était rebiffée, tirée de la léthargie où l'avaient plongée l'épuisement et la perte de sang par le besoin instinctif de respirer, mais la garde lui avait tenu la tête, en lui murmurant quelque part derrière elle : « Respirez, madame O'Neill, respirez », tandis que le gaz l'imprégnait, la séparant peu à peu de son moi comme on détache un décalque du papier qui le supporte...

— Madame O'Neill. Madame O'Neill. (Une voix l'appelait, une voix lointaine.) Réveillez-vous, madame O'Neill.

Jeanne ouvrit les yeux. Le visage d'une femme entra dans son champ de vision. Un visage ordinaire et plein de compassion. « C'est terminé, chère. Vous allez voir que ça va bien aller... » Mais Jeanne ne put retenir l'apparition, elle n'en eut pas la force et perdit de nouveau connaissance.

Plus tard elle fut rappelée des limbes par les premières lueurs roses de l'aurore. Par la haute fenêtre de la chambre d'hôpital encore obscure, elle distingua de noirs squelettes d'arbres profilés contre l'escarpement neigeux du Mont Royal. Elle était seule. Quelque chose... manquait... — la douleur... envolée. *C'est terminé.* Le bébé — elle l'avait empoisonné de sa haine, banni de son avenir. Elle commençait à peine à se rendre compte à quel point l'enfant s'était déjà approprié sa mère, à quel point cet amour enfoui avait déjà pris racine en elle. La révulsion contre nature qui avait infecté ses sentiments envers le bébé s'était vidée d'elle avec son sang, ne laissant que la futilité des larmes et l'impitoyable inutilité du souvenir.

Elle entendit la porte s'ouvrir. Quelqu'un entra sans bruit. La chambre baignait encore dans la pénombre malgré le jour grandissant. Lorsqu'il parvint à son chevet, Jeanne reconnut le médecin qui l'avait examinée à son arrivée à l'hôpital. Il se tenait face à la fenêtre, de sorte qu'elle le voyait clairement. Il était grand, brun, le cheveu hirsute et bouclé comme un Saint-Jean-Baptiste. Il paraissait fatigué.

— Comment vous sentez-vous ? lui demanda-t-il d'une voix chaude et profonde qui la fit tressaillir.

— Est-ce que c'était... un garçon ? (Sa propre voix était réduite à un filet, grêle et pathétique.) Je vous en supplie, dites-moi...

— Oui, répondit le jeune homme en la regardant dans les yeux.

Jeanne ferma les siens et s'efforça de réprimer les sanglots qui montaient en elle comme une crue vengeresse.

— Ce sont des choses qui arrivent, poursuivit la voix réconfortante du médecin. Laissez-vous aller. Cela vous fera du bien de pleurer.

Mais l'anneau de chagrin continuait de se resserrer autour de sa gorge. Elle se cacha le visage dans ses mains.

— Le docteur Stanley a parlé à votre mari hier soir, reprit le docteur. Il veut vous garder ici quelques jours sous observation. Vous avez perdu du sang, et nous voulons nous assurer que vous n'en perdiez pas davantage. La garde-malade vous donnera de l'ergot pour vous aider.

Le petit laïus du médecin avait permis à Jeanne de se ressaisir. Elle leva les yeux.

— Merci, balbutia-t-elle, de m'avoir répondu...

Puis ses dernières défenses s'écroulèrent, balayées par le raz de marée qui emportait pêle-mêle la colère, la rancœur, la peur et le remords si longtemps endigués, les fondant enfin dans une douleur immense.

Le Don de Dieu

1.

Québec, 6 juin 1920

Dans la rue du Parloir le vent poussait Mick comme un enfant récalcitrant. En approchant du vieux portail de pierre du couvent des Ursulines, le jeune avocat était en proie à un vague malaise, dont il répugnait instinctivement, comme d'habitude, à démêler les causes. Pourtant il n'y avait pas que les dernières paroles de Gonzague, trois ans plus tôt — *Occupe-toi d'elle un peu, quand tu viens à Québec pour une cause, viens la voir, ça lui fera du bien...* — qui résonnaient dans son cœur ce matin. La vue de ces vieilles pierres ranimait des souvenirs de son enfance dans la maison de la rue Desjardins, adossée au couvent — du temps où, escaladant le mur du côté de la rue Sainte-Ursule pour voler les prunes dans le verger des religieuses, il atterrissait en pleine récréation comme un renard au milieu de la basse-cour, tandis que les petites couventines fuyaient en piaillant dans toutes les directions. Cette enceinte vieille de presque trois cents ans avait vu grandir celles de ses sœurs qui n'étaient pas mortes avant sa naissance — et qu'il ne voyait pas assez, les ayant peu connues. Il n'y avait pas que ses sœurs d'ailleurs qu'il négligeait, se reprocha-t-il, accablé de remords envers celle qu'il venait voir pour la première fois depuis des mois, et dont il n'était jamais certain de ne pas aggraver la douleur plutôt que de la soulager...

Il pousse la lourde porte, entre dans le hall, se présente

devant le *tour*[1] et sonne. De l'autre côté de l'épais grillage en cuivre, rond comme un hublot, un bruissement se fait entendre.

— À qui souhaitez-vous parler ?

— À Mme Prud'homme, s'il vous plaît, murmura Mick, la gorge soudain nouée.

Obéissant aux instructions de la sœur tourière, il se dirige vers le parloir des religieuses de l'autre côté du hall, y entre. Son malaise augmente en retrouvant la petite pièce claire aux murs nus, mis à part un tableau représentant la bienheureuse mère Marie de l'Incarnation[2]. La cloison mitoyenne avec le cloître est percée de trois arcades, dont la partie supérieure est comblée par une double épaisseur de grillage, et la partie inférieure fermée par un accoudoir de la largeur d'une table, devant lequel on vient s'asseoir. Au bout d'un moment qui paraît à Mick plus long qu'il n'est en réalité, une porte s'ouvre de l'autre côté de la cloison, et une ombre noire voilée de blanc fait son apparition devant lui.

— Tu es gentil d'être venu, mon petit Mick, dit la voix, douce et familière, de l'autre côté de la grille opaque.

— Madame Prud'homme...

La voix de Mick s'étrangle. Son désarroi d'orphelin devant le deuil d'une mère a toujours raison de son éloquence.

— Éloïse me dit que ta femme vient de subir une grande épreuve, dit encore la voix. Comment est-elle ?

— Elle commence à aller un peu mieux, merci...

— Et ta fille, comment va-t-elle ?

L'élan qui le pousse vers cette femme qui l'a vu grandir se brise contre la finalité de la grille du cloître. Il éprouve un besoin primaire, physique, de voir, de reconnaître, dans son visage, dans ses traits qu'elle a transmis presque tels quels à son défunt fils, la confirmation charnelle de son propre passé. Cette voix désincarnée le décontenance.

---

1. *Cf.* note p. 14.
2. Mère Marie de l'Incarnation : fondatrice du couvent des Ursulines (1639).

— Elle se porte à merveille, merci. Et vous ? Votre santé est bonne, j'espère ?

— Oui, mon petit, tu es gentil. Tu ne vas pas assister à la grand-messe de la Fête-Dieu à la basilique ? La paroisse de Saint-Patrice se joint à celle de Notre-Dame pour les célébrations, cette année. Tous les Irlandais de Québec y seront.

— J'y vais de ce pas, répond Mick, ne mentant qu'à moitié.

— J'aimerais te remercier de veiller sur Éloïse comme tu le fais. Je sais que Gonzague t'en sera reconnaissant.

— Vous savez bien qu'Éloïse est comme une sœur pour moi.

L'embarras de Mick, dont le rationalisme militant ne désarmait devant personne, était à son comble. Il avait connu la mère de Gonzague dans sa gloire, une maîtresse femme, grande, majestueuse, régnant en impératrice sur toute sa maisonnée. Mariée sur le tard, mère à quarante ans, son unique faiblesse avait été ce fils, dont elle était aussi entichée qu'un vieux monsieur d'une jeune cocotte, et qu'elle n'avait cessé de couvrir de gâteries et de cadeaux. Mick était sans défense devant ce refus tranquille de croire à sa mort.

2.

La chapelle des Ursulines se remplissait peu à peu. Mick esquisse une génuflexion devant le maître-autel, rutilant de dorures. Sans bruit il se dirige vers la silhouette masculine agenouillée tel que convenu devant la pierre tumulaire marquant la sépulture du général Montcalm, dont jadis les soldats, dans le tumulte de la défaite, transportèrent ici le corps sanglant. L'homme qu'il rejoint est un soldat d'un autre ordre, dans une armée qui lutte contre l'Angleterre depuis sept cents ans, au nom d'une Irlande dont l'ange à la trompette, qui s'envole du haut de la magnifique chaire sculptée par Levasseur, semble déjà claironner la victoire.

Mick s'agenouille à côté du jeune homme, qui semble plongé dans un profond recueillement. Au bout d'un moment celui-ci se signe et salue son voisin d'un léger mouvement de tête. Les deux hommes se lèvent, se signent à nouveau devant le maître-autel et redescendent ensemble l'allée centrale de la nef, aux murs ornés de trésors réchappés de la tourmente révolutionnaire française, comme ce *Jésus chez Simon le pharisien* qui trône au-dessus de la porte d'entrée, et dont les deux moitiés, découvertes respectivement dans le sud et le nord de la France après la Révolution, se retrouvèrent par miracle à Québec, vers 1820.

3.

— Tout est prêt ? s'enquiert l'Irlandais, criant presque pour se faire entendre au-dessus du vent qui balaye la rue Buade.

Depuis leur rencontre à New York il y a un an, Liam O'Neill correspond périodiquement avec son « cousin » canadien. Arrivé à New York la semaine dernière, il y a rencontré de Valera, à son quartier-général au Waldorf-Astoria, de la part de Michael Collins, commandant en chef de l'I.R.A., dont il est, cette fois encore, l'envoyé personnel. De Valera ayant quitté New York pour une tournée dans l'ouest des États-Unis, Liam est venu compléter une opération planifiée par Mick depuis des mois, avant de s'en retourner dans « l'île d'Émeraude » avec son butin.

— Tu parles que c'est prêt ! crie Mick en s'accrochant à sa casquette. Tout sera réglé à dix heures ce soir.

— Dieu soit loué ! lance l'Irlandais, la tête enfoncée dans les épaules pour se protéger du vent. Churchill s'est encore vanté des quarante chars d'assaut et vingt-huit aéroplanes qu'il a envoyés contre nous. Le syndicat anglais des employés de chemin de fer vient de nous laisser tomber, même si les ouvriers anglais refusent toujours de charger les munitions du gouvernement. On ne peut plus compter que sur nous-mêmes !

— Mais vos affaires vont bien ! Sinn Fein a gagné les élections dans deux comtés du nord. C'est du jamais vu !

— En attendant, ils nous envoient leurs tanks, leurs navires de guerre et leurs armées. C'est loin d'être gagné, Mick !

— En tout cas, tous les Irlandais de Québec sont ici ce matin. C'est un jour faste pour toi !

Mick, qui depuis la mort de son père n'entretient pourtant à l'égard de tout ce qui touche de près ou de loin à la religion qu'un sarcasme féroce et cinglant, n'éprouve aucune gêne ce matin à se rendre à la grand-messe. Il sait que son visiteur est un catholique fervent : la première question qu'il lui a posée au téléphone concernait l'horaire des offices. Même Collins, l'homme le plus recherché d'Irlande, ne rate jamais la messe et se confesse chaque jour. Si le pouvoir britannique savait ça ! Mais le héros bien-aimé du peuple est sain et sauf parmi les siens...

4.

Après la messe pontificale, devant la basilique Notre-Dame-de-Québec, sur la place de l'Hôtel de Ville, la procession peu à peu s'organise. Quatre cents orphelins des Sœurs de la Charité, suivis de centaines d'enfants (garçons en tête, suivis des fillettes) des communautés de la paroisse, ouvrent le cortège. Ils s'engagent dans la rue Buade, longeant le bas-côté de l'église, puis tournent devant l'archevêché, sous l'œil bienveillant de monseigneur de Laval du haut de son monument, avant de se déverser dans la côte de la Montagne. Le vent violent fond sur eux, ébouriffant les cheveux, affolant les bannières, plongeant vers la rue des Remparts et l'immensité du fleuve. Derrière ces enfants défilent les cadets de Saint-

Patrice, les cadets de l'Académie commerciale et les élèves du Séminaire de Québec, avec leurs fanfares. Suit une nuée d'enfants de chœur en robes rouges et surplis blancs, jetant des fleurs qui tourbillonnent et s'éparpillent au vent, puis une centaine de prêtres du séminaire, et toute une cohorte d'ecclésiastiques et de prêtres de tous ordres. Enfin, précédé d'un détachement coloré de zouaves pontificaux en guêtres et képi, vient le dais, gonflé comme une voile dans la bourrasque, abritant tant bien que mal monseigneur Marois, vicaire général, en chasuble de moire dorée, arborant à bout de bras le Saint-Sacrement dans son magnifique ostensoir en or, et flanqué d'un diacre et d'un sous-diacre dont les jupes claquent au vent. La chape blanche de monseigneur se soulève comme des ailes, en même temps que le dais qui menace de s'envoler malgré les efforts des porteurs qui s'accrochent aux montants. Derrière eux défile la phalange des notables — le lieutenant gouverneur, sir Charles Fitzpatrick, l'Honorable Louis-Alexandre Taschereau, procureur-général de la province, le juge en chef de la Cour supérieure, sir François Lemieux, les sénateurs, les ministres, les députés du Parlement et de l'Assemblée nationale, ainsi que les juges et les membres des professions libérales de Québec. Sur tout ce beau monde le vent déchaîné s'acharne, emportant les chapeaux, rudoyant les oriflammes, brisant même quelques bannières. Au passage de Dieu-Hostie, tout au long de la côte sinueuse qui descend en pente raide vers la basse-ville, la population, harcelée de rafales, s'agenouille et prie. En bas, la procession passe sous une arche de triomphe en bois, magnifiquement décorée de branches et de fleurs, érigée spécialement pour l'occasion, qui tremble et s'effeuille sous la bourrasque. Enfin elle tourne, toutes voiles dehors, dans la rue Notre Dame et dignement s'achemine vers la place Royale.

Le dais s'est immobilisé devant le parvis de Notre-Dame-des-Victoires, où un reposoir somptueux a été préparé. Sur la place bondée de fidèles, on entend claquer les oriflammes et les bannières. Pas une fenêtre des immeubles alentour qui ne soit pour l'occasion hérissée de drapeaux, festonnée de guirlandes de fleurs, qui frémissent et s'agitent sous le fouet du noroît. Sa chape bombant comme une montgolfière, monseigneur gravit les marches, en retenant d'une main sa barrette sur son crâne, puis, brandissant l'ostensoir, se retourne vers la foule qui tombe à genoux comme un seul homme.

5.

La procession est repartie, par les rues Sous-le-Fort, Saint-Pierre, Saint-Antoine, Sault-au-Matelot, petites rues abritées qui offrent, des algarades d'Éole, un semblant de répit. Mais il faut encore remonter la côte de la Montagne, en luttant pied à pied contre les furies qui déferlent du haut du cap Diamant et menacent à tout moment de s'abattre sur le cortège en hallebardes de pluie. À l'intérieur de la petite église de Notre-Dame-des-Victoires. Mick et Liam ont cherché abri. Au-dessus de leurs têtes le modèle du *Don de Dieu*[1], suspendu par un fil comme la nef de la destinée, semble presque léviter dans les airs par la seule grâce divine. Au-dessus du maître-autel blanc et or, conçu en forme de château fort en l'honneur de Québec, la seule ville fortifiée d'Amérique du Nord, trône la statue de la Sainte Vierge, à qui Frontenac crut devoir sa victoire contre les Anglais. C'est elle que l'Irlandais aujourd'hui est venu prier...

6.

Le noroît sauvage qui a soufflé toute la journée a séché la pluie, emporté les nuages. Les eaux du Saint-Laurent se sont enfin calmées. De l'autre côté du fleuve les lumières de Lévis clignotent faiblement. Dans le port de Québec ce soir,

1. *Le Don de Dieu :* navire de Samuel de Champlain, fondateur de la ville de Québec.

non loin du bureau des douanes dont la façade à colonnes rappelle curieusement Dublin, le *Pride of Pardee* découpe sa coque noire sur la nuit étoilée. Le cargo, battant pavillon américain, transporte de la ferraille à destination des chantiers navals Harland & Wolf de Belfast. Dans sa cale dorment deux caisses de mitraillettes Vickers .303, importées d'Angleterre par l'armée canadienne au printemps de 1918 pour servir à l'entraînement des conscrits avant l'embarquement, et stockées par la suite dans un dépôt à la base militaire de Valcartier. Achetées à bas prix par un marchand de ferraille accrédité, elles ont l'avantage, contrairement aux mitraillettes de fabrication américaine, d'être de même calibre que les munitions britanniques capturées par l'I.R.A. en Irlande.

— Tous les papiers sont en règle, conclut Mick en remettant à Liam la liasse de documents. Nos gars du bureau des douanes y ont vu.

— Tu as fait un superbe travail, Mick. Le commandant Collins vous remercie tous.

— Notre victoire sera aussi la vôtre. Elle est toute proche, tu le sais.

Au pied de la passerelle, les deux hommes s'empoignent avec émotion, puis l'Irlandais monte seul vers la nuit. Encore un qui part, peut-être pour ne jamais revenir. Mick s'éloigne du quai à grands pas. Il sort de sa poche son *flask* en argent, qu'il vide à longs traits, d'un seul coup. Quelle soif il a... Il a fait un bon coup aujourd'hui, mieux que ça, un triomphe. Il y a de quoi trinquer, cela ne fait pas de doute. Pourtant quelque chose en dedans ne tourne pas rond depuis ce matin. « Jeanne », marmonne-t-il, comme pour un interlocuteur invisible. Sa Jeanne. Maudite Jeanne qui traîne toujours quelque part dans ses pensées, comme un bruit de fond qu'on n'entend que quand tous les autres se sont tus. Elle est sa blessure, intime et ancienne, qu'il se cache à lui-même les trois quarts du temps, comme une maladie, secrète, honteuse. Il y a des mois qu'elle ne le laisse plus l'approcher, et depuis sa rentrée de l'hôpital il n'ose même plus y penser.

« J'ai jamais su par quel bout la prendre. Je te dis, je suis *après virer fou*[1]... »

« Y a pas trente-six façons de prendre une femme, à condition d'être gentil avec, pis d'y faire des m'amours... La voix familière et railleuse de Gonzague parfois monte ainsi du fond de son souvenir pour le conseiller ou le réconforter.

— Maudit fou d'Gonzague, murmure Mick que l'alcool ce soir rend sentimental.

« Quand c'est comme ça, aussi bien aller se dégourdir ailleurs. *Une p'tite vite*[2], ça soulage, chuchote la voix à son oreille. Ça vaut mieux que grimper aux rideaux comme tu fais. Dans le noir, *baptême*[3], elles se ressemblent toutes... »

Au bout d'une brève errance dans les rues obscures, enhardi par le whisky et la voix spectrale qui semble guider ses pas, il se retrouve devant une porte cochère, lieu d'une déconvenue de jeunesse qu'il s'était, dans le temps, empressé d'oublier. L'antre de la Méduse, Eulalie Larivière ! « Ce coup-ci, mon vieux Gonzague, se dit-il, il est pour toi. » Il s'engage dans le passage glauque avec le vertige que donne la contemplation du néant. Dans l'ombre il repère la porte dérobée.

— C'est seulement sur rendez-vous ! dit une voix indignée, par l'entrebâillement de la porte.

— Je suis un ami de Gonzague Prud'homme...

— Qui ? Ah, mon Dieu ! s'écrie-t-elle sur un ton effaré, navré. Entre, entre...

1. *Après virer fou :* argot canadien français, « en train de devenir fou ».
2. *P'tite vite :* rencontre sexuelle expéditive.
3. *Baptême :* juron canadien français.

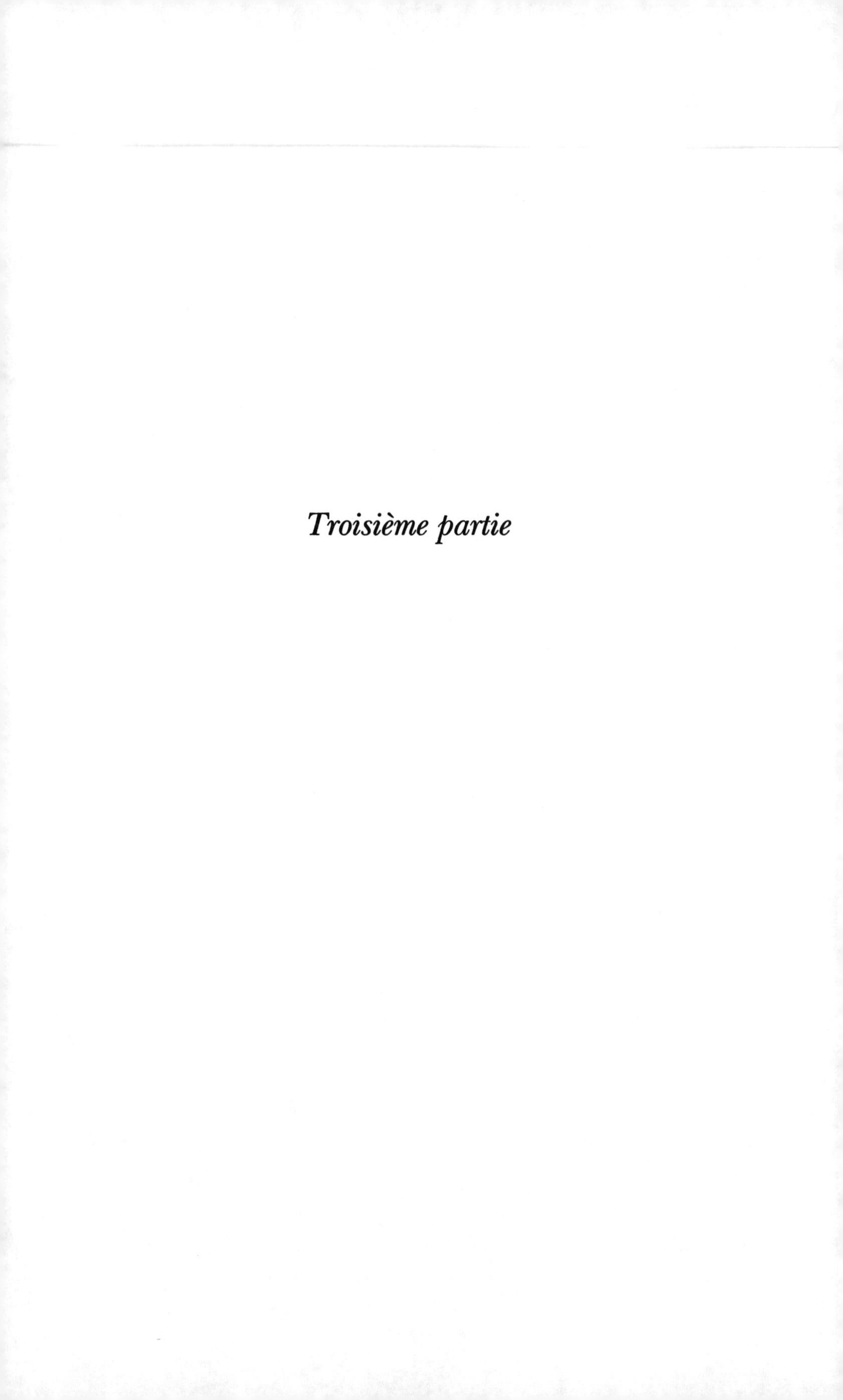

Troisième partie

Résurrection

1.

Ottawa, Pâques 1924

La fillette se réveille, tirée du sommeil par un chuchotement insistant. Plongée dans une obscurité qui ne lui est pas familière, elle se rappelle maintenant — elle est dans la maison de Mimi et de grand-papa, après le long voyage en train, hier. Un gentil *red-cap*[1] s'est occupé d'elle, et maman, sur le quai de la gare, lui a envoyé des baisers par la fenêtre du train... Elle se frotte les yeux d'étonnement.

— Est-ce que c'est encore la nuit ?

— Le soleil n'est pas encore levé, murmure sa grand-mère. Nous n'avons pas un instant à perdre. Je vais allumer. Es-tu prête ? Ferme les yeux...

La lumière de la lampe de chevet est si forte, même à travers ses paupières closes, que l'enfant s'enfouit le visage dans l'oreiller.

— Tes yeux dorment encore, pauvre petit ange, s'attendrit Madeleine Langlois en caressant les cheveux blonds de sa petite-fille. Tiens, regarde, tes vêtements sont tout prêts, comme nous les avons laissés hier soir.

Clignant très fort des yeux et faisant un effort de volonté pour se réveiller, elle saute prestement à bas du lit. Toute son impatience et son enthousiasme de la veille lui reviennent. Elle enfile sa culotte et ses longs bas de laine sous sa chemise

---

1. *Red-cap :* dans les gares de chemin de fer, porteur, souvent de race noire, qui portait une casquette rouge.

de nuit, et sa jupe plissée en tissu épais qui pique la peau (Mimi dit que c'est une bonne façon de montrer au petit Jésus qu'on L'aime, et que c'est un bien petit désagrément comparé au sacrifice qu'Il a fait pour nous sauver du feu de l'enfer). « Imagine, disait Mimi hier soir en la couchant, imagine le chagrin de sa pauvre maman, prostrée au pied de la croix, où le corps sans vie de son fils, celui-là même que lui avait annoncé l'ange de Dieu bien avant sa naissance, pendait par des clous enfoncés dans ses mains et ses pieds. Essaie d'imaginer sa douleur, sa souffrance ! Penses-tu que Jésus aurait été assez cruel pour infliger un tel supplice à sa propre mère, penses-tu qu'Il aurait pu — Lui, le fruit de ses entrailles ! — qu'Il aurait été capable de faire vivre pareille horreur à sa maman, sinon pour notre salut à nous, pauvres pécheurs ? » Et dans son cœur Kitty a ressenti un grand élan d'amour et de pitié pour la Sainte Vierge, et un grand émerveillement.

Mimi attache la blouse de sa petite-fille. Elle-même est toute de noir vêtue, ainsi qu'il convient à la tâche qu'elles ont à accomplir. Elle aide l'enfant à enfiler son manteau, dont elle remonte l'ample capuchon. Elle noue sa ceinture de laine et lui met ses moufles.

— Il est presque cinq heures, il faut partir, chuchote Mimi sur un ton de conjuré.

Puis, se tenant par la main, elles descendent l'escalier sans bruit et se mettent en route. Mimi, les mains nues dans l'aube glaciale par souci de pénitence, prend la petite main de Kitty dans la sienne. Elles marchent en silence dans les rues assoupies d'Ottawa que le jour n'éclaire pas encore, l'une priant sans bruit, l'autre muette de recueillement et d'anticipation. Elles sont les « femmes apôtres », dit Mimi, les premières à qui Jésus a choisi de révéler sa résurrection, et qui y ont cru avant aucun des « vrais » apôtres. « Jésus les a choisies parce que leur foi était si forte — plus forte que celle de Pierre, qui L'avait renié par trois fois avant le chant du coq, plus forte que celle de Thomas, qui douta même lorsqu'il Le vit de ses propres yeux... »

En se rendant à l'église ce matin de Pâques, elles retracent les pas des Saintes Femmes allant au Saint-Sépulcre, là où le corps de Jésus a été enseveli. Ponce Pilate l'a fait sceller et y a posté des sentinelles, afin de s'assurer qu'aucun des disciples ne viendra, de nuit, emporter son corps et prétendre aux autres que Jésus a réalisé sa prophétie de ressusciter des morts. Elles franchissent un coin de rue et aperçoivent l'église. Mimi ralentit le pas.

— Regarde, s'écrie-t-elle à voix basse, fixant du regard le portail sombre au sommet des marches de pierre, là-bas. Le Sépulcre !

Kitty retient son souffle. Elle contemple avec émerveillement le visage de sa grand-mère, ses yeux larmoyants, son beau nez d'Indienne, rouge de froid. Elle lève les yeux vers le portail obscur. Un vent aigre s'est levé. Elle se met à grelotter. Tout à coup un bruit sec fracasse le silence. À l'intérieur quelqu'un a fait glisser le gros loquet de métal. Le lourd portail s'ouvre en grinçant.

« Et voilà que soudain, entonne sa grande-mère avec ferveur, il y eut un grand tremblement de terre : et l'ange du Seigneur descendit des cieux, et s'approcha, et repoussa l'énorme pierre qui bouchait l'entrée du Sépulcre. Son regard brillait comme l'éclair et sa robe était blanche comme la neige. Et l'ange dit aux Saintes Femmes : N'ayez crainte, car je sais que vous cherchez Jésus, qui fut crucifié. Il n'est pas ici, car Il est ressuscité, ainsi qu'Il l'avait prédit. Venez et voyez le lieu où gisait le Seigneur. »

Elles gravissent les marches de pierre, au sommet desquelles une lueur vacillante, émanant de l'église obscure, se répand par un portail gigantesque qui s'est ouvert comme par magie.

2.

Ottawa, juin 1924

Mimi avait fait faire la robe tout spécialement par les religieuses. C'était de loin la plus belle que l'enfant avait jamais eu à porter : en organdi blanc, avec une jupe à volants qui lui allait à la cheville, et un voile de même tissu. La coiffe, une couronne de fleurs fraîches, venait d'être livrée à domicile par le fleuriste. Il y avait aussi une paire de gants en dentelle blanche, un rosaire en ivoire, et un petit missel doré sur tranche, à reliure de cuir blanc, dans un étui d'ivoire sculpté orné d'un cordon de soie blanche. Et des bas de soie blanche, avec des chaussures de cuir blanc.

— On dirait une robe de mariée ! s'exclama Kitty, extasiée.

— C'est parce que c'en est une, répondit sa grand-mère, rayonnante. Aujourd'hui tu vas épouser Jésus, et il n'y aura jamais dans ta vie de jour plus important. Et pour toi, poursuivit-elle en prenant la main de l'enfant dans la sienne, ce sera encore plus spécial que pour les autres petites filles, qui doivent attendre d'avoir sept ans avant qu'on les considère assez grandes pour épouser Jésus. Mais toi, bien que tu n'aies que cinq ans, tu es une petite fille si exceptionnellement pieuse que le père Plantin consent à te donner la Sainte-Communion, et les sœurs, à ouvrir la grille du cloître pour toi seule !

— Tu ne seras pas là, toi ? demanda la petite, soudain inquiète.

— Bien sûr que j'y serai, mon trésor ! répondit Mimi avec émotion. Mais je devrai rester de l'autre côté de la grille. Elles n'ouvrent le cloître que pour toi !

Madeleine Langlois était terriblement fière d'avoir obtenu l'approbation de la mère supérieure de la congrégation des Cinq Plaies pour le projet qu'elle avait si longtemps caressé. Il lui avait fallu de l'audace et de l'initiative, mais elle avait l'appui du père Plantin, qui partageait son admiration pour l'enfant. Tous deux voyaient en elle un être extraordinairement raisonnable, d'un sérieux tout à fait étonnant chez quelqu'un d'aussi jeune. Leur stratégie avait vu le jour à la Pâque précédente, à la toute fin du séjour de Kitty. Madeleine avait trouvé sa petite-fille en train d'attendre patiemment qu'on chargeât sa valise dans la voiture. Elle était assise sur la marche du perron, les coudes sur les genoux et le menton dans les mains. De grosses larmes coulaient sur ses joues.

— Tu es triste de nous quitter, chérie ? lui avait-elle demandé en lui essuyant le visage avec son grand mouchoir blanc.

— Oh, Mimi, avait soupiré l'enfant, j'ai tellement peur de perdre ma vocation !

Madeleine s'était empressée de rapporter ces merveilleuses paroles à son confesseur l'après-midi même. Comme elle, il avait été renversé par ce qui ne pouvait être qu'une conscience extraordinairement précoce du péril qui la guettait dans la maison de ses parents, que la foi avait désertée. Ensemble ils avaient ourdi le projet de ramener l'enfant à Ottawa sans tarder, afin de lui faire faire sa première communion, avant que les influences scélérates auxquelles elle était soumise malgré elle ne pussent commencer à entamer sa foi et à corrompre son âme. Les sœurs, que Dieu les bénisse, s'étaient laissé convaincre facilement, une fois mises au courant par le père Plantin de l'extrême précocité de la postulante. Même Jeanne avait collaboré de bon cœur, bien que sans le savoir, à leur sublime dessein.

Maintenant le grand moment était arrivé. Le cœur de Madeleine se réjouissait avec celui de Dieu, car la petite Catherine était indubitablement la plus jeune communiante à qui l'on eût jamais permis de s'approcher de l'autel (et très certainement l'âme la plus pure, la plus virginale qui eût jamais reçu le Corps du Christ) dans l'enceinte sacrée de ce cloître. Une joie farouche s'empara d'elle en voyant l'enfant entrer dans le chœur et s'agenouiller au pied de l'autel, la tête inclinée sous son voile immaculé, auréolée de fleurs. À l'instant où le père Plantin, tenant la Sainte-Hostie entre le pouce et l'index, la bénit, Madeleine sentit les prières de toute l'assistance — les sœurs en habit blanc, voilées de noir, derrière la grille du cloître, le prêtre, les quelques spectateurs laïques — déferler vers l'enfant à l'unisson et la soulever vers une sphère lumineuse. Comme la petite se levait pour retourner à son banc avec toute l'humilité d'une future sainte, Madeleine perçut un rayonnement émanant de sa personne, qui se répandit sur l'assistance comme la grâce de Dieu Lui-même, et des larmes d'extase humectèrent ses joues.

Kitty revint au banc où l'attendait sa grand-mère et s'agenouilla. Son cœur galopait dans sa poitrine et ses paupières closes frémissaient malgré elle. Elle essaya de se concentrer sur la prière qu'on lui avait donné à réciter. L'hostie était presque dissoute dans sa bouche. Mimi avait dit de ne pas la mâcher, parce que c'était vraiment le petit Jésus sur sa langue et que c'était un grand mystère. Son estomac commençait à gargouiller de faim. Elle n'avait pas mangé depuis la veille au soir. Il lui tardait de rentrer chez Mimi et grand-papa pour téléphoner à ses parents et leur apprendre la nouvelle.

3.

— Tu viens de faire QUOI ? (La voix de son père lui donna un choc.) Laisse-moi parler à ta grand-mère. Tout de suite !

Kitty resta figée sur place. Au bord des larmes, elle tendit le récepteur à Mimi, qui le lui prit avec une expression de détresse et d'incompréhension.

— Bonjour, Michael, vous désiriez... commença-t-elle avec son assurance habituelle. Pardon ?... Je ne pense pas que ce soit... Vous n'allez tout de même pas prétendre... (Elle était sur la défensive à présent, puis soudain indignée :) Franchement !... Très bien, puisque vous insistez... Je trouve cela tout à fait... Très bien... Au revoir.

Mimi avait eu l'air de plus en plus agitée et son visage s'était progressivement empourpré. Lorsque son gendre lui raccrocha au nez, une sorte d'instinct qui lui déconseillait de tenter trop ouvertement de monter l'enfant contre ses parents l'empêcha d'accuser trop visiblement le coup. Elle raccrocha d'un geste lent et délibéré.

— Pourquoi papa est fâché ? balbutia l'enfant à travers ses larmes.

— Il faut lui pardonner, répondit Mimi d'une voix absente, car il ne sait pas ce qu'il fait. Ton père pense que tu es trop jeune pour faire ta première communion, chérie, mais le père Plantin et les sœurs savaient que tu étais prête, sans quoi ils ne t'auraient pas permis de la faire. Là, sèche tes pauvres larmes, mon petit ange. Ne laisse rien gâcher ce jour merveilleux. Ton père, malheureusement, a décidé que tu rentreras par le prochain train. Alors toi, montre-lui que tu étais vraiment prête. Ne pleure pas, et ne te plains pas. Pardonne-lui, et demande au Seigneur de lui pardonner aussi.

Kitty rentra donc à Montréal. Comme le train entrait en gare, son estomac se crispa douloureusement. Elle se demanda qui l'accueillerait, et ce qu'il ou elle dirait. Secrètement elle osa espérer que ce ne serait pas papa, et elle poussa un soupir de soulagement en apercevant par la fenêtre sa maman qui lui faisait signe de la main. Elle l'indiqua au *porter*[1] noir, qui la déposa sur le quai et lui tint la main jusqu'à ce que sa maman la rejoignît. Maman qui souriait de bonheur. Maman qui était si belle quand elle souriait comme ça.

— Tu m'as manqué ! s'écria-t-elle en prenant sa fille dans ses bras et en la serrant très fort. (Elle remercia chaleureusement le *porter* et lui glissa un pourboire.) Je me suis ennuyée sans toi !

— Est-ce que papa est très fâché ? demanda Kitty avec appréhension.

— Bien sûr que non. Il a été pris au dépourvu, c'est tout.

1. *Porter :* mot anglais ; porteur, *red-cap.*

Il est très content que tu reviennes, et moi aussi. Tu vas voir ce qui t'attend à la maison !

Georgette leur avait préparé un thé copieux. Elle avait même fait des tuiles aux amandes pour l'occasion. Gabrielle était si heureuse de revoir sa petite fille qu'elle en pleurait. Après le thé, maman sortit un mouchoir et le noua autour des yeux de sa fille.

— Ne l'enlève pas avant que je te donne le signal !

Kitty attendit. Elle écouta attentivement, cherchant des indices dans les bruits qu'elle entendait : maman qui quittait la pièce, maman qui revenait à pas de loup. Puis elle entendit Gabrielle qui poussait des oh ! et des ah ! admiratifs, et maman qui riait doucement tout près d'elle.

— Tu peux regarder maintenant, dit enfin celle-ci.

Sur la chaise à côté de la sienne une énorme poupée, presque aussi grande qu'elle, était coquettement assise. Elle avait des cheveux bruns bouclés et de grands yeux marron qui se refermaient quand on la couchait, et une ravissante petite bouche en cœur qui révélait des dents blanches comme des perles. Elle portait une robe en velours bleu saphir avec un col blanc, et un tablier blanc...

— Oh ! Elle a la même robe que moi ! s'écria Kitty avec ravissement.

— Exactement la même.

— Est-ce que c'est toi qui as fait cette robe pour elle ?

— Oui, c'est moi. Mais il ne s'agit pas de n'importe quelle poupée, tu sais. Elle s'appelle Béatrice, et elle m'appartenait lorsque j'avais ton âge. Elle me vient de quelqu'un que j'aimais tendrement, ta grand-tante Florence, qui est morte juste avant ta naissance.

Maman l'embrassa tendrement et Kitty se serra contre elle de bonheur, grisée par son parfum, par la douceur de sa peau, par la chaleur de sa blouse contre sa joue. Elle était trop jeune pour ressasser l'inquiétude qu'elle avait éprouvée plus tôt. Elle avait déjà oublié la crispation qu'elle avait ressentie au creux du ventre, dans le train, et s'abandonnait sans réserve au réconfort et à la sécurité des bras de sa maman.

Elle s'était toujours sentie mal à l'aise en présence de son père, bien qu'il ne l'eût jamais grondée auparavant. En fait, si elle avait pu y réfléchir à la manière d'une grande personne, elle se serait peut-être rendu compte que ce n'était pas contre elle qu'il en avait. Mais la peur ne la quittait pas pour autant. Elle l'habitait tard le soir quand sa voix qui criait de l'autre côté du mur lui parvenait dans son sommeil, sa voix qui criait contre maman bien qu'elle ne parvînt jamais à comprendre ce qu'il disait. Mais sa colère lui parvenait, sa colère traversait le mur.

— Quand je serai grande je veux rester avec toi pour toujours, dit-elle soudain en se serrant encore plus fort contre sa mère.

— Quand tu seras grande tu auras envie de te marier et d'avoir une maison bien à toi, répondit maman en ébouriffant tendrement ses cheveux blonds.

— Je ne me marierai jamais !

— Un jour, tu tomberas amoureuse d'un beau jeune homme et tu n'auras plus beaucoup de temps pour ta vieille maman.

— Je ne te quitterai jamais, s'écria la fillette dont les yeux se remplirent de larmes. Je veux rester avec toi pour toujours !

L'enfant paraissait si bouleversée que Jeanne en fut momentanément décontenancée.

— Bien sûr, voyons, lui dit-elle d'une voix rassurante, en caressant la tête de sa fille, bien sûr que tu peux rester avec moi. Pour toujours si tu veux.

4.

En réalité, bien que Kitty fût trop jeune pour s'en apercevoir, la poupée était une offrande de paix, ou à tout le moins un prix de consolation. Pour sa mère, elle avait aussi un sens plus profond, du fait qu'elle-même la tenait de Florence : à ses yeux le fait de la donner à sa fille revêtait la solennité d'un rite de passage, mais il y avait plus encore. Elle venait d'être ébranlée par un incident si insolite qu'elle avait eu instinctivement recours à un acte de sacrifice propitiatoire.

Jeanne avait décidé de profiter du séjour de Kitty chez sa mère pour s'attaquer enfin à la tâche, constamment différée depuis la mort de sa tante, de faire le tri des livres que celle-ci lui avait légués dans son testament, et qui dormaient depuis dans les boîtes mêmes où les exécuteurs les avaient entassés. Jour après jour, assise comme une naufragée sur le tapis du salon, entourée de livres comme d'autant d'épaves à la dérive sur les flots, elle avait réfléchi à sa vie. Avec ses velléités mort-nées et ses espoirs déçus dorés sur tranche, comprimés entre la naissance et la mort, ne ressemblait-elle pas à ces volumes fermés que personne ne feuilletait plus ? Même le souvenir de Florence s'était graduellement estompé, si bien que parfois elle en arrivait même à se demander si elle avait vraiment existé. Sa fille lui manquait. Son absence la désolait. Sans elle, tout lui paraissait soudain mortellement futile. Tout à coup, glissant d'entre les pages d'un livre comme tombe la dernière feuille d'un arbre mort depuis longtemps, une lettre oubliée vient remuer les cendres de sa mémoire. Incroyablement, elle lui est adressée.

« *Ma chérie,*

Je n'aurai pas le bonheur de connaître le petit être que tu portes, mais je prie ardemment pour que tout se passe bien pour toi. Personne ne devrait demander plus au Ciel qu'un enfant en bonne santé, mais, étant donné les circonstances, je me sens libre de te souhaiter quelque chose de plus : une petite fille, afin que tu connaisses à ton tour la joie que tu m'as fait connaître. Cela me consterne de te quitter sans savoir ce que l'avenir te réserve.

Quoi qu'il arrive, chérie, sache que je serai toujours à tes côtés pour l'Éternité.

Florence. »

L'écriture est difforme, les mots contrefaits par la maladie. L'encre est aussi fraîche, le papier aussi blanc que si le billet avait été écrit la veille. Jeanne entend la voix qui l'interpelle, par-delà le temps, la voix d'une jeune femme dans la fleur de l'âge, qui savait qu'elle serait bientôt devant son Créateur. L'amour qu'elle exprime la bouleverse à tel point que, l'espace d'un instant, elle parvient presque à répudier la réalité autour d'elle. Puis celle-ci s'interpose à nouveau, comme un voile entre elle et ses souvenirs, et son fardeau de découragement lui pèse plus lourdement que jamais.

Spectres

1.

Montréal, novembre 1925

Mac Neill démissionne de la commission sur les frontières titre, en bas de page et en petits caractères, le journal que Mick a plié sur la banquette à côté de lui. La pluie tombe comme des clous sur le capot de sa voiture. L'air froid de la nuit le fait frissonner. Ainsi le dernier acte de la tragédie irlandaise se réduit à un fait divers, un entrefilet dans les journaux, dont peu de gens saisissent la portée et presque personne, ici, ne se soucie plus. Qu'un combat aussi acharné et sanglant connaisse une fin aussi mesquine, que le rêve de l'Irlande unie succombe enfin à la lâcheté, à la supercherie, il y a de quoi désespérer du genre humain.

Mick est pressé d'arriver à la gare, sachant que l'homme dont il va attendre le train aura au moins une opinion sur le sujet. Il y a plus de cinq ans qu'il n'a pas revu son cousin. Le télégramme en provenance d'Halifax n'était précédé d'aucun préavis. Même s'il ne l'a rencontré que deux fois dans sa vie, ce proche adjoint du célèbre Michael Collins, mort à trente ans en 1922, lui a fait une profonde impression. Quatre ans plus tôt, quand Londres a annoncé la signature du traité qui consacrait la victoire de l'insurrection armée contre le pouvoir britannique, Mick a écrit à son cousin, aux soins du gouvernement du nouvel État libre à Dublin, pour le féliciter et lui faire part des bons souhaits de tous les Irlandais de Montréal. Mais les réjouissances n'ont pas duré longtemps.

En Irlande, les concessions territoriales et politiques imposées par l'Angleterre lors des négociations ont vite été dénoncées, et une guerre civile, encore plus sanglante que tout ce qu'on avait vu pendant l'insurrection, n'a pas tardé à éclater.

Mick n'a aucune peine à repérer le grand gaillard en *Irish friese*[1] qui vient de descendre du train. Il porte une casquette en tweed et une seule valise. Mick lui serre la main avec chaleur.

— J'aimerais passer à l'hôtel me changer, si tu le veux bien, Mick, dit Liam O'Neill, de sa voix douce et chantante.

— Prends tout ton temps, mon vieux, rien ne presse. Jeanne ne nous attend que vers huit heures.

Mick ne peut s'empêcher de remarquer que, s'il n'a pas changé physiquement, une terrible lassitude émane cependant de toute sa personne. Lorsqu'ils arrivent à la maison, la pluie a cessé. La rue mouillée luit d'un éclat lugubre sous les réverbères.

— Jeanne ! lance Mick depuis le vestibule, en tendant son pardessus trempé à Gabrielle.

Cependant, dès que sa femme paraît, venant à leurs devants à l'entrée du salon, il se crispe imperceptiblement. Sa beauté le prend toujours au dépourvu. Depuis l'épisode du Russe au début de leur mariage, tout ce qui la rend séduisante à ses propres yeux le met sur le qui-vive. Il se sent défié par sa beauté, vaincu par elle, sachant qu'il n'est pas l'objet de son éclat, mais plutôt un obstacle dans son champ de rayonnement.

— Je te présente mon cousin, Liam O'Neill, dit-il, de Cork comme l'étaient mes ancêtres. Ma femme, Jeanne. Que puis-je t'offrir ?

— Juste un sherry, si tu permets, répond son invité en serrant la main que Jeanne lui tend.

— Allons, insiste Mick, incrédule, tu peux faire mieux que ça !

— Non, vraiment, juste l'apéritif de circonstance, merci.

---

1. *Irish friese :* manteau en laine grossière.

2.

Ils entrèrent au salon, où les autres invités de la soirée les attendaient. Mick fit les présentations.

— Permets-moi de te présenter Richard Doyle, associé senior dans le cabinet d'avocats Lynch O'Connell Doyle, auquel j'appartiens ; son épouse, Violette ; mon beau-père, l'Honorable Charles Langlois, député de Bonaventure au Parlement canadien ; son épouse, Madeleine ; et finalement, et non la moindre, notre chère Éloïse Prud'homme. Nous te souhaitons la bienvenue chez nous, conclut Mick en mettant un verre de sherry entre les mains de son cousin.

— Enchanté, mademoiselle, dit celui-ci, en serrant la main d'Éloïse.

— Tu as devant toi, poursuivit Mick, l'une des plus redoutables *campaigner*[1] qui soient.

— Vous aimez la politique, mademoiselle ? demanda poliment l'invité dans son accent lyrique.

— Il exagère, dit modestement Éloïse, dont les joues se colorèrent.

— Pas du tout ! s'écria Mick, entre deux gorgées de rye. Il fallait la voir, le jour des élections, pas plus tard que le 29 octobre dernier. Elle a fait sortir le vote dans un quartier de la ville où les plus braves ne s'aventurent que la nuit ! Le matin de l'élection, elle a fait toute la section de vote autour de la rue de Bullion. Crois-moi, c'est tout un exploit. Ces dames, paraît-il, dorment tard et n'apprécient pas du tout qu'on les réveille, encore moins quand il s'agit d'une honnête citoyenne venue les exhorter d'aller faire leur devoir. Mes aïeux, ça c't'une femme !

— Je ne leur ai pas seulement offert un aller-retour gratis en voiture jusqu'au bureau de scrutin, expliqua l'intéressée avec une lueur coquine dans le regard. Je leur ai dit que

1. *Campaigner :* canadianisme, emprunté de l'anglais ; militant(e) d'un parti, particulièrement doué(e) pour la persuasion, dans le contexte d'une campagne politique.

c'était notre chance, à nous, les femmes, d'empêcher les Conservateurs, qui ont envoyé nos p'tits gars se faire tuer en 1917, de récidiver en invoquant la défense de l'Empire britannique, cette fois contre les Turcs. « Si on ne fait pas quelque chose, les filles, vous allez vous retrouver au chômage ! », que je leur ai dit.

— Tu vois, cousin, nous aussi nous avons nos impérialistes, ajouta Mick.

Au même moment Kitty, suivant le rituel consacré de longue date lorsque ses grand-parents étaient en visite d'Ottawa, fit son apparition au salon en robe de chambre avant de monter se coucher.

— Viens là, Kit, que je te présente à ton cousin Liam. Il vient d'Irlande, comme nos ancêtres.

L'enfant serra la main du visiteur.

— Oh, la cigogne, s'écria Mick pour taquiner sa fille qui se tenait soudain en équilibre sur un pied, l'autre jambe repliée derrière elle, en se tortillant nerveusement. C'est un signe qui ne ment pas, cousin : tu lui plais !

Cramoisie de timidité, elle se réfugia dans les bras de sa grand-mère, qui lança à son gendre un regard désapprobateur. Leurs relations s'étaient considérablement refroidies depuis l'incident de la première communion.

— Je suis heureux de te revoir, Liam, dit Mick en se tournant vers son invité. La dernière fois que nous nous sommes rencontrés, je ne savais pas s'il y aurait une prochaine fois.

— J'ai eu plus de chance que bien d'autres...

— Oh, là, là, qu'est-ce que j'entends ? Vous n'êtes pas très réjouissants, vous autres, interrompit Éloïse.

— Chère amie, soupira Mick avec douceur, comme chaque fois que le souvenir de Gonzague passait comme un courant entre eux. La dernière fois que j'ai vu cet homme, c'était en 1920, à une époque où il vivait beaucoup plus dangereusement que moi.

— Tu exagères, Mick, marmonna le jeune homme dans son anglais chantant, fortement accentué de gaélique. J'étais un messager, sans plus.

— Sans plus ! Tu risquais ta vie tous les jours, Liam, tu le sais très bien. Les rues de Dublin pullulaient de *Black and Tans*[1], d'agents secrets, d'espions, de délateurs...

— Les risques que je courais étaient négligeables comparés aux dangers que Collins affrontait tous les jours, répondit l'invité dont le ton s'anima pour la première fois depuis son arrivée. Il était l'homme le plus recherché d'Irlande, et pourtant il était partout, et il ne prenait pas la peine de se déguiser...

— Mais comment faisait-il pour ne pas être repéré ? demanda Éloïse, qui observait l'Irlandais avec fascination.

— Oh, il n'avait pas du tout la tête de l'emploi. Il était grand, bâti comme une armoire à glace, grégaire, farceur. Quand il lui arrivait d'être questionné, il se laissait faire, mine de rien, parlant de la pluie et du beau temps avec l'ennemi, qui le relâchait sans se douter de rien... Son système de renseignement était si perfectionné qu'il savait toujours d'avance quand et où une descente aurait lieu, ce qui lui permettait de dormir en paix la nuit...

— Pardonnez-moi mon ignorance, dit encore Éloïse, mais ce Collins n'est pas président d'Irlande aujourd'hui, que je sache ?

— Non.

L'invité fit une pause. Il lança à Mick un regard significatif.

— Il a été assassiné en '22, pendant la Guerre civile, murmura-t-il.

— Michael Collins ! dit Mick en levant son verre.

La porte de la salle à manger s'ouvrit et Gabrielle entra. À vingt-deux ans, elle avait encore l'air d'une jeune fille, mais elle avait acquis de l'assurance depuis son arrivée dans la maison qu'elle gérait à présent d'une main experte et efficace. « Madame est servie », annonça-t-elle, faisant signe à Kitty de dire bonsoir aux grandes personnes, qui se levèrent pour passer à table.

1. *Black and Tans :* troupes britanniques auxiliaires actives en Irlande de 1920 jusqu'à la trêve de 1921, dont la brutalité et la cruauté envers la population civile sont entrées dans la légende.

3.

Le jeune couple O'Neill recevait élégamment et souvent, surtout des clients de Mick, ainsi que des collègues et collaborateurs politiques qu'il côtoyait au Club de Réforme. Tous avaient leur place dans le réseau de supporters et de conseillers qu'il se constituait peu à peu. Depuis la fausse couche de Jeanne, cinq ans plus tôt, une sorte de trêve non négociée s'était installée entre eux, le docteur Stanley, à sa sortie de l'hôpital, ayant décrété sans ambages qu'elle ne devait pas tenter d'avoir d'autres enfants pour le moment. Que ce fût l'avertissement du médecin, ou la peur qu'il avait eue, ou le remords qu'il éprouvait encore à son endroit, les ardeurs conjugales de Mick s'étaient refroidies. Jeanne en retour s'était montrée plus disposée à assumer la dimension mondaine de sa tâche d'épouse. Toutefois, si l'attention parfois déplacée que lui portaient les amis de son mari était une mesure de son habileté à servir les ambitions de celui-ci, l'envie et la méfiance qu'elle inspirait à leurs épouses en était une autre.

L'exemple des Doyle était typique. Richard était charmant même si, lorsqu'il avait bu, il lui arrivait de se conduire comme un goujat. C'était un homme dans la quarantaine, grand, bien en chair, d'un charme ténébreux qui devenait plus séduisant avec l'âge. Il avait des yeux noirs, avec un regard de velours qui se faisait doux et enveloppant lorsqu'il parlait aux femmes mais qui, en cour, lançait des éclairs dont il foudroyait les témoins de la partie adverse. Malgré ses cheveux grisonnants et un certain empâtement du visage qui annonçait l'apparition prochaine de bajoues, son sourire révélait de façon désarmante le beau bébé frisé et rieur qu'il avait dû être. Il était profondément intelligent, une qualité que Mick vénérait, très influent et magnifiquement sûr de lui. Pour toutes ces raisons sans doute, il était le seul homme qui pût flirter impunément avec Jeanne. Violette Doyle par contre était une petite femme fragile qui vouait à son mari une adoration manifeste, et à toute femme qui attirait son attention, une hostilité à peine dissimulée. Elle détestait Jeanne.

4.

On en était au potage, préparé par Georgette avec les herbes qu'elle faisait pousser tout l'hiver sur le rebord de la fenêtre de sa cuisine. Depuis tout à l'heure la conversation s'était reportée sur Langlois, un homme de toute évidence sur son déclin depuis que MacKenzie King l'avait relégué à l'arrière-banc. Modeste et peu vindicatif de nature, il s'était résigné à son sort et ne s'était permis qu'une seule fois de se demander tout haut en présence de son gendre si sa mise au rancart avait un lien quelconque avec l'affection qui lui portait Mme Laurier, qui nourrissait à l'égard du successeur de son mari une animosité à peine dissimulée. Même à un moment aussi critique, alors que le parti était en désarroi par suite de sa courte victoire électorale, et que le Premier ministre MacKenzie King ne tenait au pouvoir que par le faible fil d'une astuce constitutionnelle que d'aucuns qualifiaient d'abus de pouvoir, Langlois refusait de se joindre à la meute des mécontents qui flairaient le sang et voulaient la peau de leur chef.

— Le Premier ministre nous surprendra tous, répétait le vieux routier aux jeunes sceptiques comme Éloïse à qui son chef, en quatre ans de pouvoir, avait fait l'impression peu enviable d'un homme indécis, tâtillon et, pis que tout, ennuyeux.

— Il est incapable d'inspirer qui que ce soit, maugréa cette dernière. Ah, si seulement Talbot Papineau avait vécu ! C'était lui, le véritable héritier de Laurier.

— Cesse donc de pleurer Talbot Papineau, ma pauvre Éloïse, s'impatienta Mick. Il est mort, il ne reviendra pas. Quant à King, son indécision et sa tendance à remettre à plus tard les décisions difficiles le servent très bien en ce moment. Il est vrai que le chef de l'opposition est un adversaire éloquent et féroce, mais c'est un impérialiste qui ne comprend pas que ce pays doit se tenir debout. De plus, c'est un homme rigide, incapable de compromis, sur qui on peut toujours compter pour dire ce qu'il pense, quelles que soient les réalités politiques de la situation. King n'a qu'à lui donner suffisamment de corde. Il finira par se pendre lui-même, tu verras.

Au dessert, Mick, se calant davantage dans sa chaise d'un air profondément satisfait, sortit de sa poche de veston un porte-cigarettes en argent.

— Je présume, Liam, dit-il, en tapotant pensivement l'étui avec le bout de sa cigarette, que tu as vu le journal, aujourd'hui ?

— Oui. MacNeill a démissionné hier, répondit son cousin d'un ton las en regardant son assiette et en jouant nerveusement avec sa cuillère à dessert.

— Collins s'est fait avoir par Lloyd George [1], grimaça Mick en exhalant la fumée de sa cigarette par les narines.

— Non, Mick ! répliqua vivement son cousin. (Puis, se ressaisissant :) Enfin, nuança-t-il, ce n'est pas si simple...

— Pensez-vous que peut-être de Valera aurait mieux su tirer son épingle du jeu à la table de négociations ? demanda Charles Langlois.

— Non, répondit l'Irlandais sans équivoque. De Valera savait, parce que Lloyd George lui avait mis les points sur les « i » dès les premiers jours de la Trêve, que ni le Parlement ni l'opinion publique ne permettraient au gouvernement britannique de reculer sur la question de la partition. Et il savait

1. La *Commission sur les frontières* prévue par le traité anglo-irlandais de 1921 était la garantie que les négociateurs irlandais avaient obtenue, à la onzième heure, du Premier ministre Lloyd George pour tenter de réduire au minimum les conséquences politiques de la partition de l'Irlande. Cette commission devait revoir les frontières de l'Irlande du Nord *conformément aux souhaits des populations catholiques*, donc républicaines, qui y étaient enclavées. De nombreux historiens considèrent qu'il s'agissait d'une manœuvre politique de la part de Lloyd George, car la commission ne put jamais remplir son mandat et fut dissoute en 1925.

que si les négociations aboutissaient, celui qui reviendrait de Londres avec une entente conclue à ce prix porterait l'odieux d'une telle capitulation. C'est pourquoi, le moment venu de négocier la paix avec l'ennemi britannique, de Valera, de loin notre politicien le plus habile et le plus expérimenté, a refusé de suivre les conseils de ses ministres qui le pressaient d'aller lui-même à Londres, et qu'il a plutôt insisté pour nommer Mick Collins négociateur. J'entends encore Collins me dire que c'était comme un capitaine de navire qui enverrait son équipage en mer pendant que lui-même resterait sur la terre ferme. Il a fini par partir la mort dans l'âme, par loyauté et par souci de solidarité à un moment critique.

— Vous pensez qu'il se doutait du tour qu'on lui jouait ?

— Collins était un homme lucide et réaliste. Il était allé aussi loin que possible par la force des armes, et il est allé aussi loin que possible à la table des négociations. Il ne s'est pas fait avoir par Lloyd George. Au contraire, il a réussi à obtenir une concession majeure. C'est nous qui avons manqué du courage nécessaire pour veiller à son application ! Collins croyait, et moi aussi, que pour la première fois de notre histoire nous étions à même de créer une société à laquelle même nos adversaires auraient été fiers d'adhérer. Au lieu de quoi, murmura-t-il, les yeux pleins d'amertume, nous avons préféré nous retourner les uns contre les autres et nous livrer délibérément au massacre, à la guerre civile...

— La Grande-Bretagne, c'est évident, a tout fait pour prolonger les négociations en espérant que la pagaille s'installerait ! renchérit Mick du ton belliqueux que lui donnait l'alcool.

— Il n'en demeure pas moins que, quand Collins a conclu le traité avec l'Angleterre en 1921, il comptait sur nos leaders politiques en sol irlandais pour appuyer l'entente qu'il avait obtenue. En sa qualité de président de l'Assemblée nationale d'Irlande, les faits et gestes de de Valera, qui en restant à l'arrière avait évité de se salir les mains, revêtaient une importance capitale. Or il a été le premier, trois jours après la signature du traité, à le dénoncer publiquement dans une lettre ouverte aux journaux.

— Quel machiavélisme, s'exclama Éloïse, dont les yeux en le regardant brillaient à présent d'une intense sympathie.

— Ce n'était pas la première fois que de Valera avait tenté d'évincer Collins. Au plus noir de la terreur des *Black and Tans*, de Valera avait essayé de le convaincre de partir en tournée aux États-Unis. Au moment même où l'ennemi redoublait d'efforts pour nous briser les reins, où la survie de tous ceux qui risquaient leur vie sous son commandement dépendait de la structure organisationnelle qu'il avait mise sur pied et de la fiabilité des renseignements qu'il était seul à recevoir et à coordonner ! Il tenait tant de fils différents dans sa main que, s'il était parti, le mouvement de résistance tout entier aurait sombré dans l'anarchie.

— Cela fait réfléchir, observa Charles Langlois, à l'importance que peut avoir un seul homme, parfois, pour le destin d'un peuple. On peut se demander ce qui serait arrivé si Lénine avait été assassiné pendant la guerre civile en Russie. Ou quelle aurait été la suite des choses dans votre pays si Collins avait vécu.

— Ou ici même, au Canada, si Talbot Papineau était revenu de la guerre, soupira Éloïse.

5.

— Alors, cousin, dit Mick en reculant sa chaise pour se lever de table. Est-ce que tu songes à t'installer ici ?

— Non, Mick. Je me suis simplement arrêté pour te saluer en route. J'ai un frère à New York qui a fort bien réussi, et qui peut me donner du travail.

— Vous ne quittez pas l'Irlande pour de bon, après tout ce que vous avez vécu ? demanda Éloïse, stupéfaite.

Tout le monde s'était levé pour passer au salon.

— Trop de meurtres, trop d'exécutions, répondit-il d'une voix rendue monotone par la lassitude et le dégoût, je ne pouvais plus supporter de voir ça... L'Irlande pour laquelle je me suis battu est morte.

Jeanne tressaillit. La référence que son père avait faite à Lénine l'avait troublée, et maintenant les paroles du visiteur retentissaient dans sa mémoire, ressuscitant l'ombre à demi oubliée d'un autre exilé, dont elle évitait le souvenir comme quelqu'un qui a failli se noyer évite la proximité de l'eau. Lorsqu'elle pensait à lui désormais, c'était avec à peine plus qu'un vague ressentiment d'avoir été si facilement abandonnée.

Soudain, elle sentit deux mains chaudes sur ses épaules. Les autres avaient quitté la salle à manger. Elle devina que c'était Richard et essaya de se retourner. Ses mains puissantes l'en empêchèrent, sans lui faire mal pour autant. Il lui soufflait sur la nuque, en effleurant sa peau de ses lèvres, en roucoulant tout bas de cette voix de gorge qui était la sienne. Jeanne tenta de puiser en elle-même l'énergie de jouer l'indignation. Elle en fut incapable. Ayant bien mangé et bien bu, elle trouvait une douceur quasi soporifique à être retenue de la sorte. Elle résista à la tentation de s'accoter la tête sur la poitrine de Richard et, guettant une apparition de Violette à travers le rideau de dentelle qui couvrait la porte vitrée du salon, se dégagea. Un sourire de séraphin errait sur ses lèvres charnues. Un relent d'alcool flottait sur son haleine. Elle lui rendit son sourire et s'en alla rejoindre les autres invités.

— Il est tard, Mick, et mon train part tôt demain matin, disait Liam lorsque Jeanne les rejoignit.

Mick lui lança un regard étrange. La robe qu'elle portait découvrait ses épaules, exposant son joli cou. Il sentit sa vieille colère sourdre en lui, comme chaque fois qu'il refoulait l'envie de la toucher.

— Je peux vous déposer, hasarda Éloïse.

Au cours de la soirée elle semblait s'être transformée, comme Cendrillon, du garçon manqué boute-en-train que tout le monde connaissait en une jeune femme modeste et rougissante, qui baissait pudiquement les yeux quand l'Irlandais la regardait.

6.

Plus tard ce soir-là, après que tout le monde fut rentré chez soi et que Gabrielle et Georgette furent montées à leurs chambres pour la nuit, Kitty fut tirée du sommeil par un grand fracas sur le palier devant la porte de sa chambre. Elle reconnut la voix pâteuse de son père, presque inintelligible, et son pas lourd qui trébuchait dans l'escalier. L'enfant demeura figée de peur dans le noir, n'osant plus respirer, ne voulant pas écouter, souhaitant désespérément ne pas entendre la voix qui se brisait contre ses oreilles.

— ENVOYE DON' ! criait sa mère, d'une voix aiguë qui la transperçait. T'AS FAILLI ME TUER LA DERNIÈRE FOIS, ÇA TE SUFFIT PAS ? VIENS DON' FINIR LA JOB !

Kitty n'avait jamais entendu sa mère parler de la sorte. Elle s'enfouit sous les couvertures, se recroquevilla comme un minuscule bigorneau dans sa frêle coquille, fermant les yeux de toutes ses forces, étouffée par sa propre impuissance, jusqu'à ce que le silence se fît enfin, et que le sommeil engloutît le cauchemar, comme la marée en Gaspésie effaçait l'empreinte de ses pas dans le sable.

Une élection

1.

Pendant tout l'été qui précéda l'élection de 1926, dans les anses et anfractuosités le long du littoral gaspésien, de curieuses épaves échouèrent parmi le varech et les coquillages. Pour les pêcheurs qui les découvraient, il s'agissait d'une pêche miraculeuse, même si les bénéfices qu'ils en tiraient n'étaient que menu fretin comparé à ceux qu'elle rapportait aux militants des deux partis en campagne. La garde côtière américaine, dont la mission était d'endiguer le flot d'alcool prohibé en provenance du Canada, avait cette année-là augmenté ses patrouilles dans les eaux limitrophes, de sorte que les contrebandiers larguaient régulièrement leur chargement illicite par-dessus bord plutôt que de risquer la saisie. Tôt ou tard les tonneaux de rhum ou de whisky portés par la marée échouaient sur les plages, où ils étaient vite cueillis par les pêcheurs. Ces derniers, que leur gagne-pain habituel ne prédisposait pas à la recherche du profit, vendaient ce qu'ils ne pouvaient pas utiliser pour leurs besoins personnels à des prix dérisoires. Les jeunes loups qui dirigeaient la campagne de Charles Langlois s'étaient vite débrouillés pour s'accaparer tout le marché dans la région, où le député sortant était populaire. Ils obligeaient ainsi leurs adversaires à battre l'arrière-pays, où le prix d'achat de l'alcool de contrebande pour graisser les rouages d'une campagne était beaucoup plus élevé, surtout pour des gens « de l'extérieur ».

Même si ses jeunes militants enthousiastes flairaient la victoire, Charles Langlois n'eut pas besoin de leur rappeler de ne rien prendre pour acquis. Le souvenir de la très mince victoire aux élections précédentes n'était que trop présent à leur esprit. Langlois en effet avait d'abord dû concéder la défaite, et n'avait été sauvé que le lendemain, suite à un recomptage, ce qui n'avait pas empêché les *Bleus*[1] de fêter bruyamment leur « victoire » à l'hôtel Cullen — Frank Cullen, faut-il préciser, car Frank était un conservateur. Le lendemain soir le champagne coulait à flots chez son frère Paul, un libéral, dont l'établissement, contigu à celui de Frank, était également connu sous le nom d'hôtel Cullen. Cette fois-ci les militants de la campagne de Charles Langlois, sous la direction de maître O'Neill, ne prenaient pas de risques. Dans les salles où avaient lieu les assemblées contradictoires ils remplissaient les premières rangées d'innocentes vieilles dames qui se tenaient bien tranquilles jusqu'au moment où le malheureux candidat conservateur se levait pour parler. C'est alors qu'elles se déchaînaient, noyant ses paroles de leurs cris pointus, et scandant inlassablement « Con-scrip-tion ! Con-scrip-tion ! », jusqu'à ce qu'une mêlée indescriptible éclatât dans la salle.

2.

Éloïse Prud'homme avait accepté avec enthousiasme l'invitation de venir faire campagne pour Langlois cette année, l'attrait de la saison estivale en Gaspésie l'ayant facilement emporté sur la fascination qu'avait pu exercer sur elle, à une certaine époque, le porte-à-porte électoral dans la chaleur poussiéreuse des quartiers mal famés de Montréal. Pour Jeanne, les héritiers de Florence ayant vendu sa maison l'année précédente, la privant ainsi de sa retraite annuelle, la présence d'Éloïse parmi les invités de sa mère était une bénédiction. Mick pour sa part passait presque autant de

1. *Bleus :* conservateurs. Les libéraux étaient les *Rouges.*

temps à Carleton qu'à Montréal chaque semaine, et prévoyait de prendre le mois entier jusqu'au 14 septembre, jour du vote, afin de se consacrer exclusivement à la réélection de son beau-père. C'est lui qui avait insisté pour faire venir Éloïse, dont le talent dans l'art de la persuasion compensait largement le désavantage d'être « de l'extérieur ».

— Attends toujours d'être dans la maison, conseilla Éloïse à Jeanne qui conduisait la Chevrolet *touring model* de Charles Langlois.

Elle venait d'arriver de Montréal le matin même et avait insisté pour se lancer en campagne immédiatement.

— Le meilleur endroit pour faire ton petit discours, c'est dans la salle de séjour, poursuivit-elle. Complimente la maîtresse de maison si tu remarques de jolis appuie-tête en dentelle sur les fauteuils, ou de la belle porcelaine si on nous offre une tasse de thé. Pose-lui des questions sur ses enfants. Rappelle-lui que l'élection fédérale est son unique chance de voter, puisque les femmes n'ont pas le droit de vote aux élections provinciales. Puis parle de ton père, de ses réalisations, comme le train de Gaspé. Dis-lui combien ton père est un homme intègre, et combien sir Wilfrid l'aimait et lui faisait confiance. Ensuite parle des conservateurs. Pas longtemps. Tu ne veux pas qu'elle pense que tu les prends trop au sérieux. Mais rappelle-lui qui a imposé la conscription, et parle-lui de leurs liens avec les gros barons de l'industrie. Rappelle-lui qui défendra ses intérêts, qui se battra pour sa pension de vieillesse.

— C'est toi qui vas leur parler, Éloïse, protesta Jeanne. Tu as l'habitude, et tu connais toutes ces questions à fond. Je t'avoue que tout ça me dépasse un peu.

La vérité était que « ces questions » l'ennuyaient à mourir et qu'elle prenait peu d'intérêt à l'issue de la campagne, si ce n'était d'assurer que son père, par amour pour lui, soit réélu. Son principal motif de vouloir accompagner Éloïse n'était pas politique mais thérapeutique. En sa compagnie elle trouvait le meilleur antidote possible à l'atmosphère empoisonnée qui régnait dans la maison de sa mère.

— As-tu des nouvelles de Liam ? ajouta-t-elle pour changer de sujet.

— Oui ! Oh, Jeanne, il m'invite à venir lui rendre visite après les élections. Septembre à New York ! Je ne me tiens plus !

Jeanne enviait à Éloïse son emballement pour le cousin de son mari. Depuis leur rencontre quelques mois auparavant, celle-ci s'était complètement transformée. Elle avait minci, son visage s'était affiné, bref, elle avait embelli. Devant ces manifestations extérieures d'une condition qu'elle ne connaissait que trop bien, Jeanne avait peine à réprimer des souvenirs qui, au contact de son amie, redevenaient douloureux.

3.

Kitty vivait des jours heureux auprès de sa grand-mère. Ensemble elles accompagnaient les religieuses, invitées de Mimi, à la messe chaque matin, et les heures s'écoulaient tranquillement en leur compagnie. Leur présence était discrète et réconfortante. Leurs voix se fondaient au murmure omniprésent de la mer et du vent. Parfois, lorsque son père s'absentait, on permettait à Kitty de porter l'habit de nonne miniature que les religieuses, amies de sa grand-mère, lui avaient confectionné, en dépit des objections de son grand-père qui, la voyant rouge et moite de transpiration au soleil de midi, craignait qu'elle ne s'évanouît de chaleur. Jeanne, en regardant sa fille au loin sur la plage qui voletait parmi les nonnes comme un moineau parmi des mouettes, se disait qu'il valait mieux ne pas intervenir, sachant tout le plaisir qu'elle prenait à ce déguisement. Elle craignait d'inquiéter l'enfant en exprimant des réserves face à ce jeu inhabituel, et de créer chez elle un conflit de loyautés qu'elle considérait beaucoup plus néfaste que l'emprise temporaire que pouvait exercer sur elle sa grand-mère.

Elle jugea cependant qu'il y avait des limites un soir d'orage où, rentrant seule, trempée jusqu'à la moelle, d'une assemblée contradictoire qui avait dû être remise à cause du mauvais temps, elle avait trouvé sa Kitty blême de terreur, accrochée aux jupes de sa grand-mère. Celle-ci, insensible aux craquements assourdissants du tonnerre, allait de fenêtre en fenêtre, brandissant d'une main la lampe à pétrole qui projetait sur le plafond des ombres énormes, et de l'autre aspergeant énergiquement d'eau bénite les vitres fouettées par la pluie, tout en marmonnant d'un ton incantatoire : « C'est la colère de Dieu devant nos péchés ! Supplions le Saint-Esprit d'épargner notre maison ! » Prenant soin de ne pas effrayer davantage l'enfant, Jeanne traversa la pièce en quelques enjambées et la prit dans ses bras sans mot dire, en semonçant sa mère du regard. En revenant plus tard après avoir calmé la petite de son mieux et attendu qu'elle s'endormît, elle trouva sa mère debout dehors sur la véranda dans une sorte de transe, les yeux levés vers l'orage qui s'éloignait en grondant sourdement à l'horizon, illuminé de loin en loin par l'éclair. Il y avait dans ce visage ruisselant de pluie, dans ce corps tout entier tendu vers l'infini une majesté de shaman invoquant les divinités du tonnerre. Jeanne ouvrit la bouche pour parler mais sa colère s'était évanouie, apaisée peut-être avec la frayeur de Kitty, et rentra inaperçue dans la maison.

Aunt Miss

1.

La nuit était tendue d'un voile de neige, fine et scintillante comme de la poussière d'étoiles. Pas un souffle de vent ne remuait le silence. La nuit semblait toute proche, d'une intimité complice malgré le froid. Jeanne et Mick longeaient sans se presser la file de voitures qui bordait l'avenue Sunnyside. La mince couche de neige qui recouvrait le trottoir étouffait le bruit de leurs pas. Ils arrivaient d'une autre réception de veille du jour de l'an, et celle à laquelle ils se rendaient était leur dernière destination de la soirée. Leur hôte, Trevor Jonas, un jeune crésus qui avait fait fortune dans le transport naval sur les Grands Lacs, était un des plus gros clients de Mick. Grand, élancé, d'une élégance finie, il avait ce type de beauté blonde qui lui promettait encore trente ans de jeunesse. Sa personnalité était un mélange effervescent d'énergie et d'arrogance à couper le souffle. En 1914, œuvrant dans un secteur économique dit névralgique, il avait été trop occupé à bâtir son empire pour se porter volontaire au service militaire et, plus tard, n'avait eu aucune peine à se faire exempter de service obligatoire. Si bien qu'il était l'un des rares *Anglais*[1] de sa génération dont l'innocence n'avait pas été profanée par la Grande Guerre. Sur le plan social, il était l'équivalent nord-américain d'un aristocrate, c'est-à-dire fils et petit-fils de gens fortunés. À ce titre, il n'avait nul besoin d'étaler sa richesse, qui lui allait aussi naturellement

1. *Anglais :* à l'époque, expression par laquelle on désignait, au Canada français, un Canadien d'expression anglaise.

que la couleur de ses yeux. Toutefois, à titre de membre influent de l'élite anglo-saxonne dans une ville où le plus humble charbonnier était issu d'une lignée remontant à plus de deux siècles, il se faisait un devoir de la proclamer en toutes choses. Il s'était ainsi fait construire, près du sommet du Mont Royal, un véritable palais de style florentin, entouré de jardins agrémentés d'un tennis et d'une piscine, dont la porte était gardée par deux magnifiques lions en pierre.

— Mick ! Jeanne ! s'écria-t-il en les accueillant lui-même à la porte selon son habitude, tandis que le majordome, ganté de blanc, attendait derrière lui. Quel plaisir de vous voir ! Entrez donc !

Une fois débarrassés de leurs manteaux, les O'Neill le suivirent dans l'immense hall d'entrée où une armure, dénichée par Trevor lors d'un de ses voyages, témoignait en silence du passage ici-bas de quelque preux chevalier. Jeanne éprouvait toujours une vague sympathie à l'égard de cette forme humaine figée au garde-à-vous au pied de l'escalier grandiose de Trevor, si loin du lieu et du temps pour lesquels elle avait été façonnée. Son esprit s'attardait au soldat inconnu qui s'y était abrité, tentant de lui donner un visage. Mais cet instant de rêverie ne durait pas. La maison de Trevor était ainsi faite qu'elle s'imposait d'elle-même à sa conscience. Tout y était conçu pour subjuguer l'attention, comme si Trevor ne pouvait pas tolérer l'idée que ses invités pussent avoir autre chose à l'esprit que l'épatement qu'il cherchait par tous les moyens, architecturaux, décoratifs ou autres, à susciter.

Le rez-de-chaussée comprenait trois immenses salles de réception dont la plus grande, la salle de bal, faisait toute la longueur de la maison, côté jardin. D'aucuns y voyaient un pastiche de la galerie des Glaces à Versailles, à cause des six miroirs dorés qui occupaient un mur entier sur toute sa longueur et qui, en reflétant les six portes vitrées à deux battants qui donnaient sur le jardin, en doublaient la largeur apparente. En été, ces dernières s'ouvraient sur une terrasse en pierre où l'on déjeunait *al fresco* sous l'auvent rose géranium, parmi une profusion de plantes à fleurs dont les coloris, reflétés dans les immenses miroirs, donnaient à l'intérieur de la salle de bal un délicat éclat rose.

« Je voulais que la pièce change avec les saisons », expliquait invariablement Trevor à ses invités éblouis.

En plein cœur de l'hiver, l'éclairage froid qui provenait du jardin enneigé ou, comme ce soir, des lumières scintillantes de la ville en contrebas, était plus que compensé par des draperies de velours cramoisi, et le feu qui crépitait dans les deux monumentales cheminées à chaque extrémité de la longue salle. Sur une estrade un grand orchestre jouait et le parterre était déjà encombré de danseurs. Dans une des deux salles avoisinantes, un ensemble de jazz se défoulait au profit d'une foule exubérante et jeune. Les gens d'âge respectable gravitaient plutôt autour du bar et de deux longues tables aménagées dans la salle à manger où les attendait un somptueux buffet d'huîtres, de fricassée de dinde, de salade de homard, de saumons fumés entiers et, pour les fortes constitutions que les semaines de ripaille n'avaient pas complètement rassasiées, de fromages et de desserts de toutes sortes.

En se dirigeant vers le bar, Mick et Jeanne faillirent se heurter à Richard Doyle qui en revenait. Toujours galant homme, il offrit à Jeanne la coupe de champagne qu'il destinait à sa femme.

— Vous êtes éblouissante ce soir, lui susurra-t-il tandis que Mick allait leur chercher à boire, cette robe vous va à ravir.

— Ce n'est pas une robe, lui répondit Jeanne avec un rire de gorge, c'est une affiche électorale ! Mick me l'a achetée exprès pour les dernières élections. Le jour du vote il a insisté pour me poster à la porte du bureau de scrutin de Carleton dès huit heures du matin, et j'ai passé toute la journée à serrer des mains, pendant qu'Éloïse rappelait aux gens de voter pour papa.

— Sacré Mick ! ricana Richard, profitant de l'occasion pour la reluquer de la tête aux pieds.

Sa robe, un fourreau de Jeanne Lanvin en satin rouge

rubis, découvrait ses épaules et froufroutait délicieusement à chaque mouvement. Sur ces entrefaites Mick les rejoignit, tenant une coupe de champagne dans chaque main.

— Tu permets que je te vole ta femme le temps d'au moins deux danses ? lui lança Richard sans ménagement.

— Permission accordée, tu sais bien que je ne danse pas, répondit l'intéressé, les yeux fixés sur les deux coupes qu'il ne tenait pas à renverser. Où est Violette, que je lui apporte son verre ?

2.

Richard était bon danseur, quand il n'était pas complètement soûl, mais son léger embonpoint faisait qu'il était difficile de ne pas se sentir pressée contre lui d'une façon qui irritait Jeanne tout en la troublant bien malgré elle. Au bout de la troisième danse, elle s'excusa et alla se réfugier un moment dans les toilettes. Devant le miroir où deux autres femmes étaient affairées à se remettre du rouge, elle surprit la lueur de colère dans ses propres yeux, avec le haut-le-cœur familier qu'elle éprouvait chaque fois qu'elle était confrontée au vide de son existence.

Débouchant de nouveau dans l'immense vestibule dominé en son centre par l'escalier grandiose, Jeanne lève machinalement les yeux dans un mouvement involontaire et irréfléchi qui plus tard revêtira à ses yeux une importance fatidique. À cheval au sommet de la longue balustrade en acajou massif, un homme en smoking, le regard abrité sous le rebord d'un haut-de-forme qu'il porte cocassement sur les yeux, semble évaluer l'angle de la descente. Puis, repoussant son chapeau sur sa tête d'un geste nonchalant, il se laisse glisser le long de la rampe, les mains dans les poches, et atterrit devant elle avec une agilité et un aplomb étonnants. Il est grand, large d'épaules, et quand, ajustant l'angle de son haut-de-forme, il lui sourit en plantant son regard fermement dans le sien, Jeanne a l'impression très nette qu'elle ne le voit pas pour la première fois. Lui rendant son sourire, elle s'éloigne précipitamment, en se demandant qui peut bien être cet étonnant personnage qu'elle a maintenant la certitude d'avoir déjà rencontré.

3.

Elle trouva son mari et les Doyle attablés autour de Miss Marshall, frêle comme un oiseau dans sa robe gris perle de Patou. La redoutable Hutchison, sa fidèle garde du corps, ne semblait pas être avec elle.

— Jeanne ! s'écria la vieille dame de sa voix de perruche, en lui tendant une minuscule main veinée de bleu. Quelle robe délicieuse ! Venez vous asseoir, chère enfant !

Jeanne s'exécuta de bonne grâce. Elle aimait la vieille dame, même si Mick et elle ne la voyaient que rarement. Sa santé se détériorait depuis des années, de sorte qu'elle avait cessé de recevoir à dîner dans sa merveilleuse maison. Il devait bien y avoir une décennie que personne ne l'avait vue dans une réception en ville.

— Où est Hutchison ? s'enquit Jeanne lorsqu'elle se fut assise.

— Elle est en Angleterre, pendant encore deux semaines, confia Miss Marshall avec effusion. La pauvre, son père est mort juste avant Noël et sa mère tenait beaucoup à ce qu'elle aille l'aider à mettre de l'ordre dans ses affaires. Apparemment il a tout laissé dans un fouillis sans nom. Elle est enfant unique, alors vous pensez bien qu'elle ne pouvait pas refuser d'y aller. (Puis elle ajouta, avec une expression de conspirateur dans ses petits yeux ronds :) Je n'aurais jamais pu venir ce soir si elle avait été là. Elle n'aurait pas voulu en entendre parler.

— Est-ce que vous avez engagé quelqu'un pour la remplacer ?

— Eh bien, oui et non, répondit la vieille dame. J'ai quelqu'un chez moi pour toutes les tâches dont elle a ordinairement la responsabilité. Mais cela n'inclut certainement pas celle de m'accompagner dans une *party* comme celle-ci ! s'exclama-t-elle en riant comme une gamine. Mais me voici, chère enfant, et je ne me suis jamais autant amusée.

Elle posa une main sur son cœur et soupira d'aise. Jeanne ne l'avait jamais vue aussi animée.

— Vous savez, je suis invitée à tant de réceptions chaque année pendant le temps des fêtes, et c'est tellement gentil de la part de tous ces gens de me garder sur leur liste année après année, malgré le fait que je ne vienne jamais. Mais cette année, eh bien, me voilà.

Elle sourit, moins comme un oiseau cette fois que comme le chat qui a avalé le canari.

— Racontez, la pria Jeanne, entrant dans le jeu. Comment avez-vous fait ?

— Louis a vu l'invitation sur le manteau de la cheminée parmi les cartes de Noël. Louis, mon neveu, ajouta-t-elle, vous l'avez rencontré, je crois — et il a tout simplement déclaré « tu vas y aller », point à la ligne. Il est fou. Mais il est médecin, alors je présume qu'il sait ce qu'il fait. Il a insisté en disant que ça me ferait du bien de sortir de la maison. Il s'est libéré pour la soirée, a fait tous les arrangements. Comment aurais-je pu refuser ? demanda-t-elle d'un air radieux.

— Oui, bien sûr, murmura Jeanne, d'un air distrait. Je crois que je viens de le voir...

Elle se rappelait à présent : la chambre d'hôpital dans la froideur de l'aube, la blancheur de l'hiver à sa fenêtre, et lui qui terminait son quart de nuit, l'honnêteté avec laquelle il avait répondu à sa question après qu'elle n'eut obtenu que des réponses évasives de la part des gardes-malades... Rien d'étonnant à ce qu'elle ne l'ait pas reconnu. Elle n'avait pas plus fait le lien entre le grave jeune homme en blouse d'hôpital et le neveu en uniforme de soldat que Miss Marshall lui avait présenté qu'entre ces deux incarnations antérieures et l'être fantasque entrevu tout à l'heure. Tout à coup Richard, debout derrière sa chaise, la fit sursauter.

— Allons, Jeanne, accordez-moi encore une danse.

Mick était de nouveau parti remplir son verre et Violette venait d'être invitée à danser par Trevor Jonas lui-même. Jeanne, ne voulant pas laisser Miss Marshall seule, était sur le point de refuser.

— Allez-y, chère enfant, lui ordonna la vieille dame. Il n'y a rien qui me donne plus de plaisir que de voir des jeunes gens s'amuser.

4.

L'orchestre joue une valse mais Richard, comme il fallait s'y attendre, est déjà beaucoup moins à jeun qu'il ne l'était il y a une heure. Il la serre de beaucoup trop près. Elle tente discrètement de se dégager lorsqu'une main atterrit sur l'épaule de son partenaire.

— Vous permettez, dit l'intrus, poliment mais avec fermeté, en délogeant Richard, interloqué et penaud, pour prendre aussitôt sa place. Vous aviez l'air d'avoir besoin de renfort.

Il parle l'anglais avec une trace d'accent britannique.

— Oui... merci ! Richard est gentil mais quand il boit il devient impossible.

— On se connaît? dit l'homme, rejetant la tête en arrière et la regardant du haut de ses six pieds.

Il ne s'est toujours pas présenté mais Jeanne sait très bien qui il est.

— Je... je connais votre tante...

— Vous connaissez Aunt Miss ? Je ne la vois vraiment pas aussi souvent que je devrais !

Il rit doucement. Elle ne s'en formalise pas.

— C'est ainsi que vous l'appelez, Aunt Miss ?

— En fait elle est ma grande-tante, mais je l'ai toujours appelée par ce surnom. Je ne sais pas où j'ai pris ça, peut-être d'une de ses garde-malades. Elle en a toujours eu pour s'occuper d'elle, même quand j'était petit.

— Et elles l'appelaient Miss ?

— C'est ça. Mais dites-moi, qu'est-ce qui vous amène dans ce repaire de bandits ?

— La veille du jour de l'an ? répond-elle d'un ton interrogatif, comme si cette question insolite lui faisait douter de la pertinence de sa réponse.

— Vous aimez danser, enchaîne-t-il comme la musique se termine, alors venez.

La prenant par la main, il se dirige vers la salle voisine, où un charleston tapageur bat son plein.

— Je devrais vraiment... crie Jeanne, pour se faire entendre au-dessus de la musique et des gloussements des danseurs déchaînés.

— Tout à l'heure ! lui répond-il, la tenant fermement par la main.

Il n'a pas besoin de s'expliquer, compte tenu du degré de concentration requis pour synchroniser leurs pas avec le rythme endiablé de la musique. Jeanne a fait du chemin depuis son premier bal en 1919. Elle sait maintenant danser le charleston ou le fox-trot aussi bien que n'importe quelle *flapper*[1]. Les numéros se succèdent, chacun plus délirant que le précédent, mais son nouveau partenaire ne semble pas tarir d'énergie.

— Il était temps qu'ils fassent une pause, déclare-t-il néanmoins lorsque la musique se tait enfin. Comment vous appelez-vous ?

— Jeanne O'Neill, répond-elle à bout de souffle.

Sans savoir pourquoi, le fait de dire son nom la met aussitôt, et pour la première fois, mal à l'aise face à lui.

— Allez, Jeanne O'Neill, dit-il avec un sourire à la fois complice et taquin. Je vous raccompagne à votre table. Il faut vraiment que je ramène Aunt Miss chez elle. Normalement, elle devrait déjà être couchée depuis longtemps.

Elle remarque que la coupe de son smoking n'est pas des plus récentes. Il semble même un peu trop grand pour

1. *Flapper :* nom que l'on donnait aux jeunes femmes délurées, férues de charleston et autres danses à la mode, dans les années '20.

lui, comme s'il l'avait sorti du fond d'un placard. Il n'est visiblement pas du genre mondain, ce qui, aux yeux d'une femme qui s'ennuie aussi profondément dans le monde que Jeanne, ne fait qu'ajouter à son charme.

5.

— Louis, mon garçon !

Le visage de Miss Marshall s'illumina de joie lorsqu'elle vit son neveu se détacher de la foule pour venir vers elle.

— Tu dansais avec Jeanne ? Cela prouve qu'il a du goût, n'est-ce pas, Michael ?

Louis Marshall serra la main de Mick, qui le considérait avec attention, puis il aperçut Richard qui lui tournait le dos.

— Désolé, mon vieux, lui dit-il avec un sourire magnanime, je n'ai pas pu résister.

— Y a pas de mal, marmonna ce dernier.

Il faisait penser à un bébé boudeur, avec sa bouche charnue et ses boucles en désordre qui le rendaient si attachant malgré ses travers.

— Désolé d'être un rabat-joie, ma tante, annonça à regret son neveu, mais, si je ne te ramène pas tout de suite, mon humble carrosse va se transformer en potiron au premier coup de minuit. Ce sont les ordres de ton médecin. Allons-y.

Miss Marshall, prise d'un fou rire de collégienne, adressa au jeune homme un sourire plein d'indulgence attendrie. Rayonnante de plaisir, elle souhaita la bonne année à chacun autour de la table individuellement, tandis que son neveu l'attendait, les mains dans les poches, signalant discrètement par son attitude qu'elle ne devait pas tarder trop longtemps.

— Bonsoir, dit-il enfin à la cantonade en prenant position derrière le fauteuil roulant de la vieille dame, et bonne année !

Sans trop s'en rendre compte, Jeanne attendait qu'il la

cherchât des yeux. Au moment où leurs regards se croisèrent, elle éprouva une agréable petite décharge nerveuse qui lui fit aussitôt baisser le sien.

Quelques minutes après leur départ les lumières s'éteignirent dans la grande salle, l'orchestre attaqua *Auld Langsyne*[1] et partout au sein de la foule les invités se tombèrent dans les bras, en s'embrassant et se souhaitant la bonne année. Dans ce fugace instant où l'an révolu se fond dans l'année nouvelle, où les douze coups de minuit résonnent d'espoir en l'avenir, Jeanne, comme l'athée qui, se prenant à contempler la possibilité de la vie après la mort, s'empresse d'en bannir l'idée de son esprit, osa furtivement caresser un souhait qu'elle désavoua aussitôt. Le baiser de bonne année de Trevor Jonas la tira de sa rêverie. La musique reprit et ils se remirent à danser, mais dans l'hiver de son âme Jeanne rejoignait le paysage nocturne qui s'étendait au-delà des hautes fenêtres de la salle de bal, où les lumières de la ville scintillaient froidement sous le ciel noir.

6.

Tout avait finalement commencé par un après-midi glacial de janvier. C'était un samedi, à l'heure où la clarté crépusculaire s'attarde encore un peu avant de s'éteindre imperceptiblement, baignant le paysage enneigé d'une lueur rose qui s'empourpre graduellement à l'approche de la nuit. Il y avait déjà moins de patineurs sur la glace qu'une heure auparavant, quand le soleil était encore haut. Dans la petite cabane en bois, des enfants, pressés autour du poêle ventru, se réchauffaient les mains, mais Kitty, bravant le froid, restait sur la patinoire à pratiquer les figures que sa mère lui avait apprises. Elle venait de fêter son huitième anniversaire, et

---

1. *Auld Langsyne :* dans les pays anglo-saxons, air traditionnel que l'on chante, sur le coup de minuit la veille du jour de l'an (sur l'air de « Ce n'est qu'un au revoir »).

Jeanne, une patineuse accomplie qui préférait l'espace plus vaste et mieux entretenu du Montreal Coliseum, l'avait emmenée essayer ses nouveaux patins sur la patinoire extérieure de l'université McGill. Jeanne venait de s'arrêter devant un banc de neige à l'autre bout de la glace, d'où l'on voyait la fumée monter du tuyau de poêle noirci qui surmontait le toit de la petite cabane.

— Vous patinez presque aussi bien que vous dansez, dit quelque part derrière elle une voix que Jeanne entendit très clairement, la cacophonie des cris d'enfants s'étant à peu près tue depuis tout à l'heure.

Dans la seconde qu'il lui fallut pour se retourner elle n'eut pas le temps de se demander qui l'interpellait de la sorte. Au sommet du banc de neige, dans la pénombre grandissante elle distingua, à contre-jour sur le ciel mauve, la haute silhouette de Louis Marshall, les mains dans les poches, flanqué d'un gros chien blond de lignée incertaine.

— Ah, c'est vous ! s'écria-t-elle, la gorge contractée par la surprise et le froid.

Il dégringola le banc de neige en trois enjambées, le gros chien blond, queue en panache, à ses côtés, et parut, ce faisant, se détacher du paysage comme un acteur d'un décor de théâtre.

— Vous venez souvent ? demanda-t-il, une fois qu'il fut assez près d'elle pour ne pas être obligé de crier pour se faire entendre.

Il était nu-tête malgré le grand froid et portait un manteau en tweed un peu trop grand pour lui.

— J'habite près d'ici, répondit Jeanne, un peu à côté du sujet.

— Votre petite sœur ne patine pas mal non plus, observa-t-il d'un air railleur, ce qui déclencha chez Jeanne un fou rire stupéfait.

— Je vous présente Catherine, mon trésor à moi, dit-elle en rentrant une mèche folle sous le bonnet en lapin blanc de l'enfant qui s'était approchée. Dis bonjour au docteur Marshall, ma chérie.

Kitty s'exécuta en mordillant sa lèvre inférieure et en souriant timidement.

— Eh bien, mademoiselle Catherine, je vous présente Winston. Dis bonjour, cabot ! ordonna-t-il, mais le chien continua à gambader en décrivant des cercles sur la glace autour d'eux, langue dehors, souriant d'une oreille à l'autre. Il est d'une insubordination totale. Je n'ai vraiment pas le temps de m'occuper de lui, soupira-t-il.

— Tu as l'air frigorifiée, dit Jeanne en voyant que la petite s'était mise à grelotter. Tu devrais aller enlever tes patins et mettre tes bottes, bien au chaud dans la cabane. Nous rentrerons à la maison dès que tu seras prête, ajouta-t-elle, s'adressant plus à elle-même qu'à sa fille.

— Vous venez ici souvent ? demanda-t-elle au docteur Marshall dès que sa fille se fut éloignée, lui renvoyant étourdiment la question qu'il lui avait lui-même posée, puis s'empressant d'ajouter : Je ne me souviens pas de vous avoir jamais vu là, à cet endroit.

— Et pourtant, dit-il avec un sourire taquin. Vous ne m'avez pas remarqué, c'est tout. Mais sérieusement, où avez-vous appris à patiner comme ça ?

— Je pratique au Coliseum trois fois la semaine...

Ayant fait cet aveu sans réfléchir, elle s'inquiéta d'avoir pu donner l'impression de vouloir lui offrir un moyen de la revoir, ce qui était précisément ce qu'elle venait de faire.

— Vous allez prendre froid, vous aussi, vous devriez rentrer, constata-t-il, et elle s'aperçut qu'elle rentrait la tête dans les épaules et se serrait les bras de froid.

— Et vous alors ? prostesta-t-elle. Vous ne portez même pas de chapeau !

— Une tête brûlée ne s'embarrasse pas de chapeau, lui rétorqua-t-il avec un sourire impénétrable.

Il se moquait constamment de lui-même, mais il y avait une gravité, dans le regard amusé qu'il portait sur le monde, qui lui était aussi inhérente que le brun ambré de ses yeux. Elle sourit, agita la main en signe d'adieu et s'en retourna vers la cabane bien qu'elle n'eût rien voulu tant que de rester encore un peu à le regarder s'éloigner et se fondre peu à peu dans la demi-obscurité qui précède la nuit. Puis elle sentit la mitaine de Kitty se glisser dans la sienne. Cette petite main était bien réelle, aussi réelle que le réconfort que Jeanne tirait de son amour d'enfant. C'était la seule réalité de son existence qu'elle ne reléguait pas d'office au rang de « circonstance » : il y avait les circonstances dans lesquelles elle était obligée de vivre, et puis il y avait Kitty...

7.

Malgré cette rencontre fortuite qui jeta soudain un éclairage intense sur les contradictions de sa vie et la plongea un temps dans une expectative aussi fébrile qu'inavouée, le destin de Jeanne, après ce bref passage dans les rapides, poursuivit son cours monotone et prévisible. Chaque vie, si obscure soit-elle, s'éclaire à l'occasion d'un événement qui monte comme une fusée au firmament de la destinée, l'illuminant d'une flambée d'espoir, celui qui naît de la promesse, imprévue, subversive, d'un bonheur soudain possible. Il arrive que le choc initial en soit reconduit et amplifié lors d'une seconde rencontre, aussi accidentelle que la première, mais un incident de cette nature qui reste sans séquelle demeure un moment mort-né, ne laissant de lui qu'un vague regret et une sourde nostalgie de ce qui aurait pu être. Il est cependant un seuil au-delà duquel on ne veut ou l'on ne peut plus revenir en arrière, qui varie selon la force de l'attraction et la cruauté du besoin. En se quittant dans la neige de cet après-midi de janvier, Jeanne O'Neill et Louis Marshall, bien que ni l'un ni l'autre ne s'en rendissent compte, n'étaient plus qu'à un regard de ce seuil fatidique. Pour le franchir, sans doute eût-il suffi que Louis se retrounât. À le voir s'éloigner à grands pas rapides, le visage renfrogné comme pour se prémunir contre l'image, éblouissante comme un soleil d'été à travers des paupières closes, de ce regard aigue-marine qu'il venait de quitter, peut-être d'ailleurs le savait-il. Il la laissa partir pourtant, devinant qu'il était à la fois trop tôt dans leurs rapports, et trop tard dans la vie de cette femme, pour donner suite à l'impulsion que cette rencontre avait de nouveau soulevée en lui. Quant à Jeanne, son souvenir de lui finit par s'estomper de ses pensées, comme s'amenuisent les ondes à la surface d'un étang après qu'on y a lancé un caillou, et, comme ce caillou, alla s'enfouir dans le sédiment qui reposait au fond de sa conscience.

Johnny's in Town

1.

Montréal, dimanche 31 juillet 1927

Couchée dans son lit, fixant l'obscurité de ses yeux grands ouverts, Kitty luttait résolument contre le sommeil. Elle attendait un signal, là-bas dans la nuit chaude. Depuis des semaines Montréal vivait dans l'anticipation fébrile de l'arrivée de deux altesses royales, le prince de Galles et son frère cadet le prince George. Pour la première fois le Premier ministre britannique était également du voyage, mais celui qui suscitait le plus d'enthousiasme était sans conteste l'héritier du trône, dont la popularité n'avait pas diminué depuis la guerre et dont l'affection pour Montréal était bien connue. Aux aguets dans le noir, Kitty écoutait le chuchotement des feuilles à la fenêtre ouverte, qui semblait par moments s'enfler du murmure de milliers de voix. Elle était déçue de n'avoir pas obtenu la permission d'accompagner Gabrielle, qui avec Georgette était allée se poster au coin des rues Université et Sherbrooke dans l'espoir d'entrevoir les princes en route vers leur hôtel. Maman avait dit que Kitty était trop jeune pour sortir dans les rues, tard le soir, mais qu'elle lui donnait la permission d'accompagner Gabrielle le lendemain matin pour voir passer le cortège, lorsque Leurs Altesses Royales se rendraient à l'hôtel de ville.

« D'ailleurs, avait argué Maman, tu ne verrais pas grand-chose à la noirceur de toute façon. »

Kitty, persuadée que la ville divulguerait d'elle-même le

moment précis de l'arrivée des princes, était néanmoins bien résolue à rester éveillée. Enfin, juste avant dix heures, les premières notes discordantes, dispersées comme le charivari d'un orchestre qui s'accorde avant une représentation, lui parvinrent en provenance du port. Du mugissement lointain des sirènes de bateaux sur le fleuve aux klaxons criards des voitures le long des quais, le son grossit peu à peu, s'amplifiant de sifflets et de stridulations de toutes sortes. Soudain, la ville entière retentit d'un concert d'explosions, gerbe sonore de ronflements, de sifflements et de craquements fusant en rafales, ponctuées de vingt et une détonations qui se répercutèrent loin au-dessus de la rumeur intermittente de milliers de voix humaines. Puis, comme au signal d'un bâton de chef d'orchestre, tous les bruits se turent d'un seul coup. Suivit un long silence, pendant lequel Kitty s'efforça d'imaginer le splendide paquebot, le *S.S. St Lawrence*, dont la photo avait été reproduite dans tous les journaux ces derniers jours, approchant du quai Prince of Wales que maman l'avait emmenée visiter plus tôt dans la journée.

Enfin, à dix heures dix précises, une grande clameur s'éleva du port dans la nuit chaude. Kitty en fut électrisée, au point d'être un moment tentée de s'habiller et de se glisser dehors jusqu'au coin de la rue, à quelques pas de chez elle, où le cortège princier allait passer. Peu à peu le remous sonore se rapprocha à mesure qu'il se propageait à travers la foule massée au bord du quai et le long des rues qui remontaient du port, au pied de la rue McGill. Kitty céda plusieurs fois au sommeil qui, inéluctablement, la gagnait. Il était passé onze heures quand la vague humaine atteignit Sherbrooke et Université avant de déferler lentement, la rumeur s'atténuant à mesure que sa crête se déplaçait vers l'ouest, entraînant sur son passage une partie de la foule. Bien avant que Leurs Altesses n'atteignissent l'hôtel Ritz Carlton, Kitty Florence O'Neill dormait à poings fermés.

2.

Dans la petite municipalité de Mont Royal, dans le district de Montréal, les citoyens commencèrent de bonne heure à s'assembler. Profitant du temps radieux, ils se dirigeaient par petits groupes vers le pont du chemin de fer Canadien National où, d'après l'itinéraire publié dans les journaux, Leurs Altesses Royales le prince de Galles et son frère cadet, le prince George, devaient passer, en route vers le club de golf de Laval-sur-le-Lac. Le pont qui enjambait la voie ferrée avait été décoré pour l'occasion, la route ornée de bannières et de drapeaux britanniques. Des jeunes filles tenant des bouquets de fleurs, et des enfants en costume du dimanche, brandissant des drapeaux miniatures, faisaient la haie des deux côtés du chemin. Des adolescents avaient pris position sur le pont ou sur le gros *howitzer*[1], relique de la Grande Guerre, qui occupait le centre de l'intersection. Trois ou quatre fois la foule avait été traversée d'un remous fébrile qui s'était rapidement résorbé quand le défilé attendu n'était pas apparu. Vers deux heures un commis de pharmacie était accouru pour faire part d'une communication téléphonique — l'itinéraire avait été changé à la dernière minute, la prestation des princes annulée —, mais la foule mit du temps à se disperser.

Partout dans l'île de Montréal, ce jour-là, le long des principales artères de la rue Saint-Denis au boulevard Gouin, et sur les perrons de Cartierville à L'Abord-à-Plouffe, au bord du fleuve, les foules attendirent jusque tard dans l'après-midi. Tandis que les cloches des églises sonnaient en vain tout le long du parcours prévu pour eux, les deux frères de la maison de Windsor, à l'abri des regards dans un taxi roulant à tombeau ouvert, ayant pris de vitesse la petite armée de journalistes et de photographes qui les suivait partout et

1. *Howitzer* : pièce d'artillerie lourde utilisée pendant la Première Guerre mondiale.

même les détectives de Scotland Yard chargés de leur sécurité, avaient pris la clé des champs. Plus tard, ayant passé l'après-midi à jouer au golf, beaucoup plus détendus que s'ils avaient suivi l'itinéraire compliqué qu'on avait planifié pour eux, les princes furent beaucoup mieux disposés à recevoir les acclamations des habitants de Westmount, qui par centaines interrompirent leur repas du soir pour les regarder passer. Ce soir-là, rentrant d'une garden-party au sommet de la montagne à bord d'une voiture touring décapotable, ils soulevèrent leurs canotiers et sourirent aux femmes et aux jeunes filles en robes d'été multicolores qui agitaient leurs mouchoirs sur leur passage.

3.

Comme les temps changent, songeait Jeanne en regardant passivement les deux femmes couvertes de bijoux qui se disputaient l'attention de son mari. Il y a quelques années il n'aurait jamais mis les pieds dans une garden-party en l'honneur de la monarchie britannique. Quelle transformation il avait subie, depuis le jeune homme intense et maladroit qu'elle avait connu, si mal à l'aise en dehors de son petit cercle, exclusivement masculin, d'intellectuels et de maniaques de la politique. Qui eût pu prévoir que l'homme austère et taciturne qu'il était devenu dans leur vie privée se métamorphoserait en coqueluche de l'élite féminine de Westmount ? Jeanne lutta pour empêcher le poison qui contaminait son âme de filtrer dans son regard, son sourire, sa voix. Elle se demanda si le mal qui lui rongeait le cœur sans répit provenait de quelque chose de plus que le ressentiment et la captivité. Peut-être était-ce le contentement évident de ces deux femmes quant à leur sort, leur autosatisfaction même, qu'elle enviait. Elles au moins s'amusaient. Compte tenu des rôles que le destin ou l'accident de la naissance avait distribués à chacun, des moments comme ceux-ci étaient, au dire de tous, parmi les plus prisés. Moi aussi j'ai changé, conclut Jeanne sans joie.

Non loin d'eux, une troupe de jeunes débutantes, resplendissantes dans leurs robes d'été importées de Paris, se disputaient discrètement l'honneur d'être la première à apercevoir le prince de Galles dont la voiture, venaient-elles d'apprendre, était depuis quelques minutes garée devant la maison de Trevor Jonas. En attendant elles se livraient à un bavardage animé, échangeant des détails d'une rumeur concernant une certaine Madeleine Taschereau (« *A French Canadian, can you believe it !* ») que le Prince avait, dit-on, courtisée lors de son dernier passage à Montréal, en 1919. Leur insouciance, voire leur niaiserie, ne faisaient que rappeler cruellement à Jeanne une période de la vie qu'elle avait trop peu connue. À quelques mois de ses vingt-huit ans, elle vivait solitairement le mûrissement de sa féminité, comme une fleur tardive dont le cœur n'a pas éclos. Son isolement teinté de résignation l'immunisait contre l'euphorie que provoquait chez nombre d'invités la satisfaction insigne d'être de « la liste ». Avec l'arrivée du Premier ministre Baldwin et de son épouse, l'anticipation était parvenue à son comble. Le murmure des conversations provenant de petits groupes dispersés sous les arbres de l'immense jardin s'était intensifié. Ici et là un rire de femme, haut et cristallin, fusait en sourdine. Peu à peu la foule richement vêtue se mit à graviter d'instinct vers le centre de la pelouse où s'élevait un petit pavillon surmonté de la couronne dorée et des trois plumes d'autruche des armoiries du prince de Galles, que Trevor Jonas avait fait construire à l'usage de Leurs Altesses. Trevor avait même fait peindre le mât en jaune et bleu, aux couleurs du prince, afin de se mériter l'honneur d'y hisser la bannière royale.

Enfin, à l'extrémité du jardin la plus proche de la maison, les Canadian Grenadier Guards, éblouissants dans leur tuniques écarlates sur le fond vert de la pelouse, attaquèrent le fameux *Johnny's in Town,* fort prisé par le prince à ce qu'on disait, et Leurs Altesses firent leur apparition. Lentement, ils se dirigèrent vers le pavillon central en s'arrêtant pour serrer des mains et bavarder avec des personnes de leur connaissance.

— J'ai eu le privilège de le rencontrer la dernière fois, disait une voix de femme dans le groupe où se trouvait Jeanne, il est tout à fait charmant. Oh, regardez, il n'a pas changé du tout.

— Je n'avais aucune idée qu'il était aussi blond, s'enthousiasma sa voisine, ne donnant aucunement signe de s'être fait damer le pion. Les photos ne lui rendent vraiment pas justice.

— Trevor a mis le deuxième étage au complet à leur disposition, poursuivit la première, bien résolue à confirmer son avantage. Une des pièces a été aménagée tout exprès pour qu'ils puissent s'y retirer pour prendre un verre en paix ou même danser s'ils en ont envie. La pièce donne sur un grand balcon — tenez, là, à droite, il domine le jardin. La vue du fleuve y est extraordinaire, encore plus belle que celle qu'on en a d'ici. Trevor a même fait transporter un piano sur le balcon, et il a engagé quelqu'un pour jouer pour eux, s'ils le désirent.

Jeanne embrassa du regard la ville, qui s'étalait à ses pieds de part et d'autre du Saint-Laurent. La vue, effectivement, était exceptionnelle, le temps si clair qu'on distinguait nettement les montagnes au sud, de l'autre côté de la frontière américaine. Elle aussi avait eu le privilège de rencontrer le prince, même si le souvenir qu'elle en gardait était à jamais entaché par l'amertume d'une attente infructueuse, qui s'était soldée, tard dans la nuit, par un rappel brutal aux réalités de sa vie.

Comme les princes passaient à proximité, leur hôte, blond et bronzé, en blazer bleu marine et pantalon de flanelle blanc, apercevant Mick et Jeanne, leur fit signe d'approcher.

— Votre Altesse, permettez-moi de vous présenter maître et Mme Michael O'Neill, murmura Trevor, d'abord à l'intention du prince de Galles, puis de nouveau pour le prince George.

— Enchanté de vous voir là. Très gentil de vous être déplacés, fit le prince de Galles de sa voix nasillarde.

Son frère George, que l'on disait bègue, se contenta de leur serrer la main.

Lui aussi a changé, songea Jeanne tandis que les deux frères et leur suite poursuivaient leur chemin. La même tristesse était gravée dans son visage, mais elle semblait par un relâchement subtil s'être muée en ennui. Il était toujours aussi charmant mais ne paraissait plus y mettre le moindre effort. Elle eut l'impression que lui aussi agissait un peu en automate. Si gracieux fût-il, si impeccable l'apparence qu'il choisissait d'offrir aux yeux du monde, l'être que l'on devinait jadis derrière les yeux pâles s'était, semblait-il, éteint.

5.

À trente et un ans, Mick O'Neill approchait en âge et en expérience du moment béni dans la vie d'un aspirant politicien où une masse critique de gens qui comptent le considèrent prêt à sortir de la chrysalide des *backrooms*[1] pour sauter dans l'arène publique. Les premiers signes tangibles de cette apothéose imminente s'étaient manifestés à Ottawa le 1er juillet, lors des cérémonies marquant le soixantième anniversaire de la Confédération. Le Premier ministre, qui s'était intéressé aux préparatifs jusque dans le plus menu détail, y compris la liste des invités, n'avait pas manqué de le féliciter de son travail d'organisateur et de collecteur de fonds dans les deux dernières campagnes électorales, et il était même allé un peu plus loin : « Je serais fort aise de penser, avait dit le Premier ministre dans son style un peu pompeux, que vous commencez à envisager de vous présenter vous-même pour nous la prochaine fois... »

---

1. *Backrooms* : mot anglais ; littéralement : « arrière-boutiques », ou « coulisses » d'un parti politique.

Aujourd'hui, en ce beau vendredi ensoleillé de septembre, en quittant le Club de Réforme après un déjeuner auquel il avait été convié par nul autre que l'Honorable Ernest Lapointe, le tout-puissant lieutenant de Mackenzie King au Québec, Mick O'Neill savait que son heure avait enfin sonné. Le Premier ministre était en train de « désherber son jardin », lentement mais sûrement, envoyant à la retraite la vieille garde parmi ses députés, et recrutant activement des nouveaux venus, plus jeunes et plus dynamiques, pour le seconder dans les années à venir. En particulier, ayant passé une éternité à endurer les attaques du chef de l'opposition Arthur Meighen (qui avait enfin perdu son siège, grâce à Dieu), qu'au chapitre de la verve et du sarcasme il n'avait jamais pu égaler, Mackenzie King était à la recherche de candidats qui pouvaient lui offrir non seulement du sang neuf, mais aussi de l'esprit et des talents de debater assortis. Certains allaient devoir attendre jusqu'aux prochaines élections générales, mais une poignée de recrues seraient appelées plus tôt. Le Premier ministre s'apprêtait à envoyer un petit nombre de vieux routiers méritants au paradis du sénat, probablement l'été suivant, précisa Lapointe. Une série d'élections complémentaires suivrait inévitablement. L'une des circonscriptions concernées était à Montréal.

— Dans un an, Michael, tu auras trente-deux ans. Tu es déjà tout près du sommet de ta profession, avait observé Lapointe, confirmant sans doute que Mick avait bien joué ses cartes en se présentant comme un partisan loyal et dévoué dont l'ambition était avant tout de réussir dans sa vie professionnelle.

C'était chose faite, Richard lui ayant récemment demandé de se joindre à lui comme associé principal dans leur cabinet d'avocats qui, par suite de la mort de son fondateur Mike Lynch, s'appelait maintenant O'Connell Doyle O'Neill.

— Tu entres maintenant dans la période la plus stimulante et la plus productive de ta vie, avait poursuivi le ministre, tu es au comble de ta vigueur et de tes énergies, ce qui te place dans la meilleure position possible pour faire le saut et relever le défi d'une nouvelle carrière. Le parti et le pays ont besoin de toi. Le Premier ministre te demande d'accorder à sa proposition toute l'attention qu'elle mérite.

— Le Premier ministre me fait un très grand honneur, répondit Mick en choisissant soigneusement ses mots, et je vous assure que je ferai mon possible pour m'en montrer digne. Avez-vous une idée du moment auquel ce comté devrait être libéré ?

— Je pense que je peux te dire sans craindre de me tromper que le Premier ministre a l'intention d'agir d'ici un an. Il veut te donner tout le temps nécessaire pour préparer le terrain. Il va sans dire qu'il s'agit d'un comté sûr, mais le Premier ministre ne veut rien laisser au hasard.

— Ayez l'obligeance de dire au Premier ministre, conclut Mick, combien j'apprécie la confiance qu'il me fait. Je vous assure que je ne le décevrai pas.

En sortant au soleil éblouissant de la rue, Mick jubilait. Il regarda sa montre : presque quatre heures. Un an et deux jours après le triomphe électoral de Mackenzie King. Un après-midi mémorable, historique même, du moins en ce qui le concernait. Il respira profondément, s'emplissant les poumons de ce bon air doux de début d'automne. Plongeant la main dans la poche de son veston, il en sortit son étui à cigarettes en argent et son briquet de même métal, tous deux portant son monogramme. La vie était belle, les dieux étaient bons. Le rôle pour lequel il s'était préparé toute sa vie, devant les tribunaux, à ses clubs, dans les assemblées, dans les arrière-boutiques, les salons, et jusque dans les rues, venait enfin de lui être offert. Il lui eût fallu des talents de devin pour prévoir que sous ce même ciel faste et sans nuage, à moins de dix rues de l'endroit où il était en train d'allumer sa cigarette, sa chance était en train de tourner.

Petite musique de nuit

1.

À trois heures trente, ce même après-midi de septembre, Jeanne enfilait une robe fourreau en voile noir dont les manches diaphanes flattaient ses longs bras. Elle mit son nouveau chapeau de paille noir à bords si larges qu'ils lui tombaient presque sur les épaules, et sourit à Kitty qui la contemplait dans le miroir.

— Qu'en penses-tu ?

— Que tu es belle ! s'extasia l'enfant.

— Laisse-moi te regarder, dit Jeanne en tenant sa fille à bout de bras. Veux-tu que je te mette un ruban dans les cheveux ? Tiens, choisis-en un.

Kitty désigna, parmi ceux que sa mère gardait dans un tiroir de sa coiffeuse, un large ruban écossais pour aller avec le tissu bleu marine de sa jupe plissée. Sa mère lui fit un gros nœud bouffant sur le côté de la tête.

— Tu aimes ?

— Oh oui, maman ! C'est très chic, fit l'enfant.

Jeanne sourit avec indulgence.

— Allons-y, mademoiselle, conclut-elle.

Et après avoir promis à Gabrielle qu'elles seraient rentrées à temps pour le dîner de la petite, elles se mirent en route vers leur destination hebdomadaire : l'hôtel Mont Royal, où elles allaient danser tous les vendredis à l'heure du thé. Elles coupèrent à travers le campus de l'université McGill, rejoignant la rue Sherbrooke et l'ombre de ses grands arbres, puis se dirigèrent vers la rue Peel en se tenant par la main, la gracile écolière en jupe courte et la grande femme élancée au chapeau élégant. Tout à coup, un bruit de klaxon tout proche leur fit tourner la tête.

— Je peux vous déposer quelque part, mesdames ? dit une voix anglaise.

Nu-tête et souriant au volant d'une décapotable d'âge incertain, le conducteur venait d'arrêter sa voiture à leur hauteur. Jeanne, en l'apercevant, ressentit le choc beaucoup plus violemment cette fois. Elle se retourna vers sa fille avec un regard que celle-ci n'avait pas l'âge d'interpréter pour ce qu'il était. C'était un regard qui prétendait lui demander son avis, mais en réalité masquait la panique que ressent un plongeur débutant au moment de s'élancer pour la première fois du haut du grand plongeoir.

— Pourquoi pas ? trancha-t-elle enfin, et elles montèrent dans la voiture, la petite en premier, entre sa mère et le conducteur.

— Vous allez où ? demanda Louis Marshall en fixant des yeux le rétroviseur tandis que la voiture s'écartait du trottoir.

Jeanne se sentit ridicule. Leur destination était à moins de deux rues de là. De quoi allait-elle avoir l'air, d'avoir accepté de se faire conduire littéralement à deux pas ?

— On va au thé dansant, avança Kitty, volant sans prévenir à sa rescousse. Jeanne se mit à rire nerveusement.

— À l'hôtel Mont Royal, précisa-t-elle enfin avant d'ajouter d'un ton embarrassé : c'est un peu idiot, c'est à deux...

— Quelle bonne idée ! Je m'accommoderais bien d'une tasse de thé, moi. Vous permettez que je m'invite ?

— Je peux vous inviter si vous voulez...

Jeanne regarda avec étonnement sa fille, d'ordinaire si timide. Elle rougissait, certes, mais elle semblait faire instinctivement confiance au docteur Marshall, ce qui la rassura sans qu'elle sût trop pourquoi.

— Alors c'est décidé, déclara celui-ci en échangeant avec l'enfant un sourire complice.

Il gara la voiture et descendit. Comme il contournait l'avant du véhicule, Jeanne remarqua une fois de plus sa démarche dégingandée, et son veston un peu trop grand qui pendait lâchement de ses larges épaules. Il ouvrit la portière et l'aida à descendre. Leurs regards se croisèrent, et Jeanne sentit jaillir en elle, comme la sève aux premières chaleurs du printemps, un appétit impérieux, exigeant, de bonheur.

Dans la salle de bal ils trouvèrent une table non loin de la piste où des couples élégants dansaient le fox-trot au rythme de l'orchestre en smoking de Charlie Dornburger. Le garçon de table, reconnaissant en Jeanne et sa fille deux habituées du vendredi après-midi, vint prendre leur commande.

— Eh bien, Miss Catherine, dit Louis Marshall lorsque ce dernier fut reparti, que diriez-vous de m'accorder la première danse ?

L'enfant, que la timidité rendait muette, se leva en rougissant. Louis se dressa de toute sa hauteur, passa la main dans son épaisse chevelure et, s'éclaircissant la gorge d'un air faussement gêné, adressa à Jeanne un sourire amusé.

Jeanne les regarda évoluer sur la piste, Kitty, toute petite face au docteur Marshall, s'appliquant à le suivre tant bien que mal, en regardant ses pieds et en se mordillant la lèvre inférieure, tandis qu'il lui expliquait patiemment les pas. Elle avait une conscience aiguë du temps qui passait, comme un paysage défilant à toute allure par la fenêtre d'un train. Bientôt cet homme disparaîtrait de nouveau de sa vie, ne laissant de lui qu'un souvenir sans plus de substance que les rêves qui agitaient ses nuits, et dont il ne lui restait au réveil que des fragments dépourvus de sens. Elle ne pouvait pas plus se résoudre à cet inéluctable qu'elle ne pouvait retenir l'instant qui passait. Le thé arriva au moment même où Kitty et le docteur regagnaient leur table.

— Maintenant c'est le tour de ta maman, pas vrai, Catherine ? déclara ce dernier en regardant Jeanne dans les yeux. La petite s'esclaffa timidement.

— Tu es sûre que tu vas pouvoir te débrouiller toute seule ? lui demanda sa mère.

L'enfant acquiesça, souriant à demi, les yeux fixés sur

l'assiette de biscuits et de petits gâteaux au milieu de la grande table ronde. Jeanne versa à sa fille une tasse de thé à laquelle elle ajouta beaucoup de lait, lui laissant le soin d'ajouter elle-même le sucre.

— Pas plus de trois morceaux, n'est-ce pas, Kitty ! la prévint-elle comme pour résister quelques secondes de plus au courant qui l'entraînait.

Ils atteignirent la piste de danse au moment où l'orchestre attaquait *What'll I do ?* Il se tourna vers elle et, lui passant un bras autour de la taille, l'attira doucement contre lui.

— Je suis content de vous revoir.

Elle se sentit enveloppée, pénétrée par sa voix, grave et caressante, par la pression de sa main sur ses reins, par la chaleur de son corps à travers leurs vêtements d'été. Une sorte d'ivresse l'envahit. Après les années de calme plat, le cours de sa vie qui reprenait la caressait de remous délicieux.

— Je ne peux pas rester longtemps, dit-il tout bas, dans ses cheveux, en suivant le rythme lent du fox-trot. On m'attend à la clinique. C'est seulement une fois par semaine, et ces gens-là comptent sur moi.

Jeanne tressaillit intérieurement. Le numéro allait se terminer, il allait repartir. Désorientée par l'éveil ardent, inattendu, de ses sens, obnubilée par la fin imminente du moment qu'elle vivait, elle avait l'impression qu'un épais brouillard venait de se refermer autour d'elle. La musique se tut. S'écartant d'elle, il la retint cependant, en la regardant gravement, comme quelqu'un qui a l'habitude de peser la portée de ses gestes.

— Je peux vous revoir ? dit-il sans détour, son regard fouillant le sien.

Mais Jeanne n'avait rien pesé du tout. Totalement captive de l'instant, elle ne concevait pas plus l'avenir qu'elle ne pouvait envisager les conséquences de ce qu'il lui demandait. Elle se rendait seulement compte qu'elle s'était avancée si loin qu'elle venait de perdre pied.

— Je serai au concert, risqua-t-elle d'une voix à peine audible, à McGill, la semaine prochaine.

— Quand ?
— Mardi.
— À quelle heure ?
— Huit heures. C'est... un concert de Mozart.

Les mots lui venaient péniblement, tant la soudaine confluence de la déception et de l'espoir lui ôtait ses moyens.

— Je ne sais pas à quelle heure je pourrai me libérer, dit-il, mais j'y serai. Vous me chercherez ?

Ils retournèrent à la table où Kitty les attendait, la bouche pleine de sucre qu'elle croquait bruyamment, en souriant d'un air contrit devant les faibles remontrances de sa mère. Louis aida Jeanne à regagner sa chaise. Sans s'asseoir lui-même, il avala d'un trait sa tasse de thé et, prenant deux biscuits sur le plat de service, en mit un dans sa bouche et l'autre dans sa poche.

— Merci d'avoir dansé avec moi, mademoiselle, dit-il avec un clin d'œil à l'intention de Catherine et un regard éloquent à l'endroit de sa mère.

Puis il s'éloigna de son pas nonchalant, en s'arrêtant juste le temps de dire un mot au serveur et de lui glisser quelques billets.

2.

20 septembre 1927

Lorsque Jeanne quitta la maison, une pluie torrentielle, quasi tropicale, s'abattait sur la ville, si chaude pour cette fin de septembre que la vapeur s'élevait du pavé comme si l'été refusait de finir. Elle avait pris le gros parapluie noir de Mick, qui pourtant ne lui était pas d'une grande protection dans un tel déluge. La pluie frappait le sol avec tant de force qu'en rebondissant elle lui éclaboussait les jambes et le bas de la jupe, mais Jeanne n'y prit pas garde. Elle traversa la rue au pas de course, moins par hâte de s'abriter du mauvais temps que parce qu'elle était pressée d'arriver à sa destination. Pourtant elle n'était pas en retard, à dire vrai elle était même un peu en avance. Comme Kitty faisait ses devoirs et que Mick était à Québec pour la semaine pour plaider une cause devant la Cour supérieure, elle ne s'était pas crue obligée de rester plus longtemps à patienter à la maison. De toute façon Mick était au courant du concert, il n'y avait donc aucun danger au cas où il téléphonerait. La sensation de délivrance qu'elle éprouva en courant les quelques centaines de mètres jusqu'à Moise Hall sous la pluie lui procura une joie qu'elle goûta d'autant plus intensément qu'elle la savait éphémère : après ce soir, les réalités de son existence auraient vite fait de reprendre le dessus. Elle gravit les marches de pierre en courant, s'arrêtant un instant sous le portique pour refermer son parapluie, comme un oiseau qui s'ébroue. Ce faisant, elle parcourut discrètement les visages des autres arrivants qui grimpaient les marches quatre à quatre derrière elle sous l'averse.

À l'intérieur, le hall était presque désert, à part quelques étudiants trempés qui fumaient en attendant une compagne ou des amis. Ne souhaitant pas se joindre à eux, Jeanne entra tout droit dans l'auditorium déjà presque rempli, qui bourdonnait de centaines de conversations. En se dirigeant vers son siège, elle scruta furtivement les rangées de visages, mais en vain. Elle avait beau se répéter le peu qu'elle savait de lui, qu'il était souvent retenu très tard, qu'il ne pouvait être certain de l'heure, elle n'arrivait pas à venir à bout du doute, du découragement qui s'emparaient d'elle.

Bientôt les musiciens, pour la plupart des étudiants de la faculté de musique de McGill, firent leur entrée sous les applaudissements nourris de la salle. Ils étaient en habit, ce qui les distinguait de leur auditoire dont les vêtements trempés dégageaient l'humidité d'un soir d'orage en juillet. Ils s'installèrent devant leurs partitions et se mirent à accorder leurs instruments. Enfin les lumières s'éteignirent et Jeanne se laissa envelopper par l'obscurité, par ce silence recueilli propre aux théâtres et aux salles de concert, où les gens viennent noyer pour un temps leurs préoccupations quotidiennes. Le programme qu'elle tenait à la main annonçait :

McGill Music Society
An Evening of Mozart
Tuesday September 20th 1927
Performed by students, members and alumni of the
McGill Faculty of Music

Enfin les musiciens attaquèrent, parfaitement à l'unisson, la longue méditation du premier mouvement. Bien que Jeanne connût des gens, comme sa tante Florence, qui étaient émus aux larmes par Mozart, sa musique, en dépit de sa perfection esthétique et technique et des efforts qu'elle avait faits pour la connaître et l'aimer, ne trouvait en elle aucun écho profond, lacune qu'elle ressentait comme une sorte d'infirmité. Le ravissement muet de l'auditoire, sous l'effet des clarinettes et des hautbois, opprimait Jeanne, lui comprimant le cœur, étirant chaque minute à la limite du tolérable, raréfiant jusqu'au vertige l'air même qu'elle respirait. Elle baissa les yeux sur son programme : encore trois mouvements après celui-ci. Les savantes prouesses des treize exécutants n'avaient déjà plus pour elle le moindre intérêt. L'espoir primitif qui l'avait habitée en entrant dans cette enceinte était maintenant envenimé de doute. L'angoisse qu'elle en éprouvait l'horripilait, si tant est que la patte prise au piège horripile la bête, mais elle ne pouvait pas plus s'en libérer qu'elle ne pouvait se réfugier dans son insensibilité passée. Elle était revenue au monde des vivants, au royaume de la souffrance.

L'entracte, qu'elle passa à chercher un visage dans la foule, confirma ses appréhensions. Elle songea à rentrer chez elle, puis se résigna à regagner sa place. La seconde moitié du concert s'étira interminablement. Enfin vinrent les applaudissements. Les lumières se rallumèrent. Tandis que la salle se vidait peu à peu, cédant à l'abattement elle s'attarda, fouillant dans son sac à main, ramassant son programme puis son parapluie, enfilant son manteau encore humide.

3.

Dehors, en descendant les marches, elle l'aperçut enfin qui attendait, immobile, les mains dans les poches de son trench-coat, sur le chemin. La pluie avait cessé, mais les marches encore mouillées luisaient dans la nuit chaude. Elle détourna le regard pour ne pas presser le pas, faisant un effort conscient pour ne pas céder à l'élan qui la portait vers la haute silhouette de celui qui la regardait approcher, tête baissée, le regard tapi sous les sourcils, comme s'il y avait déjà un bon moment qu'il était là.

— J'ai bien failli vous rater, s'excusa-t-il.

— Tout est bien qui finit bien, parvint-elle à murmurer, lorsqu'elle fut venue à bout de l'émoi qui lui contractait la gorge.

Elle se sentait nue, vulnérable. Un besoin instinctif de se couvrir, de s'abriter lui fit éviter son regard. L'allée, fort heureusement, n'était pas éclairée. L'air était lourd d'humidité malgré la forte pluie. Le vent, soufflant par rafales, secouait les branchages au-dessus de leurs têtes, les arrosant au passage.

— Quand êtes-vous attendue ?

Ils se dirigeaient lentement du côté de la rue McTavish.

— Je ne le suis pas, murmura-t-elle sans lever les yeux. Mick est à Québec pour une cause...

Elle s'interrompit, épouvantée par l'inconvenance de ses propos. Elle s'était oubliée, puis avait mentionné le nom de son mari, en avait fracassé le silence de la nuit. Pourtant, la honte soudaine qu'elle ressentait était injustifiable : le seul fait d'avoir accepté ce rendez-vous était déjà une trahison. Cependant, ce n'était pas son mari qu'elle craignait d'exposer. Kitty était encore coincée entre elle et cet homme, comme elle l'avait été dans la voiture ce jour-là...

— Il s'absente souvent ces temps-ci, ajouta-t-elle imprudemment, inexcusablement. Ils l'ont invité à se présenter dans une élection complémentaire, l'année prochaine.

— Pour les conservateurs ou les libéraux ? Comme s'il y avait une différence...

— Pour les libéraux, répondit-elle. Pourquoi dites-vous cela ?

Il haussa les épaules.

— Tous des bandits, lança-t-il, visiblement amusé par sa question.

Ils approchaient de la grille et du réverbère qui éclairait la rue au-delà.

— Est-ce donc ce que vous vouliez dire quand vous avez fait cette remarque, chez Trevor, en parlant d'un repaire de brigands ?

— J'ai dit ça, moi ? ironisa-t-il. Trevor est un gentil garçon, mais sa compagnie de transport naval est impliquée dans une gigantesque escroquerie sur les Grands Lacs. Il s'est entendu avec les grosses compagnies américaines pour fixer les prix et, ensemble ils récoltent des profits énormes dont, comme par hasard, une proportion étonnante va grossir les coffres du parti conservateur. Mais comprenez-moi bien, ajouta-t-il en se retournant vers elle, interceptant sa pensée comme un bon joueur de champ attrape une balle au vol, les libéraux ne valent pas mieux. Ils ont mis sur pied une Commission royale d'enquête, soi-disant pour faire toute la lumière sur cette affaire, et quand les choses ont commencé à sentir trop mauvais pour leurs amis libéraux, ils se sont empressés de remettre le couvercle et de fermer le dossier. Et maintenant que le rapport dort comme il se doit sur une tablette quelque part, les organisateurs libéraux ramassent des fonds comme jamais. Bah ! Ces gens-là n'existent que pour le pouvoir. Comment était le Mozart, au fait ? dit-il en la prenant par le bras et remontant la rue McTavish vers l'avenue des Pins.

Il marchait d'un pas déterminé, à grandes enjambées, en l'entraînant, la remorquant dans son sillage.

— J'ai un peu honte de l'admettre, répondit Jeanne, mais j'ai toujours dû me forcer pour aimer Mozart.

— Curieux ce qui plaît à chacun, dit-il. Moi, ce que j'aime, c'est le jazz. Vous connaissez un peu les *clubs* ?

— Les *clubs* ? répéta Jeanne sans comprendre.

— Rue Saint-Antoine, les *night-clubs.* Non ? Ils ouvrent vers onze heures. On pourrait y aller dans ma voiture, dit-il, si vous le désirez.

Désirer. C'était bien de cela qu'il s'agissait. D'un seul coup il l'avait dépouillée de tous ses voiles protecteurs, révélant ce moi secret qui se tortillait indécemment comme une nymphe dont on aurait déchiré la chrysalide.

— Mais si quelqu'un... balbutia-t-elle.

Le sang lui monta au visage dans l'obscurité. Ils s'immobilisèrent à côté de sa voiture.

— On n'entre pas là comme on veut, dit-il en baissant la voix, pour la rassurer. J'ai des amis musiciens. C'est un autre monde. Personne ne vous reconnaîtra.

Jeanne hésita. Ses inquiétudes s'enlisaient dans la profondeur du besoin qu'elle ressentait de le connaître.

— Rien ne nous oblige à aller en ville si vous n'en avez pas envie...

— J'en ai envie justement, bredouilla-t-elle, horrifiée par le revirement d'émotions qu'elle subissait depuis une demiheure.

La vague d'anticipation qui l'avait portée depuis le matin venait de se briser contre les récifs du réel.

4.

L'*Owl Club* est situé au-dessus d'une taverne de la rue Saint-Antoine, dans un quartier mal famé à l'ouest du *financial district*[1], coincé entre le fleuve et les lignes de chemin de fer, où Jeanne ne s'est encore jamais aventurée. C'est la patrie des travailleurs du rail et en particulier des *porters* noirs et de leurs familles. En été ses rues sont infestées de *bookies* qui aiment s'installer à proximité des cambistes pour la saison

1. *Financial district* : quartier de la Bourse.

des courses. La nuit voit descendre dans ses rues une tout autre population, de filles et de leurs maquereaux, et de foules blanches venues des quartiers ouvriers irlandais le long du fleuve en quête de stupre et d'oubli.

— *Hey doc !* leur lance en anglais un grand Noir en smoking du haut de l'escalier qui mène au dancing. T'as du goût, toi, dis donc, ajoute-t-il tout en reluquant Jeanne avec un sourire entendu. Je me demandais quand t'allais trouver quelqu'un pour s'occuper de toi, pour changer.

Jeanne et Louis échangent un de ces regards prudemment scrutateurs où pointe une complicité non encore déclarée. L'homme leur ouvre la porte en rigolant et en secouant la tête. À l'intérieur l'air est lourd et enfumé. Sur la piste au milieu de la salle surchauffée, un essaim de danseurs grouille et s'agglutine dans la demi-obscurité. Tassés au coude à coude sur la minuscule estrade, quatre jazzmen s'époumonent, la bouche collée à leurs instruments, leurs visages luisant de sueur sous l'éclairage bleuté. Le plancher trépide, transmettant en pulsations rythmées l'impact des pieds des danseurs, et la salle bondée vibre d'une énergie exubérante et cathartique. Louis dispose de leurs manteaux trempés et du parapluie de Jeanne, ce qui lui vaut de chaleureuses salutations de la part de la jeune Blanche préposée au modeste portemanteau.

Jeanne sent sa main qui se pose tout près de sa nuque, se laisse pousser jusqu'au cœur de la foule. Elle se retourne. Aussitôt les puissants remous qui agitent les corps tout autour d'eux les pressent l'un contre l'autre. Elle n'offre aucune résistance, portée par la musique qui la caresse comme une eau chaude et douce, grisée par le grognement des saxophones ; elle ferme les yeux, s'abandonnant à la vague de sensations qui l'inonde, le rugueux du veston contre sa joue, ce grand corps contre le sien, à l'étreinte de cet homme qui l'enveloppe et l'abrite. Les airs se succèdent. *Whispering. Girl of My Dreams.* Presque immobiles maintenant pour éviter de se heurter à la foule, ils se meuvent en symbiose comme des poissons ondoyant dans le courant, recueillis et attentifs, absorbés dans le contact délicieux de leurs corps, leurs gestes ralentis par l'engourdissement du désir. Le numéro se termine. Jeanne entrouvre les yeux et tressaille si violemment que Louis s'écarte d'elle pour la regarder.

— Quelqu'un est là, bredouille-t-elle, en enfouissant son visage contre son veston. La porte du club vient de s'ouvrir pour livrer passage à un petit groupe de nouveaux arrivants, parmi lesquels Jeanne a tout de suite repéré Éloïse, l'éternelle *bachelor-girl*[1] qui, malgré son béguin pour Liam O'Neill, n'a pas renoncé à ses virées avec « les *boys* ». D'un mouvement rapide, Louis la fait virevolter, et, quittant à reculons la piste de danse, l'attire dans la pénombre de petites tables à l'autre bout de la salle, où toute une faune assise bat des mains et se balance au rythme de la musique.

— Par ici, dit-il, se dirigeant vers la porte du fond.

Un grand Noir à la carrure imposante le salue d'une table avoisinante. Louis l'empoigne amicalement à l'épaule au passage, en criant ses excuses de ne pouvoir s'attarder.

— Un de mes patients, explique-t-il à Jeanne comme ils atteignent la porte, il travaille comme *porter* de train. Un phénomène ! Ses enfants sont tellement doués qu'ils ont tous appris à lire et à écrire avant l'âge de trois ans. Tous des musiciens de talent d'ailleurs. Tant mieux pour eux parce qu'ici un nègre qui ne sait ni chanter, ni danser, ni jouer d'un instrument n'a qu'à se résigner à passer sa vie au service des Blancs, chez eux, dans le train ou au bordel.

Dans la salle bruyante qu'ils viennent de quitter, l'orchestre attaque *Follow the Swallow Back Home.* Ils descendent en courant l'escalier au pied duquel la porte s'ouvre sur la ruelle. Jeanne se met à frissonner presque immédiatement.

— Qui était-ce ? demande Louis en retirant son veston et le lui passant autour des épaules.

Elle claque des dents, pitoyablement.

— Une femme que je connais. Une amie d'enfance de mon mari, répond-elle d'une voix saccadée dont elle ne parvient pas à maîtriser le tremblement.

---

1. *Bachelor-girl* : jeune femme célibataire, un peu délurée.

Elle grelotte de tout son corps.

— C'est ma faute, je n'aurais pas dû vous emmener dans un lieu aussi public, ce n'est pas très malin, dit-il en lui passant le bras autour des épaules et l'attirant à lui pour la réchauffer.

— C'est une malchance, c'est tout, réplique-t-elle, prenant tardivement conscience du fait que le contexte qui légitimait un tel contact entre eux n'existe plus depuis qu'ils ont quitté la piste de danse, et cherchant un moyen de le prolonger encore quelques instants de plus. Votre ami le portier, se hâte-t-elle d'ajouter, est-ce un autre de vos patients ?

— Pas exactement. Il y a longtemps qu'on se connaît, Herb et moi, dit-il en ralentissant le pas, maintenant qu'ils sont à une distance respectable du dancing, depuis la guerre en fait.

— Vous vous êtes battu à la guerre ? interrompt Jeanne sans le vouloir.

Il a l'air si jeune, beaucoup trop jeune pour appartenir à la génération de survivants marqués pour la vie qui ont été rapatriés l'année où Florence a disparu pour toujours.

— Battu, c'est un bien grand mot, dit-il avec un haussement d'épaules. Je faisais ma médecine. Je me suis engagé en 1917. J'en ai eu plein la vue, de la guerre, mais, comme brancardier, au moins je n'étais pas obligé d'y mettre du mien. C'est là que j'ai connu Herb. Quand je l'ai chargé sur ma civière, je ne savais pas s'il était mort ou vif. Il faisait un temps de cochon ce jour-là. Il n'était qu'un corps de plus, couvert de sang et de boue. Mais il s'en est sorti, je ne sais trop comment. Ensuite je ne l'ai plus revu jusqu'au soir où je suis tombé sur lui dans une boîte à deux pas d'ici en 1922.

— Et vous l'avez reconnu ? demande-t-elle, un peu plus calme à présent, comme quand on a pleuré.

— Pas tout de suite, mais lui m'a reconnu. Il était resté longtemps dans la tranchée-abri avant de pouvoir être transporté à l'arrière par les tunnels jusqu'à l'hôpital de campagne. On se parlait pendant les accalmies entre les bombardements, histoire de le distraire de ses souffrances. On avait vingt ans tous les deux. Inutile de dire qu'il n'y avait pas beaucoup d'hommes de couleur comme lui dans les tranchées. Il a eu de la chance, en tous cas plus qu'un autre. En ce moment il travaille comme *bouncer*[1], mais il se fait un peu d'argent supplémentaire comme courrier pour un *bookie*. Drôle de récompense, après ce qu'il a risqué pour son pays...

Ils ont rejoint sa voiture. Jeanne, figée sur place, tremble comme un jeune bouleau au vent d'automne, tandis qu'il fouille dans ses poches à la recherche de sa clé. C'est presque terminé. Dans quelques minutes elle sera rentrée chez elle, livrée de nouveau à sa solitude, à son écœurement.

— J'ai dû la laisser dans ma poche de veston. Non, gardez-le, dit-il en le lui remettant sur les épaules avant qu'elle ne puisse le lui rendre.

Il la retient par les revers du veston et la regarde, dans l'ombre faiblement éclairée par un lointain réverbère. Elle a envie de se blottir contre lui, de sentir sa chaleur, ses bras autour d'elle. Il la relâche et débarre la portière de l'auto.

— Comment allons-nous récupérer les imperméables ? demande-t-elle.

— Je reviendrai les chercher demain, dit-il en faisant le tour du véhicule.

Il s'installe derrière le volant.

— Voulez-vous que je vous ramène ? dit-il en fixant la rue droit devant lui.

Elle hésite, en proie à une émotion qui, pour avoir sommeillé en elle si longtemps, se réveille avec des soubresauts, comme un gros insecte sortant de sa chrysalide.

— Je devrais vraiment rentrer, murmure-t-elle, si bas qu'elle se demande s'il l'a entendue.

Il démarre la voiture. Un silence fait de pudeur, d'anticipation et d'une vague appréhension s'installe entre eux. À mesure que la voiture grimpe la rue Guy, puis la côte des Neiges jusqu'à l'avenue des Pins, elle l'aperçoit furtivement chaque fois que son visage surgit de l'ombre à la faveur d'un

1. *Bouncer* : costaud chargé d'expulser les indésirables.

réverbère. Il n'a pas tourné à droite au coin de Guy et Sherbrooke, et elle n'a pas fait de commentaire.

— Voilà l'hôpital où je travaille, dit-il, en désignant la masse sombre du Royal Vic qui dresse ses lugubres tourelles de château écossais au-dessus d'eux. Il s'y livre une guerre d'une autre sorte, ajoute-t-il. Celle des puissants contre les faibles...

— Vous voulez dire...

— Vous pensez peut-être, l'interrompt-il, ou peut-être ne l'a-t-il pas entendue, que la maladie ne distingue pas entre riches et pauvres, que la mort au moins est insensible à l'appât du privilège, mais vous auriez tort. Pour chaque bonne dame de Westmount qui guérit de la tuberculose après un coûteux séjour dans un sanatorium, à Griffintown, à Pointe Saint-Charles, dans l'est, les enfants continuent de mourir. À cause de la contagion, à cause des logements surpeuplés où ils sont forcés de grandir, du manque d'installations sanitaires, du chauffage insuffisant, à cause de l'insalubrité de l'air. Parce que leurs papas n'ont pas les moyens de leur payer une santé. Chaque hiver, des tas de gens sont forcés de choisir entre chauffer leurs maisons ou nourrir leurs familles, sauf peut-être à l'approche d'une élection, ajoute-t-il avec un sourire amer, quand on leur permet de troquer leur vote pour quelques sacs de charbon ou de provisions. Il revient alors à quelqu'un comme moi de soigner leurs enfants chétifs et mal nourris, atteints de bronchite ou de pneumonie, même si ce n'est que pour les renvoyer vivre dans les conditions mêmes qui les ont rendus malades. Pendant ce temps-là je regarde mes augustes collègues, dans ma vénérée profession, consacrer le meilleur de leur temps à une poignée de patients riches qu'ils choient et qu'ils flattent et dont ils se disputent la faveur. Aux légions de malades sans le sou ils dispensent une forme de médecine expérimentale qui se fait passer pour de la charité, tout en permettant à des novices fraîchement sortis de la faculté de médecine de prendre du galon en pratiquant sur les pauvres dans les pavillons publics, où ils triment six jours et six nuits par semaine sans être payés. Grâce à eux, leurs profs, les médecins aux réputations bien assises, peuvent prétendre s'acquitter de leur prétendu devoir envers la société.

La voiture s'est immobilisée dans l'avenue Lorne, une petite rue à deux minutes de marche de chez elle.

— Vous savez, poursuit-il, ce qu'un de mes professeurs m'a répondu quand je lui ai demandé combien je devrais compter à mes patients pour mes services ? « Demande simplement un peu plus que tu ne penses pouvoir obtenir ! »

Il se tait, les mains sur le volant. Il se tourne vers elle.

— C'est ici que j'habite, dit-il.

Du regard il lui pose calmement la question à laquelle, s'il la profère, elle sera forcée de répondre.

Dans la rue silencieuse le bruissement des arbres encore humides de pluie dans la brise nocturne la presse de mille chuchotements. L'âpreté du choix qui s'impose à son esprit a la clarté éblouissante d'un de ces feux d'artifice qui tournoient sur eux-mêmes en crachant des gerbes d'étincelles dans la nuit. Elle est suspendue au bord du temps, comme une gouttelette de pluie qui tremble au bord d'une feuille avant de tomber. Elle descend de voiture. L'air chaud et lourd de la nuit l'enveloppe. La gouttelette tombe.

5.

L'appartement est petit, avec une cheminée dans la pièce principale qui sert de salon. Les meubles sont vieux mais confortables, et le tapis de Perse est usé par endroits, comme le tissu des fauteuils d'ailleurs. Les bibliothèques regorgent de livres dont le trop-plein se répand sur le plancher en piles soigneusement ordonnées. Revues et papiers s'empilent sur le bureau à cylindre, le Chesterfield et les autres espaces disponibles.

— Oh, oh, marmonne Louis en apercevant son chien, couché la tête entre les pattes avant, devant la cheminée vide.

Regardez-moi ce vaurien, vous voyez la tête qu'il me fait ? Tu boudes ? Viens ici, voyou. Allez, somme-t-il l'animal dont les oreilles remuent pour laisser savoir à son maître qu'il l'a entendu, mais sans par ailleurs bouger un muscle en guise de réponse. Vieille andouille, bougonne-t-il en haussant les épaules et en indiquant à Jeanne le chemin de la cuisine.

Elle sourit. Il ne semble jamais si anglais que lorsqu'il parle à son chien.

— Qu'est-ce que je vous offre, du thé ? du café ?

Il plaque la bouilloire sur le poêle, tourne la manette du gaz et gratte une allumette.

— Le café m'empêche de dormir, dit Jeanne avant de se rendre compte que sa réponse prête à interprétation.

— Alors ? enchaîne-t-il avec un sourire béat.

— Du thé, lance-t-elle avec un fou rire de jeune fille énervée par les taquineries d'un adulte.

— Je n'ai que du chinois. Ça ne vous fait rien ?

Elle le regarde prendre une bouteille de lait dans la glacière qui, constate-t-elle, est complètement vide. Il sort deux tasses et deux soucoupes d'une armoire, et fouille dans une autre qui semble aussi dégarnie que le réfrigérateur.

— Vous ne prenez pas de sucre, j'espère, conclut-il en déposant les tasses sur la table.

— Non, dit-elle.

Elle lui sourit. La bouilloire se met à fumer. Il verse de l'eau bouillante dans une petite théière en porcelaine au bec ébréché. Puis il s'assied en face d'elle de l'autre côté de la table de cuisine.

— N'est-ce pas la robe que vous portiez chez Trevor l'été dernier ? dit-il en étirant ses longues jambes.

Jeanne savait en la mettant que cette robe d'été en soie blanche est juste assez simple, à condition de la porter sans bijoux, pour ne pas avoir l'air trop habillée. Sa couturière l'a effectivement conçue pour la garden-party en l'honneur des princes, et elle n'a pas pu résister à l'envie de la porter, même si ce n'est ni la saison ni l'occasion, par cette chaleur indécente.

— Comment savez-vous ce que je portais chez Trevor ?

— Je n'ai pas pu m'empêcher de vous remarquer.

— Vous y étiez ?

— À mon corps défendant, concède-t-il, plaisantant à moitié. Aunt Miss ne peut plus sortir du tout, et cette fichue garden-party revêtait une telle importance à ses yeux qu'elle a insisté pour que j'y aille à sa place, pour être ses yeux et ses oreilles, en quelque sorte.

— Mais pourquoi ne vous ai-je pas vu ? Vous auriez pu me dire bonjour, lui reproche-t-elle timidement.

— Vous étiez cernée de toutes parts, une forteresse imprenable, exagère-t-il malicieusement. Il aurait fallu me battre pour m'approcher, j'aurais fait un scandale ! (Les bras croisés sur la poitrine, il projette une mâle superbe qui la trouble et l'intimide à la fois.) Mais je vous ai observée, chez Trevor, la veille du jour de l'an, et à cette garden-party, reprend-il. Vous faites très bien ce qu'on attend de vous, mais votre cœur n'y est pas. Votre vraie vie est ailleurs...

Il vient de pénétrer dans une chapelle cachée. Il n'est plus question de recouvrer quelque contenance que ce soit.

— Ma mère m'a élevée pour être nonne, dit-elle avec une pointe de bravade, cherchant à s'abriter de ce regard trop neuf, cédant à l'envie de s'exposer à lui, d'être enfin connue. Je n'avais pas seize ans quand elle m'a expédiée chez les Carmélites.

Louis hausse les sourcils. La curiosité aiguise son regard.

— N'est-ce pas cet ordre religieux qui oblige ses membres au silence ?

— On devait même éviter de se regarder, sauf deux heures par jour aux repas et aux récréations, lui répond-elle en regardant ses mains, qu'elle tient jointes sur ses genoux.

— Je ne savais pas qu'il y avait un Carmel ici.

— La maison mère est ici, mais on m'a envoyée à celui de Saint-Boniface, au Manitoba, répond-elle sans lever les yeux.

— Vous aviez seize ans ? répète-t-il, incrédule. Et c'est votre mère qui vous a envoyée là-bas ? Et votre père n'a rien trouvé à redire ?

— Vous ne connaissez pas ma mère..., murmure Jeanne en guise d'explication.

— Comment avez-vous fait pour vous sortir de là ?

— Je suis tombée malade... À cause des privations. Je me rends compte que je n'ai épousé Mick que pour pouvoir quitter la maison, ajoute-t-elle, répondant obliquement à son observation initiale. Et vous, n'avez-vous jamais eu envie de vous marier ?

— Aunt Miss a fait son possible quand je suis rentré de la guerre. Elle avait une prédilection pour les débutantes, en ayant été une, je suppose.

Il y a un silence tandis qu'il verse le thé, à bout de bras, dans leurs deux tasses. Il a de belles grandes mains, aux paumes larges et fortes, aux doigts longs et charnus, comme celles de Dieu dans *Le Jugement dernier* de Michel-Ange, dont le père de Jeanne possède une reproduction.

— Et que s'est-il passé ?

Le sourire de Jeanne masque une vague appréhension, comme si elle pressentait que sa réponse eût le pouvoir d'infliger de terribles blessures.

— Vous vous rappelez, dit-il, tout de suite après la guerre, tous les bals qui se sont succédé. Il y avait tant de jeunes femmes à marier et si peu d'hommes dans la même situation, surtout cette année-là... (Il la fixe calmement, soulevant en elle de telles turbulences qu'elle est forcée de baisser les yeux.) La démobilisation se faisait très lentement. J'ai eu la chance incroyable de me retrouver sur un des premiers navires à être rapatriés après l'armistice. Mais dans mon cas, ça n'arrangeait rien. Une fille avait beau vouloir comprendre, dit-il (et elle se demande si l'une d'elles a essayé, s'ils se sont parlé comme elle et lui le font en ce moment — c'est une pensée anodine en apparence, mais qui lui inflige une cruelle petite morsure), j'étais encore si abruti, esquinté, comme tous les autres...

Il parle d'un ton détaché, sans la quitter des yeux, comme s'il poursuivait deux conversations à la fois, l'une à voix haute, à l'imparfait, au passé simple, et l'autre sans paroles, immédiate et pressante, celle-là.

Dans la pièce voisine le chien se lève paresseusement, étire ses pattes de devant en se fendant d'un énorme bâillement, et entre en trottinant dans la cuisine.

— Allez allez, gros toutou, dit Louis pour calmer l'animal qui s'est planté devant lui avec sa grande gueule souriante, en agitant la queue et en geignant sur le mode interrogatif.

— Eh, sois poli, ajoute-t-il quand le chien se met à renifler la nouvelle venue avec insistance. Ce chien est un ermite, marmonne-t-il en massant la tête et les oreilles de la bête avec une affection manifeste, comme son maître, pas vrai, vandale ?

6.

Jeanne s'entend murmurer :

— Je devrais vraiment rentrer.

— Ah ! Oui, bien sûr, dit Louis en se levant et se passant la main dans les cheveux comme s'il avait oublié quelque chose d'important. Toi, reste-là, ordonne-t-il au chien.

Il la suit dans le salon, les mains dans les poches, le charme apparemment rompu. Ils se dirigent vers la porte de l'appartement.

— J'irai chercher vos choses demain. Est-ce qu'on se revoit pour que je vous les donne ? propose-t-il en s'accotant d'une épaule au chambranle. (Elle sent sa main se poser, légère comme un souffle, sur son bras nu.) Ne partez pas, dit-il.

Elle hésite, en proie à un affolement insolite et voluptueux. Il s'adosse contre la porte et l'attire, l'enveloppe dans ses bras. Au contact de son corps, de sa chaleur, de la peau douce et grenue de sa gorge contre sa joue, elle se sent sombrer dans un brouillard impénétrable. Il n'y a que cette bouche qui cherche la sienne, ces lèvres qui la paralysent de douceur, cette langue qui l'ouvre comme un fruit pour en sucer délicatement tout le suc.

— Quel âge as-tu ? chuchote-t-il, si bas qu'il la fait frémir. Tu embrasses comme une gamine...

Il lui prend la main. Ils parviennent à la porte de sa chambre. La lumière est éteinte. Ses lèvres trouvent de nouveau les siennes. Le cœur de Jeanne bat à grands coups, comme un poisson à l'agonie dans le filet d'un pêcheur. Elle sent ses mains sur sa taille, leur chaleur à travers la soie de sa robe qui lui glisse sur les flancs, la pression de ses paumes sur ses côtes. Dans l'obscurité il défait un à un les boutons de sa robe, la fait glisser de ses épaules. Ses mains errent comme le vent sur sa peau nue, l'inondant de douceur, faisant naître un frisson de sa nuque au creux de ses reins. Il la couche lentement, l'attirant contre lui, effleurant ses seins de ses doigts légers, il s'attarde aux mamelons, les affûte de ses lèvres, appelant, amplifiant de sa bouche, de sa langue, le flot généreux du plaisir qui déferle et se répand en elle, la noyant dans une onde exquise, prodiguant ses caresses jusqu'au plus secret de sa chair, en explorant la sombre fleur, en écartant délicatement les pétales, révélant le pistil frémissant, lui infligeant une jouissance inouïe, insoutenable, qui la fait trembler de tout son corps, comme un papillon épinglé palpite à l'agonie, jusqu'à ce qu'elle s'abîme sans fin dans le long séisme du plaisir.

— Qu'as-tu fait ? gémit-elle. Il la tient dans ses bras, nue contre lui.

— Tu n'as pas froid ? dit-il, en remontant l'édredon autour d'elle.

Ils sont face à face, séparés seulement par l'étoffe de ses vêtements...

— Tu ne voulais pas, commence-t-elle, mais un regain de pudeur la retient de poursuivre.

— La prochaine fois, réplique-t-il avec un sourire qui en dit long sur ce qu'il devine d'elle.

Ils se taisent. À la fenêtre les arbres ont repris leurs murmures.

— Il ne faut pas que tu t'endormes..., chuchote-t-il.

— Quelle heure est-il ?

Il étend le bras et allume la lampe. L'horloge dit une heure vingt. Déjà. Elle se blottit encore quelques instants dans ses bras, puis se résigne. Elle se lève à regret, enfile sa robe, se rassoit sur le rebord du lit d'où il la contemple, les mains croisées derrière la tête.

— Pince-moi, demande-t-il en lui caressant le dos au lieu d'attacher les boutons de sa robe.

— Quoi ?

— Pince-moi, répète-t-il. Tu sais combien de fois j'ai fait ce rêve ?

— Tu veux dire...

— Quand je te vois, c'est comme du feu, comme de la braise. (Son visage est rouge, ses yeux brillent comme s'il avait de la fièvre.) Même chez Trevor, la première fois que je t'ai vue. Ma belle braise...

Elle résiste à la tentation de lui confier que ce n'avait pas été la première, qu'il l'avait déjà rencontrée, au moins deux fois. Elle savoure son secret comme si elle le tenait d'une tierce personne, qu'il ne connaît pas.

— Viens, dit-il, je vais te ramener.

Plus tard, dans son lit, elle resta longtemps à veiller le vaisseau nouvellement consacré de son corps, redoutant pour une fois l'oubli qui vient avec le sommeil. À la fenêtre, les rideaux se gonflaient et retombaient à chaque soupir de la brise. La nuit, sa fièvre retombée, s'était enfin rafraîchie.

Manitoba

1.

Pendant des semaines elle fut la proie d'un malaise constant — l'impression de ne pouvoir respirer, de manquer d'air, de se noyer dans un présent implacable. Sa vie était un piège dont les mâchoires s'étaient refermées sur elle le lendemain matin, au réveil d'un sommeil sans rêve.

— Monsieur a téléphoné hier soir, avait dit Gabrielle en déposant le plateau du petit déjeuner, du ton hésitant et peiné de quelqu'un qui offre des condoléances difficiles.

Son jeune visage déjà si empreint de sagesse ne laissait guère deviner ce qu'elle savait, mais sa sympathie pour sa maîtresse, pour discrète, n'en était pas moins évidente.

— Monsieur rappellera aujourd'hui ou ce soir.

— Quelle heure était-il quand il a appelé ? demanda Jeanne, plus interloquée qu'elle n'eût souhaité le paraître.

— Vers onze heures, Madame. Il semblait un peu...

— Est-ce qu'il était en colère ?

— Je ne pense pas, Madame, je pense qu'il passait la soirée avec des amis et qu'il a appelé sous l'impulsion du moment. Il semblait de bonne humeur, Madame...

Mick prit soin d'être à jeun lorsqu'il rappela ce soir-là. Il annonça qu'il rentrait un jour plus tôt que prévu. Jeanne s'en voulut des heures qu'elle avait gaspillées à attendre son appel, au lieu de rejoindre Louis qui allait récupérer son imperméable et surtout le parapluie de Mick, tel que convenu. Le lendemain, elle avait trouvé l'un et l'autre sur la banquette arrière de sa voiture, et l'agitation qui s'était emparée d'elle en pensant que Louis s'était trouvé sous ses fenêtres pendant qu'elle dormait ne l'avait plus vraiment quittée. Elle était désormais l'otage du temps, tortionnaire subtil qui la condamnait sans trêve, la harcelait de sensations et d'images qui déclenchaient en elle la mémoire charnelle de Louis, de son corps, de ses mains, de sa voix, pour la dissiper aussitôt, jusqu'à ce qu'elle n'éprouvât plus rien que ce manque cuisant, que cette faim au creux de l'estomac, et cette tension dans tout le corps qui ne lui laissait pas de répit.

La nuit, ses rêves exhumaient le souvenir d'un carême cruel, ravivant la passion avec laquelle, jour après jour, elle dévorait l'unique repas de bouillon et de pain, entourée de part et d'autre de la longue table raboteuse de saintes en robe de bure dont le dévouement à la pénitence et à l'amour de Dieu les rendait capables de se passer du peu de nourriture dont le corps de Jeanne pourtant dépérissait. Toutes les nuits, échouée sur les hauts-fonds d'un sommeil introuvable, elle ne vivait que pour le réconfort indicible de s'imaginer dans les bras de Louis, enfin contenue, circonscrite. Elle se mouvait dans une sorte de Tartare où même Kitty lui apparaissait par moments comme une ombre, bien que ceux qui l'entouraient fussent bien vivants, et que ce fût elle, Jeanne, qui n'était plus au monde.

Même si la prudence interdisait à Louis de l'appeler, la sonnerie du téléphone, perçante comme un cri, retentissant dans la maison, la faisait sortir de sa peau. Chaque soir, quand l'homme qu'elle avait épousé s'installait au salon avec son sherry et son journal, elle guettait avec amertume le moindre signe avant-coureur de suspicion de sa part, tout en attendant que son bon vouloir lui ménageât l'occasion qu'elle appelait de tous ses vœux. Trois semaines s'écoulèrent ainsi, jusqu'au jour où Mick annonça pour la fin d'octobre, à moins de dix jours de là, la partie de chasse à laquelle il participait chaque année.

2.

Elle attend que Mick ait quitté la maison pour une réunion de l'association du comté qui le courtise. Elle met un peu plus longtemps que d'habitude à coucher la petite, et tergiverse encore jusqu'à ce que celle-ci dorme à poings fermés. Elle tourne longuement autour du téléphone, qui ce soir lui apparaît comme le noir instrument du destin. Quand la sonnerie retentit à l'autre bout du fil, elle lui ébranle les nerfs comme une décharge électrique. Elle laisse sonner. Cinq fois. Six fois. Elle replace le récepteur sur son support avec soin. Il n'y a pas de réponse, il n'y en aura pas, parce qu'il n'est pas là, et qu'il n'y sera pas, parce qu'il est parti, ou pire... Brutalement la sonnerie du téléphone assaille sa raison. Elle sursaute violemment, tente de se ressaisir, décroche enfin, au troisième coup.

— Allô ?

Un long silence à l'autre bout du fil.

— Jeanne ?

— Oui, répond-elle.

Ses sens se tendent aveuglément, comme des antennes, vers la voix.

— Tu m'as appelé ?

Une voix grave, comme une sonde pénétrant à des profondeurs où seule sa propre voix résonne d'ordinaire.

— Louis !

— Le téléphone sonnait quand j'ai ouvert la porte. Je n'ai pas pu décrocher à temps...

Ses paroles se déversent, cascadent en elle en sonorités riches, chaudes, dont elle se gorge, se rassasie, et dont le souvenir tout à l'heure alimentera les sources de son désir.

— Comment as-tu su ?

— Je ne sais pas. Une intuition. C'est fou...

— Tu es fatigué ?

— Je passe tout mon temps à l'hôpital. Je ne dors pas beaucoup ces temps-ci, dit-il, alors autant travailler. Toi ?

— Je t'ai appelé pour te dire...

Elle hésite. Son cœur bat à faire mal.

— Mick part pour cinq jours. Du 25 au 30. Je ne te donne pas beaucoup de préavis...

— Je vais m'arranger... Comment es-tu ?

— Mieux maintenant, dit-elle.

Le fil noir de l'appareil, qu'elle a entortillé autour de ses doigts, lui coupe presque la circulation. Elle ferme les yeux, se suspend à sa voix. Leur conversation ne se résume plus qu'à un imperceptible murmure. Ils se seraient bien passés de parler, si seulement ils avaient pu être face à face.

3.

La route du Nord traversait de petits villages, chacun blotti autour de son église dont le toit argenté, le mince clocher, étincelaient au soleil matinal. Un mois d'octobre plus chaud que d'habitude avait retardé d'une quinzaine la soudaine flambée de couleur qui balayait le paysage et ne laisserait bientôt sur son passage que des champs roussis et des arbres calcinés. La lumière crue de l'automne dorait tout ce qu'elle touchait — les buissons desséchés et l'herbe jaunie qu'affolait une forte brise, les arbres dont la bourrasque allait bientôt emporter la majestueuse frondaison. Il y avait jusqu'à l'air même qui en rutilait, comme un mirage ondoyant à l'orée du souvenir. La longue privation de l'absence décuplait l'émoi que causait à Jeanne la proximité physique de Louis. Sa présence, alors que défilait à la fenêtre cette campagne somptueuse, la vitesse même de la voiture, exacerbaient en Jeanne la joie débridée et sensuelle des moments que l'on vit peut-être pour la dernière fois. L'avenir était un précipice où le présent s'engouffrait comme un torrent.

— Où m'emmènes-tu ? répéta Louis.

— En pèlerinage, dit-elle tout à ses souvenirs.

Graduellement, comme ils remontaient une dénivellation à la sortie du village de St-J..., les contreforts des Laurentides apparurent dans le lointain, couchés le long de l'horizon.

— J'avais une tante que j'adorais, qui possédait un pavillon de chasse dans les montagnes. Elle devait m'y emmener, l'année où je portais Kitty. La guerre s'achevait, il y a eu cette terrible épidémie, elle est tombée malade et elle est morte le jour où l'armistice a été signé. Comme elle avait perdu son mari à la guerre et qu'elle n'avait pas d'enfant, elle m'a légué le pavillon de chasse dans son testament. Je n'avais jamais eu le cœur d'y aller, jusqu'à maintenant...

Louis serra sa main qu'il tenait dans la sienne, leurs doigts s'entrelacèrent. Jeanne s'aperçut qu'elle parlait de cette époque sombre de sa vie comme elle en aurait lu le récit dans le journal. Elle se délestait de son passé aussi vite que la voiture filait vers les montagnes.

— Encore des vies gâchées... Regarde cette pauvre Aunt Miss. Il paraît que, jeune fille, elle adorait danser. À en croire mon père, elle a même eu un fiancé. Et puis elle a contracté la tuberculose et le mariage a été annulé quand on s'est rendu compte qu'elle allait demeurer invalide. Par miracle elle a réussi à guérir, mais pas avant que la maladie ne s'attaque à ses articulations et à sa colonne vertébrale. Elle n'a jamais pu remarcher, et son corps s'est atrophié peu à peu. Même ses médecins ne savent pas comment elle a fait pour durer aussi longtemps.

— Et tes parents, est-ce qu'ils vivent encore ?

— Ma mère est morte quand j'avais dix ans.

— Tu as dû avoir beaucoup de chagrin...

— Oui. C'est pas facile à cet âge-là. On se souvient de tout, et on continue pendant des années à ressentir des besoins que personne d'autre ne peut combler...

— Et ton père ?

— Il m'a élevé pratiquement tout seul après la mort de maman. C'était un transatlantique, comme moi, mais né en Angleterre, avec des racines ici. Mon grand-père, un des frères d'Aunt Miss, ne s'entendait pas avec leur père, celui qui a construit la maison de la rue Drummond où elle vit encore. Au lieu d'entrer dans sa compagnie d'importation, il est retourné en Angleterre où il a rencontré ma grand-mère et fait fortune dans les assurances. Mon père a été élevé dans une *public school*, il a fait ses études à Cambridge et a fini diplomate. Il a été envoyé ici comme attaché au gouverneur général à Ottawa, et c'est ici qu'il a rencontré ma mère et que je suis né. Plus tard il a été rapatrié au Colonial Office, et j'ai suivi. Quand maman est morte, il a demandé à revenir. Au bout de six mois il m'a sorti de mon pensionnat en Angleterre et je suis venu le rejoindre.

Le cœur de Jeanne se serra.

— Tu veux dire que tu as été élevé en partie à Ottawa ?

— Eh oui ! Dommage qu'on ne se soit pas rencontrés plus tôt...

Elle mesura d'un seul coup tout le temps qu'elle avait perdu à ne pas le connaître.

— Et ton père, est-ce qu'il vit toujours ?

— Non. Quand la guerre a éclaté il a été rappelé à Londres. Il m'a laissé ici, plus ou moins sous la surveillance d'Aunt Miss, sans doute parce qu'il savait que de toute façon je ne pouvais pas être avec lui et qu'il ne pensait pas utile de me déraciner de nouveau, même si mon grand-père était encore vivant et qu'il aurait pu s'occuper de moi. Peut-être croyait-il que je serais en sécurité ici, en tout cas je suis resté...

Leurs mains enlacées faisaient penser à deux fleuves qui confluent dans un même delta avant de se jeter dans l'inconnu de la mer. Jeanne à présent s'émerveillait des caprices du sort, qui aurait fort bien pu vouloir qu'ils ne se connussent jamais.

— J'ai continué pendant un certain temps à recevoir régulièrement de ses nouvelles, poursuivit-il, puis il y a eu une longue période sans communication d'aucune sorte. À la longue, j'ai fini par recevoir une lettre du gouvernement de Sa Majesté. À l'époque j'avais déjà commencé mes études de médecine à McGill, et j'ai réagi à sa mort en m'engageant sur-le-champ. En fin de compte, c'était probablement la meilleure chose à faire. Un stage sur un champ de bataille, ça fait voir ses malheurs sous un jour nouveau.

À ce moment précis, le chien, qui s'était endormi sur la banquette arrière, se dressa sur son séant, et calant sans ménagement sa tête contre l'épaule de son maître, se mit le museau à la fenêtre.

— Bas les pattes, Hannibal ! protesta Louis.

— Hannibal ? Je pensais qu'il s'appelait Winston...

— Ah ça, ce n'est que son surnom, pas vrai, cabot ?

La route avait grimpé si graduellement qu'ils furent tout étonnés de se trouver soudain dans un paysage nouveau. Tout autour d'eux les montagnes se dressaient, bigarrées, flamboyantes. Leurs formes basses et arrondies, qu'une forêt de conifères, piquée d'érables et de bouleaux, recouvrait d'un pelage touffu, faisaient penser à un troupeau gigantesque surgi de la nuit des temps, qui se serait jadis assoupi ça et là dans le paysage. De temps à autre un abrupt se dressait à flanc de montagne où des sapins chétifs, poussant à la verticale, plongeaient leurs racines à même la roche nue.

— Tu es sûre que tu sais où tu vas ?

Jeanne le regardait, ivre de bonheur, abreuvant sa mémoire de ce profil aimé, tandis qu'à la fenêtre l'automne étendait à perte de vue sa vaste enluminure.

— Je ne perds pas le nord, dit-elle, brandissant en riant la carte routière jaunie que Florence lui avait laissée. J'ai écrit au forgeron chez qui ils avaient l'habitude de laisser leurs chevaux. Il paraît qu'il n'y a qu'un sentier dans le bois. On ne peut pas y aller en automobile. Je ne sais pas s'ils ont encore des chevaux à nous prêter. On verra bien. Même si on ne pouvait pas se rendre jusqu'à la cabane, je serai quand même contente d'être venue.

— On trouvera bien un moyen. On peut toujours y aller à pied s'il le faut. On n'aurait pas pu choisir une plus belle journée.

4.

Le village qu'ils cherchaient était tapi dans une des petites vallées que traversait le chemin de fer, et cerné de montagnes de toutes parts. À son centre, le clocher de l'église dressait son aiguille étincelante au soleil d'automne. Le village s'était construit au carrefour de deux chemins qui menaient perpendiculairement vers de lointains hameaux blottis dans les montagnes. La forge du maréchal-ferrant jouxtait une écurie dans la rue de la Gare, entre la voie ferrée et l'église. C'était une grosse bâtisse en planches de la taille d'une grange, avec une grande porte coulissante, assez haute et assez large pour laisser passer un gros cheval de trait. Celle-ci était ouverte, et des noires entrailles de l'édifice retentissait un martèlement métallique et sonore.

Au fond, dans l'obscurité, Jeanne ne vit d'abord que le rougeoiement de la forge et les gerbes d'étincelles qui retombaient en pluie sur le sol de terre battue. À mesure que ses yeux s'adaptaient à l'absence de clarté, elle distingua la silhouette noire du forgeron, en tablier de cuir, penché sur l'enclume. Sa figure barbouillée luisait de sueur. Ses mains énormes, l'une agrippant le marteau et l'autre maniant les tenailles, et ses bras fortement musclés étaient noirs de suie. Les traits crispés, il grimaçait pour se protéger des particules de métal incandescent qui jaillissaient sous son marteau. Levant les yeux à son approche, l'homme déposa le fer à cheval qu'il était en train de travailler.

— Oui, Madame, dit-il en s'essuyant la figure sur sa manche de chemise retroussée au-dessus du coude.

— Monsieur Loiseau ? Je m'appelle Jeanne O'Neill. J'espère que vous avez reçu ma lettre ?

— Oui, dit-il, la situant mentalement, en tout cas ma femme en a pris connaissance. Elle est dans le magasin. C'est à elle qu'y faut parler. C'est elle qui s'occupe de ces affaires-là.

— Le magasin ? Vous voulez dire celui à côté d'ici ?

— De l'autre bord de l'écurie là, dit-il du ton d'un

homme qui n'a pas de temps à perdre. Elle vous dira tout ce que vous voulez savoir.

La femme du forgeron était une dame proprette et plaisante, dans la quarantaine.

— Est-ce que je peux vous aider ? demanda-t-elle derrière le long comptoir où s'alignaient des bocaux remplis de bonbons multicolores.

« Le magasin » était le seul commerce du village, celui sur les rayons duquel étaient entreposées les marchandises les plus diverses, de la corde aux vêtements en passant par les clous, les bottes, le savon, l'onguent pour les chevaux et le *friar's balsam* pour le rhume. Jeanne se présenta de nouveau.

— Madame O'Neill ! s'exclama la bonne femme. Je me souviens très bien de votre oncle et de votre tante. Hé, que c'était du beau monde ! (Son visage était lisse et rose, sans trace de rides à part les quelques plis qu'y avait creusés une prédisposition naturelle à la gaieté.) C'était surtout Monsieur Talbot qui venait, avec son neveu, précisa-t-elle.

— Je ne savais pas qu'il avait un neveu, s'étonna Jeanne, à qui Florence n'avait jamais mentionné l'existence de ce proche de son mari.

— Oh, Madame, vous avez jamais vu un aussi beau jeune homme. Monsieur Talbot faisait des farces en disant que le neveu était presque aussi vieux que son oncle. Quand ils venaient chercher les chevaux, ils étaient toujours en train de rire, pis de faire des farces comme des garçons d'école. Ils tuaient jamais plus qu'une ou deux perdrix, des fois des faisans. Jamais de gros gibier — je pense que Madame Talbot désapprouvait.

— C'est bien elle, dit Jeanne avec nostalgie.

— Après la mort de monsieur Talbot elle venait toujours seule, une ou deux fois par année. C'était une grande dame, votre tante. Elle apportait des cadeaux pour les enfants. Ils étaient petits dans ce temps-là. C'est don' triste.

Jeanne en convint distraitement. Elle était obnubilée par la présence de Louis dans son dos, même s'ils ne se touchaient pas.

— Est-ce que vous allez prendre les chevaux ? Y a pas de route, vous savez, pour le *char*, dit la femme du forgeron avec un regard admiratif pour la voiture que Louis avait garée devant la vitrine de son magasin.

— À quelle distance de la route se trouve l'endroit que nous cherchons ? demanda ce dernier, dans un français légèrement accentué d'anglais.

— Bonjour, monsieur O'Neill, sourit la femme du forgeron (et Jeanne remercia le ciel de la consonance irlandaise de son nom). Ça doit bien faire plus de cinq miles, certain, dans le bois, p'is en pente pas mal à pic. Vous pouvez pas le faire à pied.

— Est-ce qu'il y a un sentier ?

— C'est tout de la broussaille à c't'heure, mais la piste est marquée à la peinture rouge, tous les sept-huit arbres, jusqu'en haut. Ça se fait bien, vous allez voir. J'ai envoyé mon gars ouvrir la cabane pour aérer ça, sitôt que j'ai eu votre lettre.

— J'apprécie beaucoup, madame Loiseau, d'ailleurs il faut que vous me disiez combien je vous dois...

— Voyons don', madame O'Neill, ça me fait plaisir. Madame Talbot a laissé un montant pour l'entretien des chevaux, p'is en plus on les a eus quasiment rien que pour nous autres jusqu'à la fin. Ils sont morts maintenant, mais ça me fera plaisir de vous prêter les nôtres. C'est d'valeur parce que les autres connaissaient le chemin, mais vous aurez pas de mal à trouver la place après que je vous expliquerai.

À midi les chevaux étaient harnachés et les provisions, que Jeanne et Louis s'étaient procurées à Cartierville en montant, chargées dans des sacoches et fixées aux selles. Ils se mirent en route, passé l'église dans toute sa splendeur automnale, sur le petit chemin de terre qui sortait du village par le nord, le chien trottant résolument à leurs côtés.

— Je te préviens, c'est la première fois que je monte à cheval, annonça Louis d'un ton railleur dès que Jeanne se mit à accélérer le pas de sa monture. Si je tombe, tant pis pour toi.

— C'est simple comme bonjour ! s'esclaffa-t-elle, ne le croyant qu'à moitié. Il n'y a qu'à bien t'accrocher, avec tes genoux...

Elle donna une légère pression des talons à l'avant et à l'arrière de la sangle de son cheval, qui partit aussitôt au petit galop.

— Attends que je t'attrape ! cria-t-il derrière elle.

À en juger par le bruit des sabots de sa monture qui se rapprochait, il gagnait rapidement du terrain. Jeanne donna une autre pression des talons et partit au grand galop. Prise d'un fou rire incontrôlable, elle se trouva brusquement emportée dans un tumulte de rythmes contradictoires — les puissantes contractions du corps de sa monture, le roulement de tambour des sabots sous elle, ceux du cheval de Louis derrière elle qui se rapprochait, sa propre respiration syncopée, et son cœur qui battait à tout rompre. Il était en train de la rattraper. Du coin de l'œil elle voyait la tête de son cheval avancer peu à peu dans son champ de vision.

— Tu ne pensais pas qu'elle me donnerait le plus rapide, hein ? lui cria-t-il en la dépassant à toute allure, avec un hurlement de joie.

Jeanne tenta de regagner le terrain perdu mais, ne tenant presque plus en selle tant elle riait, dut concéder.

— Jamais monté à cheval, mon œil ! protesta-t-elle entre deux hoquets lorsqu'elle fut parvenue à sa hauteur.

Il avait ralenti complètement et feignait de s'absorber dans l'examen de la carte que Florence avait laissée. Le vent gonflait le dos de sa chemise jaune et faisait claquer ses manches autour de ses bras. Il ne leva pas les yeux mais se permit le plus indéfinissable des sourires.

Ils étaient parvenus au bout de la vallée, au point où le chemin tournait à flanc de coteau, où les prés jonchés de roches se couvraient de broussaille en bordure de la forêt. « Là ! » s'écria Jeanne en repérant sur un arbre au bord du chemin la marque rouge qu'on leur avait indiquée.

— C'est ici que Fido se met à mériter sa pâtée. Va, montre le chemin ! ordonna Louis en pointant du doigt le bois.

— Fido ? Mais je croyais...

Ils quittèrent la route, précédés par le chien, et pénétrèrent sous la haute voûte des arbres dont le feuillage, tout imprégné de lumière, frissonnait frileusement loin au-dessus d'eux. L'air y était frais et le silence profond, tout en résonance comme l'intérieur d'une cathédrale, mais une cathédrale de conte de Perrault dont les murs, le dôme, le sol même vivaient et respiraient. Soudain à quelques pas devant eux un chevreuil surgit, traversant d'un bond ailé le sentier broussailleux, et en deux coups de reins qui remuèrent à peine le feuillage du sous-bois, disparut. Ni Louis ni Jeanne ne prononcèrent une parole. L'animal, son grand œil noir exorbité d'effroi, dégageait une présence tellement autre qu'on eût dit un totem, une de ces créatures d'essence divine dont l'apparition portait un présage. D'instinct, Jeanne eut envie de se mettre sous sa protection. Le chien, qui avait pris les devants quelque temps auparavant, réapparut, revenant de sa reconnaissance à travers les hautes fougères et les arbrisseaux aux troncs souples qui avaient envahi la piste abandonnée. Celle-ci grimpait plus à pic à mesure qu'ils gravissaient le flanc de la montagne. Ils suivaient la base d'un immense escarpement recouvert de lichen et de mousse, qui s'élevait abruptement au-dessus d'eux en exposant le roc primordial. Dans ses fissures profondes avaient germé de frêles érables, dont les feuilles rouge sang tremblaient au moindre souffle de la brise. Le bruit étouffé des sabots s'enfonçant dans le tapis humide de feuilles mortes et d'humus se fondait aux soupirs du vent que l'écho prolongeait et au grincement intermittent des arbres dont les cimes oscillaient lentement sur le bleu profond du ciel. À mesure qu'ils montaient et que la vallée, qu'ils apercevaient ici et là au gré des échappées, s'éloignait, l'ascension physique de ce fragment d'éternité ne faisait qu'amplifier en Jeanne un sentiment aigu de l'éphémère, en même temps que la certitude que rien désormais ne serait jamais plus comme avant.

5.

— Qu'est-ce que c'est ? demanda-t-elle, hésitant entre la répugnance et la curiosité.

— En exclusivité de la forêt brésilienne, marmonna-t-il, lui tournant pudiquement le dos, provenant du lait de l'arbre sacré, et fabriqué suivant une formule dont le secret vaut une vaste fortune, madame, la solution divine au dilemme malthusien : le caoutchouc vulcanisé... Tu peux bien rire ! lui lança-t-il par-dessus l'épaule.

Assis au rebord de la couchette, il s'exécutait tout en parlant, tandis que Jeanne suivait, fascinée, les contractions subtiles des muscles de son dos. Il se retourna vers elle, la tête auréolée de lumière filtrée par les feuilles dehors, que l'automne illuminait comme un vitrail. Elle le reçut contre elle avec un gémissement de bonheur au contact de sa peau, de sa chaleur, comme un papillon de nuit tournoyant sans défense au-dessus d'un feu, elle se noya dans son odeur de mâle, nue dans l'air froid, mouillée de soleil, abreuvée par la bouche gourmande qui la débusquait comme un gibier palpitant, allumant partout sa flamme, à fleur de peau, la nourrissant, patiemment, savamment, il la prit, la pénétra, la posséda, déferlant avec elle, la roulant comme un galet dans les brisants du plaisir.

— Tu vois, dit-il, haletant et rieur, c'est simple comme bonjour, suffit de bien s'accrocher, avec ses genoux...

Les joues empourprées, les yeux brillants, il rayonnait, comme un enfant vautré dans l'herbe après la course. Il se dressa sur un coude en émettant une série de gémissements qui la firent rougir violemment.

— Comment savais-tu ?

— Quoi ?

— Que...

— Que ? chuchota-t-il en glissant ses doigts entre ses lèvres, tendrement. Que tu es ainsi faite ? J'ai eu un bon prof...

— Qui ?

Le mot, honteux, plaintif, lui avait échappé en même temps que son souffle.

— Une femme ! dit-il en riant. (Il lui dégagea les cheveux des épaules d'une main attentive.) Une amie de mon père. Je l'ai toujours soupçonné d'avoir tout manigancé avant de partir à la guerre.

— Est-ce que tu l'aimais ?

— D'une certaine manière.

— Mais elle, comment savait-elle ?...

Les mots accrochaient sur l'image cruelle qui prenait forme dans son esprit, celle de Louis dans les bras de...

— Regarde-moi, dit-il de sa voix riche et grave qui la meurtrissait, tant elle l'atteignait. Ne prends pas cet air horrifié, ajouta-t-il en riant de l'embarras visible qu'il lui causait. Pourquoi penses-tu qu'on a une telle aptitude au plaisir ? Nous sommes des instruments de jouissance d'un raffinement extrême. Là où les autres créatures ont des organes reproducteurs, nous avons une capacité presque illimitée d'émerveillement, de volupté, et d'extase. Tu penses que c'est un hasard ? Moi, j'aime mieux penser que c'est un don que le Bon Dieu nous fait. Tiens, dit-il, touche.

Il lui prit la main et la guida doucement jusqu'à ce qu'elle sentît sous ses doigts sa chair mystérieuse, fascinante dans sa laideur, qui dressait sa tête aveugle et lisse dans une sorte d'affirmation vitale. Dehors la brise agitait les ombres dorées des feuilles à la fenêtre. Il l'attira de nouveau dans ses bras.

— Tous les jours je remercie le destin d'être en vie et en pleine possession de mes sens, dit-il avec une ferveur tranquille.

— À cause de la guerre ?

— Oui, mais j'ai toujours été comme ça. Même quand j'étais petit, je m'endormais le soir en priant Dieu de ne pas me faire mourir pendant la nuit. J'ai toujours eu le sentiment d'être un rescapé du vide, d'avoir échappé au néant. Parfois je me demande si tout ça n'est pas une monstrueuse partie de chaises musicales — tu sais, ce jeu d'enfants —, on fait la ronde autour d'une rangée de chaises, et quand la musique s'arrête tout le monde se précipite pour s'asseoir, et comme il y a une chaise en moins, celui qui se trouve debout quand la musique s'arrête sort du jeu. Celui-là est foutu, *out.* Vivre, c'est savoir que la musique peut s'arrêter à tout moment...

6.

L'air avait fraîchi et le soleil était déjà bas quand ils s'aventurèrent dehors à la recherche de petit bois pour le poêle.

— Regarde-moi tout ça, dit-il en embrassant du regard les frondes rousses du sous-bois. On n'a pas été chassés du paradis. Le jardin d'Éden est tout autour de nous.

Il s'arrêta et, s'adossant à un arbre, l'attira à reculons dans ses bras. Au-dessous d'eux dans la vallée le petit chemin de terre serpentait vers le lointain village dont les toits rougeoyaient sous les rayons obliques du couchant, tandis que tout autour d'eux l'ambre des montagnes s'embrasait d'écarlate.

— Manitoba, dit-elle.

— Hm ? murmura-t-il en la serrant de plus près.

— Il paraît que ça veut dire *le pays où Dieu parle.* Quand on vient ici on comprend qu'il soit possible d'avoir la foi...

— Il ne faut pas s'acharner à comprendre, dit-il. (Sa voix portait dans le crépuscule, comme une pensée qui s'élève à la lisière du sommeil.) Ça ne sert à rien. On n'est pas faits pour ça. À l'échelle véritable du réel, c'est comme demander à une fourmi de concevoir l'être humain. Encore faudrait-il qu'elle puisse le percevoir ! C'est bien au-delà de nos capacités mentales. Quant à Dieu, quel irritant pour nos pauvres cervelles...

Il avait de nouveau envie d'elle. Elle le sentait à travers l'épaisseur de leurs deux manteaux. Ils regardèrent l'ombre envahir lentement la vallée à mesure que le jour déclinait peu à peu à l'ouest, et que le ciel vers l'est virait imperceptiblement du mauve au violet. Dans l'abri derrière la maisonnette en rondins, les chevaux hennissaient doucement. Chaque son se répercutait, porté sur l'air du soir. Le temps luimême avait ralenti, comme un fleuve immense à l'approche de la mer.

Toute la longue nuit durant, leurs murmures se fondirent aux crépitements des bûches dans le poêle, aux soupirs du vent qui soufflait en rafales, agitant les branches sèches des arbres au-dehors. Au matin la montagne était nue, et les bois dégarnis tout tapissés de rouille.

Une vie

1.

Décembre 1927

Dans la nuit une grosse neige mouillée tombait, poussée mollement par le vent. Les flocons lourds qui se posaient sur le pare-brise fondaient presque aussitôt. Dans la voiture Jeanne avait froid, de ce froid humide qui pénètre jusqu'aux os. L'air glacial condensait l'haleine de son mari, qui fouillait dans la poche de son manteau. Il en tira son étui à cigarettes, et actionna son briquet, qu'il abrita dans la paume de sa main. Il en jaillit une petite flamme bleue qui éclaira son visage, crispé dans la grimace classique du fumeur, sourcils froncés, yeux mi-clos, joues creusées par l'effort d'aspirer dans ce froid. Les quelques pas que Jeanne avait faits dans la neige pourrie entre la porte et la voiture lui avaient gelé les pieds. La tension qu'elle ressentait entre les omoplates s'intensifia.

— Je vais te quitter, Mick.

Elle se l'entendit dire, d'une voix de pythie, morne et désincarnée. La main de Mick se figea, puis se resserra imperceptiblement autour du mince briquet en argent. Il tourna lentement la tête vers elle.

— Qu'est-ce que tu as dit ? murmura-t-il d'une voix hérissée.

Dans la pénombre ses yeux luisaient d'un éclat mauvais.

— Tu m'as bien entendue, répondit-elle à mi-voix.

Sa gorge se contracta. Elle tenta en vain de déglutir.

Cette soudaine constriction l'avait surprise à la fin d'une expiration, les poumons vides.

— Tu as vraiment choisi ton moment ! lui répliqua-t-il durement.

Il n'eût pas su mieux dire. Ils étaient en route pour assister à la plus importante levée de fonds de l'année pour son parti, un événement prestigieux dans le calendrier mondain du Tout-Montréal, une occasion au cours de laquelle Mick, dont tout le monde savait qu'il jouissait de la faveur du Premier ministre pour une candidature aux élections complémentaires qui devaient être annoncées bientôt, avait l'intention de briller.

— Ça va devoir attendre, conclut-il d'un ton définitif. Tu me parleras de ça plus tard.

À ces mots Jeanne sentit jaillir en elle un véritable geyser de colère. Sa gorge s'en trouva instantanément dénouée.

— Je ne plaisante pas, dit-elle avec tant de rancœur qu'elle eût l'impression de rugir, bien qu'elle n'eût en réalité pas élevé la voix. Je veux divorcer.

— Divorcer, répéta-t-il, incrédule. Es-tu folle ? Pour quel motif ?

Le choix du moment avait effectivement été la seule arme dont elle disposait, et son calcul semblait porter fruit. Pour l'instant, ainsi qu'elle l'avait prévu, il était plus exaspéré qu'autre chose par l'importunité de la sortie qu'elle venait de faire. Ce soir entre tous, il ne pouvait pas se permettre de se laisser distraire de l'objectif qu'il s'était fixé.

— Pour adultère, répondit-elle calmement, les yeux fixés sur le pare-brise où la neige fondante en s'accumulant avait formé une mince banquise qui glissait peu à peu le long de la vitre devant elle. Mick baissa la tête et empoigna le volant à deux mains.

— Qui ?

— Louis Marshall.

— L'enfant de chienne, gronda-t-il, avec une amertume teintée d'ironie.

— Ce que tu penses de lui est sans importance.

Mick leva vivement les yeux.

— Tu ne sais de toute évidence pas grand-chose sur lui, lança-t-il avec un sourire déplaisant.

— Qu'est-ce que tu veux dire ?

— Tu ne sais pas ? Ce n'est pas un médecin comme les autres, ton monsieur. Il ne te l'a pas dit ?

Son ton était moqueur à présent. Il était en train de lui mettre le nez dans quelque chose, mais quoi ?

— Je m'étonne qu'il n'ait pas eu la décence de t'avertir. C'est un avorteur. Pour une bonne petite catholique comme toi, ça veut dire un assassin.

— Tu dis n'importe quoi !

Elle sentit son estomac se soulever, comme pour dégorger son trop-plein de haine.

— Demande-lui toi-même.

— Tu me dégoûtes ! cria-t-elle.

— Je dis la vérité. Quel avantage est-ce que j'aurais à l'inventer ? lui répondit-il, criant à son tour.

— Prouve-le ! Si c'est vrai, alors pourquoi n'est-il pas en prison ?

— Mais on le protège ! Qu'est-ce que tu crois ! Certaines personnes lui doivent des faveurs de nature carrément scabreuse !

— Je ne te crois pas ! hurla-t-elle.

— Comme tu veux, fit-il, en baissant délibérément la voix et en faisant un effort suprême pour se dominer, mais pose-toi la question suivante : es-tu prête à voir le nom de ton père traîné dans la boue ? Quant au divorce, tu connais sa position, il a toujours été contre, ses discours à ce sujet sont dans le *Journal des débats,* c'est de notoriété publique. Tu sais pertinemment qu'un divorce ne peut s'obtenir que par pétition auprès du Parlement. Es-tu prête à faire subir à ton père, un membre élu de la chambre dont les opinions dans ce domaine sont bien connues, une telle humiliation publique ? Est-ce que tu sais ce qu'un scandale pareil ferait à ton père, même en supposant que les faits concernant les activités de ton monsieur ne sortent pas publiquement, ce que je ne peux pas garantir ?

— Écoute, Mick, tu te moques complètement des conséquences que ça peut avoir pour mon père. Tout ce qui t'intéresse vraiment, c'est celles que ça va avoir pour toi !

— Je m'étonne que tu aies même pris le temps d'y penser.

— Tu as raison, c'est le cadet de mes soucis !

— Alors pense à ta fille, nom de Dieu !

— J'ai l'intention de la prendre avec moi dès que je le pourrai, répondit-elle, d'une voix qui trahissait soudain beaucoup moins d'assurance.

— Il faudra d'abord me passer sur le corps !

Ainsi il retournait le couteau dans la plaie. Avant de comprendre ce qui lui arrivait, Jeanne descendit précipitamment de voiture et se mit à courir à toutes jambes en remontant la rue Université, dans la direction opposée à celle dans laquelle la voiture de Mick était tournée. En courant elle entendit, par-dessus le va-et-vient retentissant de sa propre haleine, le vrombissement du moteur qui s'éloignait, le hurlement des pneus qui patinaient sur la glace mouillée. Bien qu'il ne fît aucune tentative pour faire demi-tour et revenir vers elle, elle continuait de courir, les jambes chancelantes, en trébuchant comme une enfant. Elle respirait de plus en plus difficilement, chaque souffle lui brûlant les poumons, ses jambes se faisaient plus pesantes à chaque pas. Elle tourna à l'angle de la rue Prince Arthur, et se mit à en dévaler la côte qui semblait se dérober sous ses pieds. Elle tenta d'ajuster le pas, mais ses jambes engourdies ne répondaient plus. Lorsque enfin elle parvint à ralentir, son cœur mit longtemps à rattraper son souffle en cavale, mais elle avait au moins réussi à semer sa colère, à déjouer momentanément son angoisse. Pour l'instant elle se sentait surtout soulagée. Soulagée de s'être enfin libérée du mensonge, de tant de mois et d'années vécus dans la feinte et la dissimulation, de s'être enfin délivrée de sa peur.

2.

Il n'y avait plus de vent. La neige tombait en flocons duveteux qui absorbaient les bruits et faisaient régner dans les rues un silence moelleux. À mesure qu'elle reprenait sa respiration, l'accusation de Mick l'accablait de son ignominie, défigurant Louis dans son souvenir, dénaturant ses sentiments à son égard. On lui avait inoculé de force une bactérie mortelle, mais il était encore temps de chercher du secours, à condition que le remède existât. Elle pénétra dans l'immeuble où il logeait, et pour la première fois s'y sentit comme une intruse. Le calme des lieux l'assaillit comme une clameur. Elle appuya sur l'interrupteur au bas de l'escalier. Lorsqu'elle parvint au deuxième palier, une envie incontrôlable de fuir s'empara d'elle. Une sorte de paralysie, plus qu'autre chose, née d'un besoin déchirant, la figeait cependant sur place. Sur ce, la minuterie s'éteignit, plongeant dans la pénombre le couloir qui n'était plus éclairé que par le reflet de la lumière du vestibule, deux étages plus bas. Elle frappa à la porte de l'appartement, n'obtint pas de réponse. Le bref répit qu'elle en éprouva fut vite submergé par la marée de doute qui sapait sans relâche sa raison. Cependant, elle ne pouvait se résoudre à partir. Elle se laissa glisser par terre et se cala le dos contre sa porte.

Peu à peu elle se rendit compte à quel point elle avait froid. Son beau manteau du soir était imprégné d'humidité. La neige fondante avait complètement trempé ses élégantes bottines à lacets qui n'étaient pas faites pour la course. Le froid infligeait à ses pieds une douleur cuisante, comme une morsure, comme la douleur sauvage qui lui tenaillait la gorge. Au bout d'un temps qui lui parut étonnamment court, elle entendit la porte d'entrée s'ouvrir puis se refermer lourdement. Il était un peu tard pour s'inquiéter de l'effet que produirait sur un locataire, passant dans l'escalier, la vue d'une femme assise par terre, grelottant de froid dans le noir, à la porte de l'appartement du docteur Marshall. Un bruit de pas se fit entendre dans l'escalier, un pas lent et las. Elle se demanda pourquoi la minuterie ne s'était pas allumée. Des pas lourds, traînant de fatigue. Un homme montait les marches tête baissée, en courbant l'échine. Son épaisse chevelure était couronnée de neige. Jeanne se releva péniblement. Son cœur se figea en le voyant lever les yeux vers l'obscurité du couloir, son visage ne trahissant ni surprise ni curiosité.

— Qui est là ? demanda-t-il, d'une voix prudente mais affable.

Il tendit la main vers l'interrupteur au sommet de l'escalier. La lumière se fit. C'était bien lui, son visage, ses yeux. La crainte grotesque qu'avaient fait naître en elle les allégations de Mick se dissipa comme un mauvais rêve. La tendresse qui jaillit dans son regard en l'apercevant ne mentait pas. Il était bien réel.

— Mon Dieu, Jeanne, tu es blanche comme un drap. Qu'est-ce qui t'arrive ? dit-il, en posant sa trousse de médecin.

Elle reconnut sa main sur son épaule, le tweed de son manteau sur sa joue. De sa main libre il fouilla dans sa poche, en tira un jeu de clés. La porte s'ouvrit devant elle.

— Qu'est-ce qui ne va pas ? Que s'est-il passé ?

Il était bon, doux, patient. Tout ce qu'il faisait s'accordait à la perfection avec tout ce qu'elle avait appris à connaître de lui. À présent tout tournait, autour d'elle et dans sa tête. Il la fit asseoir dans le fauteuil près de la cheminée, sans penser à lui prendre son manteau ni d'ailleurs à enlever le sien. Le chien sortit de la chambre à coucher en agitant la queue de plaisir.

— J'ai tout dit à Mick, confessa-t-elle d'une voix étranglée.

Pas question d'éviter son regard. Il était accroupi devant elle, son visage à quelques pouces du sien.

— Oui, poursuivit-il, attendant la suite. Et ?...

— Je lui ai dit... (Elle se débattait contre le bâillon que Mick lui avait enfoncé dans la bouche, le bâillon de la peur, la peur que le sol qui s'était mis à tanguer sous elle ne s'ouvrît à tout moment)... que j'allais le quitter... que je voulais divorcer...

— Et qu'est-ce qu'il a fait ? Est-ce qu'il t'a fait mal ?

— Il m'a demandé qui c'était, alors je lui... je lui ai répondu. (Sa voix aussi tremblait à présent.) Il s'est mis en colère. Il a crié...

— Jeanne, qu'est-ce qu'il t'a dit ? Parle-moi, l'exhorta-t-il doucement.

Elle ouvrit les yeux.

— Je ne peux pas ! Je ne peux pas répéter ça !... J'ai refusé de le croire. Je l'ai traité de menteur...

— Jeanne, implora Louis lentement, patiemment, qu'est-ce qu'il t'a dit ?

— Qu'à l'évidence je ne savais pas grand-chose sur toi, sur ce que tu fais, il a prétendu que tu étais...

— Quoi ? murmura-t-il calmement. Il t'a dit que j'étais quoi ?

— Un avorteur, balbutia-t-elle d'une voix à peine intelligible.

Le visage de Louis, comme toujours, était comme un livre grand ouvert. Il ne semblait pas capable de dissimulation. Ses yeux noisette n'avaient jamais paru si limpides, son regard plus direct. Son expression s'assombrit. Il la regardait avec une résignation douce-amère.

— Et tu es venue entendre ce que j'avais à dire, fit-il avec douceur mais, constata Jeanne avec désespoir, d'un ton presque impersonnel. (Elle hocha la tête en silence, de peur de céder au désarroi.) Je t'en sais gré, ajouta-t-il en prenant sa main et la tenant un instant serrée dans les siennes.

C'était un geste de réconfort, du genre auquel ont recours les médecins lorsqu'ils n'ont plus d'espoir à offrir. Ou un geste d'adieu. Il se leva, enfonça les mains dans les poches de son manteau, et se retourna vers la cheminée vide, n'exposant tout d'abord que son profil au regard de Jeanne. Elle pouvait le regarder plus calmement maintenant que lui ne la regardait plus, et cela valait mieux, car il trancha directement dans le vif du sujet.

— Il t'a dit la vérité, mais en le faisant il t'a menti. Voici pourquoi. (Il prit une profonde respiration et se retourna face à elle, la tête haute, le regard limpide.) Pendant la guerre, enchaîna-t-il, j'ai vu ma part de sang, de tripes, de corps mutilés, déchiquetés. Des hommes qui n'avaient plus de visage et qui respiraient encore. Des gars éventrés par un éclat d'obus, des blessures horrifiantes, remplies de mitraille et de boue. On transportait les blessés pendant des miles, dans des tranchées puantes à peine plus larges que nos civières. On marchait sur un sol mouvant de cadavres à peine ensevelis sous quelques pouces de boue. Et chaque fois que la tranchée se rétrécissait et qu'on était forcé de sortir de terre et de s'exposer au feu de l'ennemi, je me jurais que si jamais j'arrivais à sortir vivant de cet enfer je mettrais les bouchées doubles pour tous les autres, je m'assurerais que ma vie compte pour quelque chose.

Il s'était retourné et regardait fixement l'âtre, comme si des flammes y dansaient encore parmi les restes calcinés de bûches éteintes.

— Après la guerre je suis retourné finir ma médecine. J'ai fait mon internat au Vic, et j'ai constaté que le carnage continuait, sous une autre forme. Maintenant c'était surtout des enfants qui mouraient, de gastro-entérite, de pneumonie, de méningite, de syphilis congénitale. De tuberculose. De pauvreté. J'étais régulièrement de service à l'urgence, la nuit, et après avoir passé presque deux ans sur un champ de bataille je croyais avoir tout vu. À l'urgence, la nuit, on voit toutes sortes de choses, des choses qu'on ne voit pas pendant le jour. Ce que j'ai surtout vu, ce sont des femmes, de tous les âges, mariées, célibataires, certaines à peine sorties de l'enfance, mais des femmes pour qui je ne pouvais absolument rien, à part les regarder saigner à mort. Parce qu'elles n'avaient pas les moyens de se payer un de ces médecins qui, moyennant une coquette somme d'argent, ne se seraient fait aucun scrupule de les débarrasser de leur grossesse sans pour autant leur confisquer la vie. Elles mouraient parce que leurs vies ne valaient pas assez cher, tout simplement. Bien sûr, les deux ou trois médecins qui offrent ce service étaient, sont encore, des parias aux yeux de leurs collègues, qui par ailleurs ne se gênent pas pour leur envoyer leurs riches clientes chaque fois que l'occasion se présente. Vers la même époque, j'ai ouvert une clinique externe de soins gratuits, une fois par semaine, à Griffintown. On m'amenait surtout des bébés et des enfants malades, beaucoup de tuberculose, des maladies vénériennes. Souvent, les soins que je donnais se résumaient à convaincre quelqu'un d'aller à l'hôpital, ou d'utiliser des préservatifs en faisant l'amour. Mais un soir une jeune maman dont j'avais soigné le bébé est venue me demander à l'urgence.

Il parlait d'une voix égale, sans repentir ni bravade, avec le calme de quelqu'un qui s'appuie sur le roc de ses convictions.

— Elle était affolée, elle me suppliait de venir avec elle mais refusait de me dire où elle voulait m'emmener ni pourquoi. Elle était à pied, prétendant s'être fait conduire à l'hôpital par une connaissance ; alors j'ai sauté dans ma voiture et elle m'a indiqué une maison de rapport dans une ruelle obscure. Je l'ai suivie au troisième étage jusqu'à une chambre dont elle avait la clé. Il y avait un lit dans le coin de la pièce et une vieille femme à genoux qui pleurait, les mains crispées sur son chapelet. Une très jeune fille — elle n'avait pas quinze ans — pâle comme une morte, reposait sous un amoncellement de couvertures. Il y avait un amas de draps sanglants par terre à côté du lit. J'ai replié les couvertures avec autant d'égards que faire se pouvait. Quelqu'un lui avait roulé un autre drap entre les jambes pour essayer d'arrêter le sang mais il y en avait partout. Dans ma tête j'ai revu le petit gars que j'ai ramassé un jour sur le champ de bataille, qui avait reçu un éclat d'obus entre les jambes... Le matelas, les couvertures, tout était saturé de sang. J'ai pris le pouls de la petite, sachant que je ne pouvais rien pour elle. Je ne sais plus trop ce que j'ai dit, mais je lui ai parlé tout bas. Cinq minutes après, elle n'avait plus de pouls. Elle avait saigné à mort. « Qui a fait ça ? » C'est tout ce que j'ai trouvé à dire aux deux autres femmes, tellement j'étouffais d'impuissance et de colère. Et leurs yeux, noyés de larmes et de chagrin, se figèrent de terreur. J'ai eu honte de l'hypocrisie de mes confrères — ceux qui traitent comme des lépreux les rares médecins qui pratiquent l'avortement, tout en leur envoyant sans vergogne les femmes et les filles de leurs riches clients ; ceux qui pratiquent l'avortement, mais en limitant leur compassion aux patientes qui ont les moyens de se l'offrir ; et ceux comme moi, qui ressentaient la même rage indignée chaque fois que la réalité venait éclabousser la vertueuse blancheur de leur inaction. Peu de temps après, une jeune femme est venue me voir, apparemment sur les conseils de ma visiteuse de cette nuit-là. Elle était enceinte et venait de se faire dire par le père de l'enfant qu'elle portait qu'il n'avait nullement l'intention de l'épouser. Elle était terrorisée par son père, vivant encore sous son toit, et elle m'a carrément averti que, si je refusais de l'aider, elle n'hésiterait pas à risquer le même sort que la petite sœur de sa copine plutôt que de braver les conséquences une fois que sa condition commencerait à paraître. C'était mon devoir de l'aider, comprends-tu ? dit-il avec le même calme en se retournant enfin vers elle.

Ses yeux brillaient d'un éclat amer.

— Et l'ayant aidée je ne pouvais pas refuser d'en aider une autre dans le même pétrin. Aux yeux de l'Église et de la loi c'est un crime, mais aux miens, l'interdire, c'est se rendre coupable de meurtre. Notre tour, à chacun de nous, ne vient qu'une fois. On a une vie, une seule. De quel droit condamne-t-on une femme à mourir pour une faute dont un homme peut se laver les mains ? Moralement il n'y a aucune différence entre refuser son aide à une femme quand on connaît les conséquences possibles et refuser de traiter n'importe qui d'autre dont la vie est menacée.

— Pourquoi ne me l'as-tu pas dit ? murmura Jeanne faiblement.

Elle parlait mais le son ne sortait pas, comme quand la nuit elle remontait en barge les noirs tributaires de son inconscient et que passait, tournant lentement dans le courant, le corps sans vie de Louis, ou que par une cruelle alchimie, sourde et muette de douleur et de honte, elle l'épiait s'ébattant dans l'étreinte lubrique d'une opulente inconnue.

— Est-ce que je dois te parler de la femme dont le bébé est mort de méningite ce matin sous mes soins ? Ou de celle dont les enfants souffrent de malnutrition parce que son mari est tellement débilité par le chômage et l'alcool qu'il ne peut plus nourrir sa famille ? Est-ce que je contamine les quelques moments que nous avons avec la désespérance que je côtoie au quotidien ? Est-ce que je t'impose mon propre dilemme à cause d'une décision que j'ai prise, de rage et par pitié pour des gens qui ont eu moins de chance que toi ou moi, mais envers qui je me sens néanmoins responsable ?

— Mais tu pourrais être arrêté...

— Il n'y a pas beaucoup de danger, soupira-t-il, les policiers savent ce qui se passe, ils voient le carnage, eux aussi.

Puis il parut sortir de la transe amère où il avait sombré.

— Écoute, soupira-t-il en l'aidant à se relever, je te demande pardon, je ne t'ai pas ménagée. Ce n'est pas joli et ce n'est pas juste, surtout pour toi. Je ne peux pas changer les choses auxquelles je crois, pas plus que je ne peux exiger de toi que tu épouses mes choix. Tu as une décision à prendre, mais, lui conseilla-t-il avec une sincérité qui aux yeux de Jeanne le rendait tout à coup intouchable, pas maintenant. Allez, laisse-moi te raccompagner chez toi.

Les larmes de Jeanne coulaient librement à présent. En se levant elle avait senti le plancher tanguer sous elle, comme un radeau.

— Prends-moi dans tes bras, dit-elle, presque inaudiblement. Je ne pourrais pas supporter d'être loin de toi...

Elle sanglota longtemps contre sa poitrine, comme pour vider le poison qui l'attaquait au cœur.

Dehors il neigeait toujours, quoique moins abondamment. À en juger par le mince duvet qui recouvrait la voiture de Louis, leur conversation n'avait pas duré très longtemps. Il la laissa devant chez elle, comme s'il ne se souciait plus d'être surpris. Elle gravit les marches, chercha ses clés dans son sac, ouvrit la porte d'entrée, ôta ses bottes, suspendit son manteau comme elle le faisait chaque jour, mais c'était inutile. Elle n'était plus chez elle ici. Elle grimpa l'escalier sur la pointe des pieds, ne souhaitant voir personne. Elle s'introduisit dans la chambre de Kitty et s'assit sur le rebord du lit sans faire de bruit. L'enfant dormait couchée sur le côté, les cheveux épars sur l'oreiller. Jeanne prit sa petite main dans la sienne. Elle avait peine à distinguer les traits de son visage dans l'obscurité. La tendresse éperdue qu'elle éprouvait pour Kitty ne faisait qu'aggraver sa détresse. Voici donc la moitié d'elle-même qu'il lui fallait immoler afin que l'autre vive, cette autre qui désormais ne pouvait pas plus survivre sans celui qu'elle venait de quitter qu'une plante ne peut se passer de lumière, ou un animal, de nourriture. *Il faudra d'abord me passer sur le corps.* Son cœur se glaça à mesure que la pleine portée des paroles de Mick s'imposait à son esprit : Kitty, la partie vitale, rédemptrice de son être, voilà ce qu'elle allait devoir laisser en gage, pour être enfin libre. Libre. Comment pourrait-elle jamais être libre alors que le désespoir ravageait son âme, comme la famine réduit un animal à dévorer ses petits ?

3.

Albina Provost avait été une grande femme, de fière allure, avant la maladie qui avait recroquevillé et décharné son corps. Progressivement et à une vitesse qui lui avait paru fulgurante, elle avait perdu l'usage de ses membres, de ses muscles. Même sa voix avait cessé de fonctionner. L'étau se resserrait, à mesure que l'inertie gagnait les muscles de sa gorge. Elle était constamment menacée d'étouffement, pourtant son expression, qui avait déserté la chair flétrie de son visage pour se tapir dans la flamme vacillante de son regard, parvenait encore à communiquer la chaleur et la reconnaissance. Depuis que sa famille éplorée l'avait ramenée à l'hôpital pour mourir, trois semaines plus tôt, Louis Marshall apparaissait chaque jour à son chevet vers la fin de son quart de garde, bien qu'elle ne fût plus officiellement sous ses soins.

— Je vous emmène faire une virée, madame Provost, hein, qu'en dites-vous ? lançait-il en la soulevant comme une enfant malgré sa grande taille.

Il la déposait dans la chaise roulante, en la calant avec des oreillers pour la soutenir et empêcher sa tête de retomber sur sa poitrine. Puis il l'emmenait dans le couloir, passé le sapin de Noël, un don du *Ladies'Auxilliary*, jusqu'à l'étroit corridor au bout duquel se trouvait un réduit, autrefois pourvu de lits de camp où les internes venaient voler quelques heures de sommeil entre deux quarts de garde, et qui servait aujourd'hui de débarras. Sa principale attraction était un vieux piano droit en bois sculpté, dont l'élégance surannée contrastait cocassement avec la panoplie d'instruments de nettoyage qui partageaient son auguste voisinage. Ayant positionné la chaise roulante de façon à pouvoir croiser le regard de la malade en jouant, Louis s'installa, moitié debout, moitié assis, sur le tabouret un peu trop haut qui l'empêchait de plier ses longues jambes sous le clavier, et se mit à jouer pour elle un pot-pourri de vieux airs, de vaudevilles et de chansons de l'armée, écrites dans les tranchées pour distraire les soldats de l'horreur du quotidien. De temps à autre il levait les yeux, et l'effort qu'elle devait faire pour garder les siens fixés sur lui le rapprochait encore davantage de la mourante, sachant que les deux fils qu'elle avait perdus à la guerre auraient eu à peu près son âge et qu'elle-même n'était pas beaucoup plus vieille que sa propre mère ne l'eût été, si elle avait vécu.

On frappa.

— Désolée de vous interrompre... dit l'infirmière d'une voix discrète en entrebâillant la porte.

— Pas maintenant, grommela Louis sans lever les yeux ni ralentir le rythme de ses doigts sur les touches du piano.

— Désolée, mais on vous demande en bas, répliqua l'infirmière d'un air compréhensif.

— Je ne fais pas de clinique aujourd'hui, maugréa-t-il.

— Il y a là quelqu'un qui insiste qu'il a un rendez-vous, expliqua-t-elle.

Louis prit le temps de raccompagner Mme Provost à son lit. Lorsqu'il entra dans la salle d'attente de la clinique, à l'autre bout de l'hôpital, Michael O'Neill l'y attendait depuis déjà vingt bonnes minutes. Les deux hommes ne se donnèrent pas la main.

— J'aimerais vous parler en privé, dit Mick d'un ton neutre.

Il semblait tout à fait maître de lui, l'œil perçant, l'avocat parlant au nom d'un client.

— On devrait pouvoir trouver un bureau quelque part, répondit Louis à contrecœur.

La vue de cet homme lui inspirait un mélange d'hostilité, d'inquiétude et, aussi pénible qu'inavouée, de pitié. Prenant les devants de son pas élastique, il remarqua que l'autre avait du mal à le suivre et, au comble de l'agacement, se mit à ralentir bien malgré lui.

— Je viens vous demander, dit Mick, le visage blême, les dents serrées, entrant dans le vif du sujet dès que Louis eut refermé la porte derrière eux, de cesser de voir ma femme.

— C'est malheureusement impossible, répondit Louis d'une voix égale en regardant l'homme dans les yeux.

— Vous devez vous rendre compte, poursuivit Mick avec un emportement à peine contenu, de ce qui est en jeu. Jeanne et moi avons une enfant. Nous sommes une famille. Bien au-delà des conséquences que cela pourrait avoir pour Jeanne ou pour moi, il y a la vie d'une petite fille qui serait complètement bouleversée. Vous n'avez pas le droit d'infliger pareil désespoir à une enfant. Ma fille a besoin de sa mère.

Louis à présent était visiblement mal à l'aise (non pas, comme Mick aurait pu l'imaginer, à cause d'un quelconque sentiment de culpabilité, mais plutôt, bien que lui-même ne s'en rendît pas compte, à cause de l'avantage naturel que lui conférait sa taille par rapport à son adversaire, ce qui froissait chez lui un sens congénital du fair-play). Il lui répondit néanmoins avec sa franchise coutumière :

— La décision que prendra Jeanne ne regarde qu'elle. Le sort de sa fille cependant dépend clairement de vous, puisque vous refusez de lui en concéder la garde.

— Elle a choisi, répliqua Mick d'un ton abrupt, en martelant ses mots, d'abandonner le foyer conjugal. La loi là-dessus est très claire, surtout en vue du fait qu'elle compte quitter le pays.

— Vous pensez qu'elle a le choix ? gronda Louis, qui lui aussi commençait à perdre son sang-froid. Une femme qui quitte son mari est une espèce de renégat, pratiquement une criminelle. Elle serait mise au ban de la société si elle restait ici, et sa fille aussi.

— Justement, riposta Mick. (Ses yeux bleus de glace brillaient d'un éclat implacable.) *Elle n'a pas le choix. Quod erat demonstrandum.* C'est une prétention ridicule de sa part que de penser qu'elle l'ait jamais eu.

— Écoutez, trancha Louis. Jeanne n'est pas heureuse : cela ne changera pas. Même si vous pouviez l'obliger à rester, cela n'y changerait rien.

— Elle s'imagine peut-être, pour l'instant, qu'elle sera heureuse avec vous, contra Mick, reprenant l'offensive. Mais Jeanne au fond d'elle-même est une petite couventine qui s'ignore. Elle ne pourra pas supporter longtemps la réprobation de la société dont elle est issue. Vous parlez à quelqu'un qui la connaît depuis l'âge de dix-sept ans ! Je vous demande une dernière fois de vous conduire en homme d'honneur et de mettre un terme à vos relations avant qu'il ne soit trop tard.

— Trop tard ?

— J'ai en main une déclaration faite sous serment, dit Mick, en sortant de la poche intérieure de son veston un document qu'il déplia, par deux prostituées résidant au... de la rue de Bullion, à savoir que le 15 mars 1926 vous avez pratiqué un avortement illégal sur la personne d'une Élodie Vallières au 359, rue...

— Je vous défie de vous en servir, l'interrompit Louis, d'un calme absolu. De toute façon cela ne change rien. Maintenant, si vous voulez bien m'excuser, mes patients m'attendent.

4.

Jeanne est étendue sur le divan du salon dans le jour déclinant. Un côté de son visage baigne dans la pâle clarté de la fenêtre, l'autre déjà est noyé d'ombre. Elle parle tout doucement, d'une voix caressante. Ses longs doigts sont frais comme du satin sur le front de sa fille. Même si elle avait les joues sèches quand l'enfant l'a embrassée, ses yeux pâles dans le jour blême luisent d'un étrange éclat. Et comme elle l'a embrassée... Il semble à Kitty qu'elle ne l'a jamais autant aimée, qu'elle n'a jamais tant souhaité que sa mère soit heureuse. Elle qui est si malheureuse, depuis si longtemps. L'autre soir encore, l'avant-veille de Noël, papa, maman et elle décoraient le sapin, dont les ornements brillent là dans la pénombre. Papa est monté sur l'escabeau en tenant l'ange dans sa main. Il criait contre maman, comme il le fait souvent, en disant des gros mots que la petite fille n'était pas censée entendre... un *crisse* d'Anglais ! pas n'importe lequel, maudit, un vrai ! pis comme si ça te suffisait pas, un *'ostie* d'bolchévis', *câlisse* ! Kitty n'avait jamais entendu autant de jurons juxtaposés dans la même phrase. Elle s'en serait émerveillée, si elle n'avait pas été tellement triste, mais comme de toute façon elle ne déchiffrait pas bien le sens de ces paroles, elle a préféré concentrer son attention sur le feu ronflant dans la cheminée, qui lui réchauffait délicieusement le visage et les vêtements.

— Il y a longtemps que papa et moi ne sommes pas heureux tous les deux. Ce n'est pas la faute de papa, lui dit sa mère, et sa voix passe sur elle comme la brise de mer qui soulevait les rideaux à l'heure de la sieste, dans la maison d'été de sa grand-mère.

— Quand c'est comme ça, parfois il vaut mieux ne pas continuer à vivre ensemble. Tu vois, papa et moi on va se démarier.

— Qu'est-ce que tu vas faire ? demande l'enfant.

— Tu te souviens du docteur Marshall ? Celui qui nous a accompagnées au thé dansant, l'été dernier.

Kitty hoche la tête.

— Tu vas te marier avec lui maintenant ?

— Je l'espère, très bientôt... Je t'aime, dit-elle en serrant sa fille dans ses bras. Est-ce que tu comprends ?

Kitty, blottie contre elle, hoche de nouveau la tête. L'amour de sa mère est comme l'accolade que le roi Arthur donnait à ses chevaliers de la table ronde, une bénédiction sublime qui appelle en retour la loyauté, la fidélité éternelles.

— Où iras-tu ?

— Pour le moment je ne sais pas où nous vivrons, répond sa mère, presque à voix basse, comme si elle ne pouvait se résigner à dire tout haut certaines choses. Mais nous irons en Angleterre pour quelque temps. Il paraît que c'est un beau pays.

— Est-ce que je peux venir avec toi ?

— Pas tout de suite, mais bientôt, promet sa maman en la serrant très fort comme quand Kitty se fait mal ou qu'elle a du chagrin. Je te ferai venir dès que nous serons installés, je te promets.

5.

La neige tourbillonnait dans l'air nocturne aux abords de la gare Windsor. Dans le ciel, des nuages bouillonnants voilaient de noir la face de la lune. Le froid était âpre. Marchant contre le vent, Jeanne serrait la main de sa fille encore plus fort dans la sienne. Elles étaient inséparables, en ces derniers jours avant le départ, elles s'accrochaient physiquement l'une à l'autre, comme si elles cherchaient à s'assurer que rien ne pouvait rompre le lien qui les unissait. Elles arrivèrent sur le quai juste à temps pour voir la grosse locomotive entrer en gare en freinant avec un hurlement assourdissant de ses énormes roues. Lâchant un jet de vapeur blanche dans le froid arctique, le train se mit à dégorger ses passagers dans un essaim de *red-caps* rivalisant d'adresse et de célérité. Charles Langlois descendit du train, dépassant d'une tête le reste de la foule.

— Grand-papa ! s'écria Kitty. Grand-papa !

Charles Langlois se pencha et, laissant l'enfant se pendre à son cou, la serra longuement dans ses bras. Ce n'est que lorsqu'il se redressa que son regard croisa enfin celui de sa fille. Il paraissait soucieux, presque frêle maintenant malgré sa grande taille. Ses joues étaient plus creuses que Jeanne n'en avait le souvenir, ses yeux plus enfoncés dans les orbites. Il avait l'air d'avoir vieilli d'un seul coup au cours des quelques mois qui s'étaient écoulés depuis la dernière fois qu'elle ne l'avait vu.

— Jeanne, dit-il enfin, comme si tout ce qu'il ressentait, tout ce qu'il croyait, depuis toujours, se résumait à ce simple mot.

— Papa, soupira-t-elle, une vague de tendresse submergeant son irritation, pourquoi es-tu venu ?

— Pour essayer une dernière fois de te convaincre de rester, dit-il en contemplant sa petite-fille d'un œil inquiet. Es-tu sûre que c'est une bonne idée que la petite soit là ?

— Kitty est au courant de tout, lui répondit sa fille d'un ton catégorique en attirant l'enfant à elle d'un geste instinctif. Elle comprend. Il n'y a aucune raison de lui donner l'impression qu'il se passe des choses derrière son dos. Je n'ai rien à lui cacher.

— Enfin, tu mènes ta barque, se résigna-t-il. Mais te rends-tu compte des misères qu'on va lui faire quand le scandale va éclater ?

Ils sortirent dans la nuit. Le vent était en colère, et le froid ne pardonnait pas.

— Papa, je t'ai déjà expliqué en long et en large que la

situation était devenue invivable, pour Kitty autant que pour nous tous, répliqua Jeanne en réprimant de son mieux son exaspération.

— Jeanne, pour l'amour de Dieu, s'écria son père, pense à ton mari, pense à ta famille ! Pense à ce qu'il va advenir de nous tous !

— Papa. (Jeanne s'adoucit un peu devant la détresse évidente du vieil homme.) Nos vies étaient devenues un enfer. C'est la seule façon, pour lui comme pour moi, d'avoir au moins une chance d'être heureux !

— Tu crois ça maintenant, contra-t-il, d'un ton aussi proche de l'amertume que n'en était capable sa nature foncièrement douce et bonne, ça te paraît logique dans le feu de ce que tu ressens, mais que va-t-il t'arriver si tu le regrettes dans six mois ? Dans un an ? Il sera trop tard alors pour revenir en arrière. Réfléchis. Réfléchis bien ! Il est encore temps de changer d'idée !

— Papa, quoi qu'il puisse m'arriver, ou ne pas m'arriver, à l'avenir, je ne peux plus rester dans une situation qui nous rend tous si malheureux.

— J'ai peur pour toi, Jeanne, j'ai peur pour toi, pour Kitty, pour Mick, et j'ai peur pour ta pauvre mère. Je ne vois pas comment elle s'en remettra jamais. Combien de chagrin tout cela nous réserve, Jeanne.

— Je t'en prie, papa, dit celle-ci avec toute la douceur dont elle était capable, essaie de me pardonner. Tu es le seul à qui je puisse demander ça. Essaie de comprendre.

Elle leva les yeux vers son visage. Le vent impitoyable ébouriffait ses cheveux blancs. Même si le pardon était déjà implicite dans sa voix et dans ses yeux larmoyants de froid, elle voyait bien, à son air voûté, abattu, qu'il ne pouvait pas, qu'il ne pourrait jamais comprendre.

6.

Jeanne s'immobilisa au sommet de l'escalier de cette maison qui avait été la sienne. En bas sur le tapis du vestibule sa petite valise avait l'air de flotter comme un débris d'épave après un naufrage. Elle n'emportait ni les livres ni le tableau de Florence, ni son piano, ni son Victrola. Contrainte d'abandonner sa propre fille, elle se dépouillait instinctivement des quelques biens auxquels elle tenait vraiment, mue par un besoin d'expiation dont elle ne soupçonnait pas encore les exactions.

— Je les laisse avec toi pour que tu me les gardes, avait-elle expliqué à Kitty, puisant dans cette ultime complicité la force qu'elle n'avait pas.

L'enfant la contemplait de ses yeux limpides qu'aucun doute ne troublait. Cet amour prodigieux, sans bornes et sans conditions, cet amour qui raisonnait, qui plaidait dans ce cœur d'enfant en faveur de sa mère et à l'encontre de tout égoïsme, cet amour-là infligeait à Jeanne un remords d'autant plus douloureux que l'acte auquel elle s'apprêtait à passer ne pouvait être qu'irrévocable. Car cet amour-là, en la rendant irréprochable aux yeux de son enfant, privait son remords du baume du pardon. La petite entoura de ses bras la taille de sa mère et cacha son visage contre sa poitrine. Leur silence les liait l'une à l'autre plus encore qu'aucune parole. Le moment du départ était venu.

Jeanne s'engagea dans l'escalier avec précaution, comme si elle craignait de tomber, la petite la suivant sans bruit. Gabrielle et Georgette l'attendaient en bas. Les yeux bouffis et rouges de Gabrielle trahissaient son chagrin. Le visage de Georgette restait impassible. Jeanne limita ses adieux aux deux femmes au strict minimum, étant déjà convenue avec Gabrielle de la manière dont sa fille pouvait correspondre avec elle.

La porte d'entrée s'ouvrit, livrant passage à une forte bouffée de froid printanier. Mick ramassa la valise sans mot dire et ressortit aussitôt. Dix ans presque jour pour jour... Elle enfila une manche puis l'autre du manteau que lui tenait Gabrielle. Un vertige subversif la gagna, menaçant un instant de saper sa volonté. Kitty glissa sa main dans la sienne. Elles sortirent dans l'air vif du soir, firent ensemble les quelques pas vers la voiture où Mick les attendait. Les déchirements des quatre derniers mois tiraient à leur fin. Elle se soumit à l'épreuve initiatique de ce dernier trajet aux mains de cet homme dont la proximité, dans l'espace exigu de la voiture, dont le silence l'étouffaient comme un garrot. Il conduisait lentement, comme pour étirer le supplice, comme pour lui faire violence une dernière fois, et Jeanne serrait la petite main de Kitty dans la sienne, chair de sa chair, qui allait lui être arrachée, que cet homme allait brandir au-dessus d'elle comme un trophée...

Ils débouchèrent sur l'église Saint-George, débusquant en elle, comme un oiseau de malheur, le souvenir des événements qui avaient tant retardé ce départ. Au moins cette pauvre Miss Marshall avait eu l'élégance de s'éteindre paisiblement dans son lit avant que le scandale n'éclate. Louis, craignant d'être devancé par la rumeur publique, était allé lui apprendre la nouvelle, mais on venait de découvrir le corps, elle était morte dans la nuit. Sans doute ne méritait-elle pas ce chagrin-là, aussi lui avait-il était épargné. Néanmoins, en désignant Louis comme son exécuteur testamentaire, et en laissant la majeure partie de sa fortune à l'école de médecine de l'université McGill, elle s'était assurée que son neveu se chargerait lui-même de l'application du testament, et avait inopinément étiré, au-delà de toute endurance, les pénibles tractations entre Mick et Jeanne au sujet de leur fille. Jeanne frissonna en pensant à la vieille dame, à son petit corps recroquevillé comme le cadavre d'un oiseau aux pattes délicatement repliées sur sa frêle poitrine, qui attendait dans un charnier au pied du Mont Royal le printemps et le dégel pour être mis en terre. Jeanne et Mick avaient assisté aux funérailles ensemble, à l'arrière de l'église. Seul Louis avait accompagné sa dépouille jusqu'à la bâtisse aux abords du cimetière...

La voiture s'immobilisa. Mick en descendit, ouvrit le coffre, remit la valise à un *porter*. Il y avait dans la raideur de ses gestes, dans sa façon de regarder droit devant lui en fronçant légèrement les sourcils, un ultime reproche contre lequel Jeanne, cette fois, ne se rebiffa pas. Lorsqu'ils furent parvenus à son point d'embarquement sur le quai, elle se retourna vers lui et, comme il évitait obstinément son regard, lui toucha très légèrement le bras.

— Je te demande encore une fois, dit-elle d'une voix mal assurée, pour le bien de Kitty, de me laisser me séparer de toi en bons termes.

Il ne lui répondit pas.

— Je t'écrirai de New York, dit-elle, d'une voix de plus en plus incertaine. Le bateau part dans une semaine. Je t'écrirai de nouveau dès l'arrivée...

Leurs yeux ne se rencontrèrent pas. Lui gardait les siens fixés sur un point à l'autre bout de la voie. Jeanne se pencha et embrassa avec ferveur les joues fraîches et lisses de sa fille. Le chagrin montait, montait en elle. Subitement, elle se sentit aspirée, entraînée dans un tourbillon, comme l'eau d'une baignoire qui se vide. Elle se retourna pour monter dans le wagon...

Lorsqu'elle revint à elle, elle était dans les bras d'un *porter* qui l'aidait, péniblement, à se relever. La voix de Kitty se répercutait dans sa tête : « Maman ! » Elle leva les yeux. Mick n'avait pas bougé. Il restait planté là, comme une statue de sel, les yeux remplis de haine. Plus tard, Jeanne se rappela qu'enfant elle avait vu deux chiens démembrer une marmotte. Ils l'avaient tiraillée, déchiquetée jusqu'à ce que les parties qu'ils se disputaient ne fussent plus retenues l'une à l'autre que par un lambeau ligamenteux particulièrement coriace. Il leur avait fallu encore plusieurs minutes d'efforts et de grognements pour venir à bout de cette dernière attache. C'était le bruit surtout, sourd, presque inaudible, du déchirement final, qui lui avait fait perdre connaissance.

Le *porter* l'aida à monter dans le train. Lorsqu'elle atteignit son compartiment, Kitty et son père avaient disparu dans la foule. Elle les chercha des yeux, futilement, et se sentit progressivement gagner par cet engourdissement qui permet parfois à l'être de s'ajuster à un nouveau registre de souffrance. Enfin le train se mit en mouvement. Jeanne tenta de diriger ses pensées vers celui qui l'attendait au bout de cette longue nuit, mais pour l'heure elle ne put que sombrer dans une dense torpeur, puis un sommeil de plomb — celui des grands blessés, et des nouveau-nés.

Table

Première partie

Deuxième partie

Troisième partie

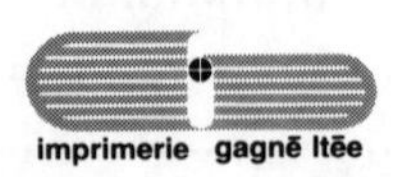

IMPRIMÉ AU CANADA